庫

ハウルの動く城[1]

魔法使いハウルと火の悪魔

ダイアナ・ウィン・ジョーンズ
西村醇子 訳

徳間書店

スティーヴンに捧ぐ

あるときわたしは、学校に招かれて生徒たちと
話をしました。そのとき、一人の少年がわたしに、
「動く城の話を書いてください」と言いました。
わたしは少年の名前を書きとめ、大事に
しまっておいたのですが、大事にしすぎて、
それきり二度と見つからなくなってしまいました。
その本がここにできました。
少年に感謝します。

魔法使いハウルと火の悪魔

Characters

ハッター氏……インガリー国の帽子屋《ぼうしや》
ソフィー・ハッター……帽子屋の長女
レティー・ハッター……帽子屋の次女
マーサ・ハッター……帽子屋の三女
ファニー・ハッター……ハッター氏の後妻。マーサの実母
フェアファックス夫人……魔法使い。ファニーの友人
ハウル（ハウエル・ジェンキンス）……動く城に住む魔法使い
マイケル・フィッシャー……ハウルの弟子
カルシファー……火の悪魔。ハウルに魔力を提供している
サリマン（ベン・サリヴァン）……王室づき魔法使い。行方不明になっている
ジャスティン王子……インガリー王の弟。行方不明になっている

キャトラック伯爵《はくしゃく》……ジャスティン王子の捜索に出かけた若者

王様……インガリーの王

ヴァレリア王女……インガリー王の娘

ペンステモン夫人……引退した魔法の先生。ハウルとサリマンの恩師

パーシヴァル……犬人間

ミーガン……ハウルの姉

ガレス……ハウルの義兄

ニール……ハウルの甥《おい》

マリ……ハウルの姪《めい》

アンゴリアン……ニールの学校の先生

かかし

荒地《あれち》の魔女

Howl's Moving Castle

ハウルの動く城1

魔法使いハウルと火の悪魔

Contents

Howl's Moving Castle

一章　帽子屋《ぼうしや》のあととり娘

インガリーの国には、昔話でおなじみの七《しち》リーグ靴《ぐつ》や姿隠しのマントが本当にありました。そんな国で、三人きょうだいのいちばん上に生まれるとは、なんてついていないんでしょう！　もしきょうだいが運だめしに出れば、昔話にあるとおり、長男や長女がまっ先に、それも手ひどく失敗することぐらい、誰だって知っていたからです。

ソフィー・ハッターは三人姉妹の長女でした。

せめて貧しいきこりの子なら、少しは出世の望みもあったでしょうが、あいにくそうではありません。両親は裕福で、〈がやがや町〉というにぎやかな町で女の人向けの帽子専門店を営んでいたのです。もっともソフィーが二歳、妹のレティーが一歳のときに母親が死に、父親は若くて金髪美人のファニーという店員と再婚。生まれたのが三女のマーサでした。

こうなると、ソフィーとレティーが「醜《みにく》いお姉様」になったとしてもおかしくないのですが、三人ともきれいな娘に育ちました。でも、とびきり美人だね、と誰もがほめるのはレティーです。ファニーは娘たちを分けへだてなく扱い、マーサをえこひいきするようすはありませんでした。

ハッター氏は三人の娘がご自慢で、町いちばんの学校に通わせました。ソフィーは妹たちより努力家で、読書に励みました。その結果わかったのは、長女の自分にはほとんど成功する見こみがない、ということでした。ソフィーはがっかりしましたが、時機が来たら運だめしに行くはずの末っ子のマーサをしこむことを生きがいにしました。

ファニーは店だけで手いっぱいなので、妹たちの世話はソフィーの役目でした。二人の妹は何かというとわめきあいや髪の毛のつかみあいをやらかします。レティーは次女で、ソフィーについで成功する見こみがないのに、夢が捨てきれないのです。

「ずるいわよ！」とレティーが叫びます。「末っ子ってだけで、どうしてマーサが出世するわけ？　今に見といで、こっちは王子様と結婚してやる！」

これに対しマーサは決まって、「あたしなんか、誰とも結婚しなくたって、ものすごーい金持ちになるもん」と言い返すのです。

とっくみあいのあとはソフィーが二人を引きはなし、破れた服を繕《つくろ》ってやると決まっていました。ソフィーは針仕事が上手で、いつのまにか妹たちの服もソフィーが仕立てていました。この物語がはじまる前年の五月祭、ソフィーがレティーに作った真《しん》紅《く》の服はとくにすばらしい出来で、首都キングズベリー一高級な店であつらえたみたい、とファニーにほめられたほどでした。

さて、このころ世間では、ふたたび「荒地《あれち》の魔女」の噂《うわさ》が聞かれるようになっていました。

なんでも荒地の魔女が王女様を殺してやるとおどしたため、王様は王室づき魔法使いサリマンに、荒地へおもむいて魔女を始末しろとお命じになったそうです。ところが魔法使いサリマンは魔女を始末しそこねたばかりか、逆に殺されてしまったらしいのです。

そんなわけですから、それから数カ月後に〈がやがや町〉の北にある丘陵地帯に突然背の高い黒い城があらわれ、四つの高い尖塔から黒煙をもくもくと吹きあげたとき、人々は魔女が荒地を離れて、この国をわが物にしようとたくらんでいる、と信じこんでしまいました。五十年前にも、魔女はそういう動きをしたのです。誰もが心底おびえました。一人で外出する者はへり、とくに夜間は人どおりが絶えました。

もっと始末に負えないことには、この城はひとところにとどまっていないのです。あるときは北西の丘陵地帯の奥まで遠ざかり、縦長の黒いしみにしか見えなくなるし、あるときは東の岩山地帯に移動し、岩の上にそびえ立つ。かと思うと、ぐっと下へ降りてきて、町の北はずれにある農家の目と鼻の先のヒースの茂みに降りるのです。運が悪ければ、尖塔から薄汚れた煙を吹きだしながら、城が動いているところを目撃するかもしれません。しばらくのあいだ、谷間の〈がやがや町〉では、城がここまで降りてくるに決まっている、という噂でもちきりになりました。町長は王様への救援依頼を考えているという話でした。

けれども城は、町のまわりの丘陵地帯をうろつくだけでした。やがて、城の持ち主は魔女ではなく、魔法使いハウルだということがわかってきました。魔法使いハウルだって、悪名《あくみょう》高い人物です。今はまだ丘を離れる気配こそ見せていませんが、ハウルの趣味が若い女性をとらえ、その魂を抜きとることだというのは、有名だったからです。いえ、娘たちの心臓を食らうのだと言う人もいました。ひどく冷酷で無慈悲な魔法使いであり、一人きりのところをつかまった娘はぜったいに助からないのです。ソフィーもレティーもマーサも、〈がやがや町〉のほかの娘たち同様、一人歩きをするなと厳しく言われましたが、はっきり言ってこれは迷惑な話でした。三人は、娘の魂なんか集めたところで、どんな使い道があるのかと不思議に思いました。

ところがまもなく、三人ともそれどころではなくなりました。というのも、ちょうどソフィーが学校を終える年、ハッター氏が急死したのです。ついで発覚したのは、ハッター氏が娘たちをずいぶん甘やかしていたことでした。氏は娘たちを学校へやるために、多額の借金を残していました。

葬式が終ると、ファニーは店の隣にある住まいの居間に腰を下ろし、娘たちに今後の話をしました。

「三人ともあの学校をやめてもらうしかないわ」とファニーは言いました。「すみからすみまで計算してみたけれど、店を手離さずにあんたたちを養うのは無理よ。みんなどこかに奉公して、将来性のある仕事を覚えることね。三人とも店に残るなんて無意味だし、うちにはそんな余裕がないの。さて、決めたことを言いましょう。まず、レティー」

次女のレティーが顔を上げました。父親を失った悲しみも、黒の喪服も、輝くばかりの健康美を曇《くも》らせてはいませんでした。「わたし、勉強を続けたいわ」

「ええ、そうなりますとも」ファニーは答えました。「あんたは〈がやがや広場〉にあるパン屋〈チェザーリ〉で奉公できる手はずにしといたわ。あそこの店は、徒弟さんたちを王様や女王様みたいに大切にするという評判じゃない。あんたもきっと楽しくすごせるだろうし、おまけに役立つ仕事まで習えるのよ。チェザーリさんの奥さんはうちのお得意様で、あたしとも友だち。だから、特別にあんたを受け入れてくださるわけ」

レティーは笑いましたが、少しもうれしそうではありません。「まあ、ご親切様。料理が好きだっただけ運がよかったってことよね？」

ファニーはほっとした顔をしました。レティーはときにうんざりするほど強情《ごうじょう》になるからです。

「つぎにマーサだけど」と、ファニーが続けます。「働きに出るのはどう見ても若すぎるでしょ。で、考えたの、あんたにふさわしいのは、静かにゆっくり見習をすることだって。それに将来なんになるにせよ、役立つものでなくちゃね。ねえマーサ、昔わたしと同じ学校に通ったアナベル・フェアファックスさんを覚えてる?」

末っ子のマーサはほっそりした金髪美人でしたが、大きな灰色の瞳でファニーを見つめているところは、レティーと同じぐらい強情そうに見えます。「よくしゃべる人でしょ? あの人、魔女じゃなかった?」

「そうよ、すてきなおうちに住んでいて、〈折《お》れ谷《だに》〉じゅうにお客がいるわ」ファニーは熱っぽく言いました。「アナベルはいい人よ、マーサ。自分の知ってることをそっくりあんたに教えてくれるでしょうし、きっと、キングズベリーにいる宮廷関係の人も紹介してくれるわ。アナベルにしこんでもらえば、安心よ」

「あの人、感じはいいもんね」マーサはしぶしぶ言いました。「わかった」

やりとりに耳を傾けていたソフィーは、ファニーのすることにぬかりはないという印象を受けました。レティーは次女ですから、たいして出世しそうもありません。だからファニーは、レティーが若くてすてきな徒弟さんと出会い、末永く幸せに暮せそうな場所へ送りこむ気なのです。末っ子のマーサは一人立ちし、出世する定めですから、魔法と金持ちの知りあいが役立つというわけです。自分の未来に関しては、ソフィーは、ぱっとしないとわかっていました。だからファニーにこう言われても、ちっとも驚かなかったのです。

「さてソフィー、わたしが引退したあかつきには、長女のあんたがこの帽子店を相続する、それがすじでしょ。だからあんたを見習として店に置き、商売を覚えてもらおうと思うの。どうかしら？」

どうせ帽子を作るのが運命だとあきらめてた、とはいくらなんでも言えません。そこでソフィーは、それでけっこうです、と返事したのです。

「じゃあ、これで全部決まり！」ファニーが言いました。

次の日、ソフィーはマーサを手伝って、箱に衣類をつめました。その翌朝にはみんなでマーサを見送りました。荷馬車に乗ったマーサの小さなうしろ姿は、背すじを伸ばし、緊張して見えました。フェアファックス夫人の住む〈上折《かみお》れ谷《だに》〉までは丘をいくつも越えますが、その途中で魔法使いハウルの動く城があるあたりもとおるからです。マーサがおびえるのも当然といえば当然でした。

「あの子ならだいじょうぶよ」レティーが言いました。レティーは自分で荷造りするからと、手助けをことわりました。マーサの荷馬車を見送ると、枕カバーに自分の持ち物いっさいをつめこみ、近所の走り使いの少年に六ペンス払って、〈がやがや広場〉にある〈チェザーリ〉の店まで手押し車で運んでもらったのです。手押し車のうしろを歩いていくレティーは、思ったより楽しそうでした。実際、帽子店を出られてせいせいした、という雰囲気さえ漂っていました。

少年はレティーの走り書きを持ち帰りました。『女子従業員寮に荷物を入れました、〈チェザーリ〉の店は楽しそうよ』という短い物でした。一週間後、荷馬車の御者《ぎょしゃ》が、無事に到着したというマーサの手紙を届けにきました。手紙には、『フェアファックス夫人はとてもいい方、なんにでも蜂蜜を使うけどね。蜂を飼ってるわ』と書かれていました。それっきり、しばらく妹たちとのやりとりはとだえました。というのも、マーサとレティーが出立《しゅったつ》した日から、ソフィーの修業もまたはじまったためです。

実のところ、ソフィーはこの商売のことなら知りぬいていました。よちよち歩きのころから、店から中庭をはさんで奥に立っている大きな作業場に出入りしていたからです。この作業場は帽子の材料に水を吹きつけ、木型の上で型どりをし、ロウや絹で花や果物などの飾りをこしらえるところです。

ソフィーは職人たちとも顔なじみでした。ハッター氏が子どもだったころからここで働いている人ばかりなのです。父の死後、店員でただ一人残ったベッシーも知っていました。帽子を買うお客さんたちとも、作業場で型どりする前の麦わら帽子を田舎から運んでくる荷車の人とも、みんな顔見知りでした。ほかの出入業者たちのことや、冬にかぶるフェルト製の帽子の作り方だって承知しています。ですから、ファニーに教えてもらうことはたいしてなかったのです。もっとも、お客に帽子を買わせる秘訣は別です。

「帽子を出すには順序があるのよ、ソフィー」とファニーが言いました。「最初はあまり似合わない帽子をお出しするの。そうすれば、お客の方でも似合う帽子をかぶったときに、ちがいがわかるから」

とはいえ、ソフィーはほとんど帽子を売りませんでした。一日かそこらは作業場で見学し、翌日ファニーのおともをして生地屋と絹織物商へ出かけましたが、その後は帽子の仕上げをするようにと、ファニーに言われたからです。ソフィーは店の奥で柱のあいだの壁のくぼみに椅子を置いて座り、ボンネットには薔薇《ばら》を、ベロア地の帽子にはベールを縫いつけてから、すべての帽子に絹の裏地をつけ、表にはロウ細工の果物やリボンをあしらいました。

ソフィーは腕は確かでしたし、この仕事が好きです。でも、ひとりぼっちで、少し退屈でした。職人たちは気安くつきあうには歳をとりすぎていたし、むこうでもソフィーのことを将来の経営者として見ているのです。ベッシーも同じです。どのみちベッシーが話すことといったら、五月祭明けの週に結婚するお相手の農夫のことに決まっていました。ソフィーは、絹織物商と取引するために好きなときにさっさと外出できるファニーが、うらやましくなったほどです。

生活に彩《いろど》りをそえてくれたのが、店に来るお客さんたちのおしゃべりでした。どのお客も噂話をしないと帽子が買えないらしいのです。店の奥に座ったソフィーは手を動かしながら、耳を傾けました。たとえば、町長さんは野菜をけっして召しあがらないんですって、とか、魔法使いハウルの城がまた崖の上に戻ってきたのをご存じ？とか、ねえ本当なの、あいつが、ひそひそ……

ハウルの話になると、みんないつも声をひそめてしまうのです。けれどもソフィーは小耳にはさんだ話から、ハウルが先月、町はずれに住む娘さんをつかまえたらしいと思いました。「あの青ひげのやつ！」と誰かが小声でつぶやきます。また声が大きくなり、次に聞こえてきたのは、ジェーン・ファリアの今の髪型はひどい恥っさらし、とこきおろす声でした。あれじゃ、ちゃんとした男の人に相手にされないわ。ううん、ハウルだってあんなのはまっぴらでしょ……

そのあと、荒地の魔女についての噂が、さも恐ろしげに早口でひそひそとかわされました。ソフィーは、魔法使いハウルと荒地の魔女がいっしょになるべきだと思いはじめたほどです。「あの二人ならお似合いじゃないかしら。誰かが仲人《なこうど》をすればいい」と、ソフィーはそのとき仕上げをしていた帽子にむかって話しかけました。

けれどもその月の終りごろ、店内では急にレティーが話題の主《ぬし》となりはじめました。話のようすだと、〈チェザーリ〉には朝から晩まで男性がつめかけているようです。どの男性もケーキをたくさん注文し、レティーに相手をしてもらいたいと言いはるとか。レティーには、町長の息子から道路掃除の若者まで十人の求婚者がいるけれど、本人はまだ身をかためるには若すぎるからと、十把《じっぱ》ひとからげにことわったとか。

「レティーには分別《ふんべつ》があるってわけね」と、ソフィーはプリーツを寄せていた絹地のボンネットに言いました。

ファニーは噂を聞いて喜びました。「あの娘《こ》ならうまくやるって思ってた！」

ソフィーはふと、ファニーがうれしそうなのは、レティーがそばにいないせいだと気づきました。

「レティーがいると商売の邪魔なのね」と、ソフィーが話しかけたのは、薄茶の絹でプリーツを寄せたボンネットでした。「妹がかぶれば、あんたみたいなやぼったい帽子だって魅力的に見えるけど、ほかのお客はレティーを見たら、おしゃれする気なんかなくなるもんね」

ソフィーは週を追うごとに、ますますひんぱんに帽子に話しかけるようになりました。ほかに話す相手がいなかったのです。ファニーは仕入やお得意まわりで一日の大半外出していましたし、店員のベッシーは間近《まぢか》に迫った結婚式のことを客の誰彼《だれかれ》となくしゃべりまくるのに忙しかったのです。

このごろではソフィーは、帽子を仕上げるたびに、帽子スタンドにのせて話しかけるようになっていました。スタンドの帽子は胴体のない頭みたいで、胴体の主《ぬし》はどんな人か教わるあいだ、ここで休憩しているように見えました。ソフィーは帽子たちにも少しばかりおせじを使いました。お客にはそうした方がいいのです。

「なんて、謎めいた魅力がおありでしょう」と言った相手は、ベールにスパンコールのついた帽子でした。つばが広く、薔薇を飾ったクリーム色の帽子には、「お金持ちと結婚できますよ！」、ちぢれた緑色の羽根がついた青緑色の麦わら帽子には、「まあ、春の若葉のようにお若く見えますね」とほめました。ピンク色のボンネットにはえくぼが魅力的です、と言い聞かせ、ビロードを飾った粋《いき》な帽子にはなんて頭の回転が速いんでしょう、と言いました。プリーツを寄せた薄茶のボンネットに言ったのは「心の美しい人がかぶるでしょう。高貴なお方が恋に落ちられること、うけあいです」でした。というのも、ソフィーはこのボンネットがとてもかわいそうになったのです。ごてごてしてみっともない帽子でした。

翌日、悪趣味で名高いジェーン・ファリアが店に来て、このボンネットを買っていきました。なるほど髪型はちょっとばかりへんてこね、とソフィーは店内をのぞきこんで思いました。まるで焼きごてに巻いたみたいなだらしのない髪型じゃないの。あの帽子を選ぶなんて、ジェーンもまぬけね……

このごろは女性客がいっせいに帽子やボンネットを買いだしたようでした。ファニーがうまく売りこんだせいか、それとも春が近くなったせいでしょう。とにかく売れ行きが目に見えて伸びています。ファニーはちょっとうしろめたそうに、「あんなにあわててマーサとレティーに職を見つけてやるんじゃなかった。このぶんなら、やっていけたかもしれないわねえ」と言いだすようになりました。

四月に入ると、間近に迫った五月祭にむけて帽子の売れ行きにも拍車がかかり、ソフィーも地味な灰色の服を着て店に出ることになりました。ところが帽子が飛ぶように売れるため、ソフィーが応対の合間をぬって必死に帽子を仕上げても足りず、閉店後に隣の住まいにまで仕事を持ち帰るはめになりました。翌日分の帽子を夜なべで作るのです。町長夫人がお買上げになったタイプの青緑色の帽子はとくによく売れました。ピンクのボンネットもです。五月祭の前の週には、「ジェーン・ファリアが、キャトラック伯爵《はくしゃく》と駆け落ちしたときかぶっていたっていう、薄茶のボンネットをちょうだい」と言う客まであらわれました。

その晩、帽子を作りながらソフィーは、毎日がつまらない、とはっきり思いました。そこで帽子に話しかけるかわりに、仕上げた帽子をかぶってては鏡をのぞいてみることにしました。でも、これはうまくいきませんでした。地味な灰色の服はソフィーには似合いません。根《こん》をつめすぎて、目のふちがまっ赤となれば、なおさらです。それに髪の毛が赤いので、青緑もピンクも似合わないのです。薄茶のプリーツはソフィーをさらに陰気に見せただけです。

「まるでオールドミスみたい！」と、思わずつぶやいていました。別にジェーン・ファリアのように伯爵と駆け落ちがしたい、というのではありません。レティーのように町の半数の人間に求婚されてみたいわけでも。ただ、何かがしたい——何をしたいのかは、はっきりしていませんが——帽子作りより少しはおもしろいことがしたいのです。明日、時間をやりくりしてレティーに会いにいこうかしら、とソフィーは思いました。

けれども、翌日になってもソフィーは出かけませんでした。その暇がなかったのか、その気が失《う》せたのか。さもなければ〈がやがや広場〉がやたらに遠くに感じられたのか。一人歩きは魔法使いハウルがいるから危険だ、と思いだしたせいかもしれません。とにかく日がたてばたつほど、妹に会うのが難しい気がしてきました。へんな話です。今まではレティーと同じくらい意志が強いと自分では思っていたのに、気づいてみると、口実を使い果たしてからでないと行動に移れないのです。

「このままじゃだめよ！」と、ソフィーは声に出して言いました。「〈がやがや広場〉は目と鼻の先じゃないの。走っていけば……」ソフィーは帽子店がお休みになる五月祭の当日、〈チェザーリ〉までひとっ走りするぞ、と決心しました。

　そうこうするうちに、新しい噂が伝わってきました。なんでも王様が弟のジャスティン殿下と言い争いをなさり、王弟殿下は他国へお逃げになったらしいのです。下々《しもじも》の者には争いの原因はわかりませんが、噂によるとジャスティン殿下は数カ月前に変装して〈がやがや町〉をとおりすぎて逃げたはずでした。でも、誰も気づかなかったようです。王様はキャトラック伯爵に殿下を探すようお命じになりましたが、伯爵は殿下を見つけるかわりに、ジェーン・ファリアと出会い、駆け落ちしたわけです。ソフィーはそれを聞いて悲しくなりました。なるほどおもしろい事件もあるものですが、主役はいつだってよその人なのです。でも、レティーに会えば少しは気分も晴れることでしょう。

　五月祭の当日、町では夜明けからお祭り騒ぎでした。ファニーは朝から外出しましたが、ソフィーには帽子の仕上げがふたつ残っていました。仕事をしながらソフィーは歌を口ずさんでいました。考えてみればレティーだって働いてるんだわ。〈チェザーリ〉は祭日には真夜中まで店をあけてるもの。そうだ、あそこのクリームケーキを買おう。しばらく食べてなかったし……。色とりどりの晴着《はれぎ》を着た町の人や、みやげ物売り、竹馬に乗って浮かれた人などが窓の外をとおりすぎ、見ているだけでわくわくしてきます。

けれども灰色の服に灰色の肩かけをまとい、ようやく通りへ出たとたん、ソフィーの楽しい気持ちはしぼんでしまいました。あまりに多くの人が行き来しています。笑ったり叫んだり、うるさすぎるし陽気すぎます。数カ月ものあいだ、じっと引きこもって仕事をしていたせいで、おばあさんか半病人になった気分です。肩かけをしっかり体に巻きつけると、ソフィーは家の軒先《のきさき》伝いに歩きだしました。通行人のよそゆき靴に足をふまれたり、ひらひらした絹のブラウスのひじでこづかれたりしないように気をつけながら。

そのとき、頭上でたてつづけにバンバン！　という音がしたので、気絶しそうになりました。見あげると、魔法使いハウルの城が町のすぐ北の丘の斜面に浮かんでいます。あまり近いので、町はずれの家の煙突の上にのっているように見えます。四つの尖塔からいっせいに青い炎が吹きでて、青い火の玉となり、空高くどかんと破裂するのです。身の毛がよだつとはこのことです。魔法使いハウルは五月祭が気に入らないのでしょうか、それともお祭に参加しているつもりでしょうか。ソフィーは怖くて怖くて、知りたくもありませんでした。家へ引き返したいのはやまやまですが、ここからだと〈チェザーリ〉の方が近いので、走りだしました。

「どうして人生はおもしろい方がいいなんて思ったんだろう？　おびえるだけなのに。何もかも長女に生まれたせいよ」走りながらソフィーは思いました。

〈がやがや広場〉に着いてみると、喧騒《けんそう》はますますものすごくなっていました。宿屋が軒をつらねた広場では、丈の長いマントや幅の広い長い袖の服を着たほろ酔いかげんの若者たちが、肩で風を切り、ふだんはけっしてはかないような飾りがついた靴で地面をふみ鳴らし、下品な言葉を吐いたり娘たちを誘ったりしています。娘たちはといえば、誘われるのを期待しているらしく、着飾って、数人かたまってぶらついています。五月祭にはめずらしくもない光景ですが、今のソフィーにはそれすら恐ろしかったのです。ですから青と銀の派手な衣装の若者が声をかけてきたとき、ソフィーはあとずさって奥まった店の入口の陰に隠れようとしました。

若者はびっくりしてソフィーを見つめ、むしろ気の毒そうに笑いました。「だいじょうぶだよ、おくびょうな灰色ネズミちゃん。飲み物でもおごろうかと思ったのさ。そんなに怖がらないで」

相手の気の毒そうな表情に、ソフィーは恥ずかしくなりました。なんてさっそうとした若者でしょう。やせてすっきりした目鼻立ちで――歳は二十代にはなっていそうですが――金髪をきれいに整えています。広場を歩いているどの若者よりも幅の広い袖は、ふちがひらひらして、銀のスパンコールがびっしりついています。

「まあ、いえけっこうです、どうも」ソフィーは口ごもりました。「あ、あたし、妹に会いにいくので」

「ではぜひ、そうしたまえ」言い寄ってきた若者は笑いながら返事しました。「ぼくとしたことが、きれいなご婦人が妹さんに会うお邪魔をするなんて！　それとも、たいそうおびえているようだから、送っていきましょうか？」

若者は親切なつもりでしょうが、ソフィーはさっきよりもっと恥ずかしくなりました。「いえとんでもない、ご親切にどうも！」ソフィーは口ごもると、若者の脇をとおって逃げだしました。若者は香水をつけていました。走りだしたあともヒアシンスの香りがついてきます。なんて上品な人かしら！〈チェザーリ〉の外に並べられた喫茶用の小テーブルのあいだをぬって進みながら、ソフィーは若者のことを考えていました。

店外のテーブルは満席でした。店内も満員、広場と変わらないほどのやかましさです。カウンターに並んだ店員の中にいたレティーは、すぐに見つかりました。ひと目で農家の息子とわかる客たちがカウンターにひじをつき、こぞって一人の店員に声をかけています。それがレティーでした。

前よりきれいになり、ややほっそりしたレティーは、すごい速さで袋に菓子をつめては、あざやかな手つきで袋の口をひねり、肩ごしにふりむいてにっこりし、袋ごとにひと言ふた言そえて渡しています。そのつど笑い声があがります。ソフィーはカウンターまで人をかきわけて進みました。

レティーが気づきました。一瞬、ぎょっとしたようです。それから目を大きく見ひらき、顔じゅうに笑みを浮かべて、呼びかけました。「ソフィー姉さん！」

「話せない？」と、ソフィーは大声を出し、大柄で身なりのいい男のひじに押されたので、「どこかほかで」とつけ加えました。

「ちょっと待って！」レティーも叫び返し、隣にいた店員に何かささやきました。ささやかれた娘はうなずき、にこっとして、レティーと場所を代わりました。

「さあ、これからはわたしに注文してちょうだい」娘は待っていたお客に言いました。「次はどなた？」

「でもおれ、レティーと話したいよ」農家の息子の一人が大声を出します。

「キャリーと話すのね」レティーが口をはさみます。「こっちは姉さんに用があるの」

お客たちは、不機嫌になるようすはありませんでした。レティーがカウンターのはじの板をはねあげ、手招きすると、お客たちはソフィーをぐいぐい押して進ませてくれ、レティーを一日じゅう独占すんなよ、と言っただけでした。

ソフィーがカウンターをすりぬけて中に入ると、レティーは手首をつかみ、店の奥にひっぱりこみました。ケーキのつまった木箱が積み重ねられた中に、ちょっとした空間があったのです。レティーは、どこからか丸椅子を二脚持ってきました。

「座って」とレティーは言うと、手近の箱をのぞきこみ、うわの空でとりだしたクリームケーキをソフィーに手渡しました。「これでも食べて、気を確かにね」

ソフィーは椅子に座り、胸いっぱいに甘いケーキの香りを吸いこんで、涙ぐみそうになりました。「レティー、会えてほんとによかった」

「そうね。姉さん、ひっくり返らないで聞いてね」と、レティー。「あたし、レティーじゃないの。マーサよ」

二章　ソフィーの旅立ち

「なんですって？」ソフィーは自分のむかいに座っている顔をまじまじと見つめました。レティーにしか見えません。レティーの二番目によい青の晴着《はれぎ》を着ているし、それがまたぴったり似合っています。髪もレティーと同じ黒、目も同じ青です。

「あたしはマーサ」と妹がくり返します。「姉さんは、あたしがレティーの絹の下着を切りきざんでるところをつかまえたわよね？　レティーならこのこと、知らないはずでしょ。姉さんはしゃべった？」

「いいえ、なんで？」ソフィーは仰天しました。言われてみればマーサです。頭のかしげ方といい、ひざのあたりで両手を重ね、親指をひねくりまわすしぐさといい、マーサのくせです。

「姉さんが会いにくるの、怖かったんだ」とマーサ。「だって、うちあけなきゃならないってわかってたから。でも、これで肩の荷が下りたわ。姉さん、誰にも言わないって約束して。姉さんは約束したら言わない人だから。すごーく口が堅いもん」

「約束する」ソフィーは言いました。「でもなぜ? どうやったの?」

「二人で話しあったの」マーサは親指をひねくりながら言いました。「レティー姉さんは魔法を習いたかったのよ。レティー姉さんって頭がいいでしょ、だから才能が生かせる道に進みたがってたの。でも、あたしはちがう。だけど母さんにそんなこと言ってもむだ! 母さんはレティー姉さんをねたんでるもんだから、りこうなことだって認めないもん!」

ソフィーはファニーにそんな一面があるとは信じられませんでしたが、とりあえず聞き流しました。「だけど、あんたの方は何がしたかったの?」

「ケーキを食べたら。おいしいわよ」とマーサ。「ああ、あたしだって別に頭が悪いってわけじゃないのよ。フェアファックスさんとこで、たった二週間でこのまじないを見つけたもん。夜中に起きだして、あそこの魔法の書をこっそり読んだの。ほんと、簡単。それから家族に会いに帰ってもいいかって聞いたら、フェアファックスさんは、いいわよって。いい人なんだ。家が恋しくなったと思ったみたい。だから調合しといたまじないの薬を持ちだして、ここへ来たの。お互いの姿をとりかえたあと、レティー姉さんがあたしのふりしてフェアファックスさんのとこへ戻ったわ。

いちばん難しかったのが最初の週ね、知ってるはずのことがわからなかったんだもん。そりゃもうたいへん。でもね、ここの人たちがあたしを気に入ってるってわかってからは——ほら、むこうが好意を持てば、こっちもそうなるでしょ——うまくいってる。それにフェアファックスさんもレティー姉さんを追いだしてないから、むこうもうまくいってるんじゃない」

　ソフィーは味もわからずに、ケーキをむしゃむしゃ食べていました。「でも、こんなことするには、あんたの方にも理由があったんでしょ？」

　マーサは椅子ごと体を前後にゆらし、レティーの顔のままにこにこして、幸せそうに親指をくるくるまわしました。「あたし、結婚したいし、子どもは十人ほしいの」

「まだそんな歳じゃないでしょ！」

「まあね。でも、十人の子どもをちゃんと産むには、あまりぐずぐずできないじゃない？　わかるでしょ？　それにレティー姉さんの姿をしてると、あたしが結婚したい相手が、本当のあたしを好きなのかわかるし。ほら、まじないは少しずつ薄れるから、だんだんあたしの姿に戻っていくもん」

　ソフィーは驚きのあまり、どんなケーキだったかさえわからないまま、最後のひと口をのみこんでしまいました。「どうして子どもが十人なの？」

「それだけほしいの」

「知らなかった！」

「言ってもしかたないじゃない、なにせ姉さんはあたしの将来については、せっせと母さんの後押ししてたんだから。姉さんは、母さんが本気であたしの出世を望んでいると思ってたんでしょ。あたしもそうだった、父さんが死ぬまではね。それからよ、わかったのは。母さんはあたしたちをひたすらやっかいばらいしようとしてた――レティー姉さんは、いろんな男に会えて結婚しちゃいそうなところに送りこんだし、あたしの方はできるだけ遠くへ追っぱらったんだって。あんまり腹が立ったから、こっちも思ったんだ、裏をかいてやろうって。レティー姉さんに話したら、同じぐらい腹を立ててた。それで相談したの。今は二人とも満足してる。姉さんみたいにりこうでいい人が、ただねえ、ソフィー姉さんがかわいそうで。二人で話しあったけど、どうしていいかわからなくって」

「だいじょうぶよ。ちょっと退屈だけど」と、ソフィーは強がりを言いました。

「だいじょうぶですって?」マーサは驚いて聞き返します。「何カ月も来ないどいて、だいじょうぶだって言いはるつもり? おまけに来たかと思えば、灰色の服に灰色の肩かけなんていう、すっごく地味な格好。あたしにまでびくびくするようになっちゃって! いったい、母さんに何をされたのよ?」

「なんにも」ソフィーは落ち着かなげに答えました。「かなり忙しかっただけよ。あんたも母さんのことでそういう口のきき方しない方がいいわ、マーサ。あんたの実の親よ」

「そうよ。実の娘だからこそ、かえって母さんのやり口がわかるの。だからむこうだって、あたしがけむたくて、あんな遠くへ追いはらおうとしたんだもん。ま、成功しなかったけどね。あの人は、いじめなくても誰かさんをこき使えるって、よーく心得てる。姉さんがどれだけすなおかわかってるし、長女に生まれたばっかりに何をやってもうまくいかないとかいう、姉さんの思いこみのこともね。姉さんをうまく丸めこんで、あくせく働かしてる。きっと、お給料だってもらってないでしょ？」

「まだ見習だもの」ソフィーはしぶしぶ認めました。

「あたしだって見習。でも、もらってる。〈チェザーリ〉じゃ、あたしにそれだけの値打ちがあるとわかってるの」と、マーサ。「最近帽子店がもうかってるのだって、みんな、姉さんのおかげよ！　町長の奥方がすてきな女の子に見えちゃう緑の帽子、あれを作ったの、姉さんでしょ？」

「青緑色のやつね、仕上げをしただけよ」

「それから、ジェーン・ファリアが伯爵《はくしゃく》と出会ったときにかぶっていたボンネットもだわ」マーサは、ソフィーにかまわず続けました。「姉さんは帽子や洋服にかけちゃ天才で、母さんもそれは承知！　去年の五月祭にレティー姉さんにあのすごくきれいな服をこしらえたとき、ソフィー姉さんたら、こき使われる運命を招いちゃったんだ。今じゃ姉さんがお金をかせぎ、あの人はふらふら遊んで……」

「仕入に出かけてるのよ」ソフィーは言いました。

朝のうちに片づくじゃない。マーサは大声を出します。指の動きが速くなります。「そんなの、あの人は姉さんがかせいだお金で馬車を雇い、服を新調し、この谷間にある屋敷をかたっぱしから訪ねてるってのに！　〈谷小路《たにこうじ》〉にある大きな屋敷を買って、豪勢《ごうせい》な暮しをはじめるつもりじゃないかって、みんな言ってるわ。姉さん、どこに目をつけてんのよ？」

「でもねえ、あの人だって、楽しむ資格があるんじゃない？　あたしたちを育てるのはたいへんだったんだし」ソフィーはとりなしました。「あたしは店をゆずってもらうし」

「ああ、姉さんったら！」マーサは叫びました。「いいこと……」

けれどもそのとき、奥の棚のからの箱がふたつ引きぬかれ、一人の徒弟が頭をつっこんできました。「やっぱりレティーだ。声でわかったよ」人なつこく、なれなれしい笑顔です。「みんなに伝えてくれよ、ひとかま焼きあがったって」

ちょっと粉のくっついた巻毛の頭はすぐひっこみました。ソフィーは感じのいい徒弟だと思いました。マーサに、あの徒弟さんが結婚したい相手なの、と聞きたくてたまらなかったのですが、マーサはもうしゃべりながら、あわてて立ちあがっていました。

「ほかの娘《こ》たちにも手伝ってもらって、そっくり店先まで運ばなきゃ。姉さん、そっちのはじを持って」マーサが箱を引きずりだしたので、ソフィーも、笑い声もにぎやかな店まで運ぶのに力を貸しました。「姉さん、もっと自分を大事にしなきゃ」マーサは少し息を切らしています。「レティー姉さんが、よく言ってた。あたしたちがそばで励ましてやらなかったら、ソフィー姉さん、どうなるかわからないって。ほんと、心配してたとおりじゃない」

店ではチェザーリのおかみさんが、二人からたくましい両腕に箱を受けとり、何事か指図しました。すぐに何人もの人が箱をとりにマーサの脇を急いでとおりぬけていきます。ソフィーは大声でさよならを言うと、ざわめきをあとにしました。これ以上マーサに時間をとらせるわけにはいきません。それに一人で気持ちを整理してみたかったのです。

ソフィーは家目ざして走りました。おりしも市《いち》が立っている川沿いの原っぱでは花火が上がり、ハウルの城から出る青色の火の玉と競いあっていました。ソフィーはさっきよりもっと心細くなりました。

次の週、ソフィーは考えて考えぬきました。でもわけがわからなくなり、不満がふくらむだけです。物事はソフィーが思っていたとおりとはかぎらないようです。レティーとマーサには驚きました。何年ものあいだ、二人のことを全然わかっていなかったようです。でも、ファニーがマーサの言うような女性だとはちょっと信じられません。

ベッシーが結婚して店をやめ、ソフィーは一人だったので、考え事をする暇はじゅうぶんにありました。ファニーは、遊び歩いているかどうかは別として、ひんぱんに店をあけていましたし、五月祭後の売上は落ちこんでいました。三日ほどしてソフィーは勇気をかき集め、「あたしも給料をもらえるんでしょ?」と聞いてみました。

「もちろんよ、ソフィー。よく働いてくれてるもの」ファニーは店の鏡の前で薔薇《ばら》を飾った帽子をかぶりながら、やさしく返事しました。「今晩にでも計算をすませたら、いっしょに考えましょうね」そのままファニーは外出し、ソフィーが店をしめ、仕上げが残っている帽子を住まいに持ち帰る時刻になっても、戻ってきませんでした。

ソフィーは最初、マーサの言うことに耳を貸したせいでうしろめたかったのですが、ファニーがその晩も、その週の後半になっても、給料のことを持ちだそうとしないので、マーサが正しかったのかもしれない、と思うようになりました。

「わたし、利用されてるだけかもね」ソフィーは、赤い絹のリボンとロウ細工のサクランボの房をつけていた帽子に話しかけました。「だけど誰かがこの仕事をしなくちゃ。さもないと、売る物がひとつもなくなるわ」ソフィーはその帽子を仕上げると、飾りがなくてしゃれた白黒の帽子をとりあげました。そのとき、新しい考えが浮かびました。「売る物がない？　だったら、どうだっていうの？」周囲を見まわすと、目の前のスタンドにある帽子も、まだ山積みのほかの帽子も、仕上げを待っています。

「あんたたちなんか、これっぽっちもあたしの役に立たないじゃない」

ソフィーはもうちょっとですぐさま家を離れ、運だめしに出かけるところでした。でもあやういところで、自分は長女なんだから出かけてもむだだと考えなおし、ため息をつきながらまた帽子を手にとりました。

次の朝、一人で店番をしているときも、まだソフィーは不機嫌でした。そこへ、あまり器量《きりょう》のよくない若いお客が鼻息も荒く店内にのりこんできました。プリーツのある薄茶のボンネットのリボンをつかんで振りまわしながら、キイキイ声を出しています。

「ちょっとあんた！　あんたは、これだと言ったよね。ほら、ジェーン・ファリアが伯爵と出会ったときにかぶっていたのは、これと同じだって。嘘つき！　あたしにゃ、なんにも起きないじゃない！」

「そうでしょうね」ソフィーは思わず言っていました。「そういう顔立ちで、このボンネットをかぶるようなまぬけな人は、たとえ王様が物乞《ものご》いにいらしても見抜けないでしょうよ。もっとも、その前にあなたを見た王様が、怪物ゴルゴンを見た人みたいに石像に変わってなければ、の話だけど」

お客はソフィーをにらみつけました。そしてボンネットを投げつけると、勢いよく店から出ていきました。ソフィーはフン、と言いながら、ボンネットをくずかごの奥に押しこみました。『かっとなれば、お客を失う』、これが商売の常識です。たった今、その正しさを証明したわけです。気がかりなのは、かっとなるのが快感だったことです。

ソフィーがまだ立ちなおれないでいるうちに、車輪の音と馬のひづめの音がしたと思うと、馬車が店の窓をふさぐように停まりました。扉のベルがチリンチリンと鳴り、今まで見たこともないほど飾りたてた客がさっそうと入ってきました。黒テンの肩かけをふわっとまとい、漆黒《しっこく》のドレスにはダイヤモンドがちりばめられています。でもソフィーがまっ先に目をとめたのは、この客の大きな帽子でした。飾ってある本物のダチョウの羽根は、一見黒っぽく見えますが、ダイヤモンドのちらちらする光でピンクや緑、青に映《は》えるように玉虫色に染めてありました。お金のかかった帽子です。美しい顔には入念に化粧をほどこしています。栗色の髪の毛のおかげで若々しく見えますが、たぶん……

ソフィーはあとから店に入ってきた若者に目をとめました。ぼーっとした顔つきの赤毛の若者で、身なりはよいのに顔は青ざめ、見るからにうろたえています。ソフィーをじっと見つめ、おびえたような、すがるような目をしています。どう見ても客より若く見えます。ソフィーは首をかしげました。

「ハッターさんね？」と、客。声は鈴を振るようですが、言い方は高飛車《たかびしゃ》でした。

「そうですが」ソフィーは答えました。若者はさっきより一段とあせっているようすです。この客の息子だから、母親の態度にはらはらしているのでしょうか。

「あなた、とてもすてきな帽子を売ってるそうね。お見せなさい」と客が言いました。

今日みたいな日は、自分が何を言いだすやら信用できません。ソフィーは黙って奥へ帽子をとりにいきました。うちには、上流のお客にむくような帽子はないのに。それに、あの若者はなんであたしをじろじろ見るのかしら。感じが悪いわね。でもきっとふさわしい帽子がないとわかれば、このへんな二人連れもすぐ帰るでしょうよ。ソフィーはファニーに教わったとおり、もっとも似合わない帽子からさしだしました。

客は次々に帽子をしりぞけていきました。ピンクのボンネットにはひと言「えくぼ」と言い、青緑色の帽子には「若さ」と決めつけます。スパンコールつきベールの帽子にむかっては、「謎めいた魅力、とってもはっきりしてること。ほかには何があるの？」

ソフィーはしゃれた白黒の帽子を出しました。お客の興味を引く帽子があるとしたら、これでしょう。

客は軽蔑もあらわにその帽子を見やりました。「誰にもなんの効きめもないじゃない。時間をむだにしてくれるわね、ハッターさん」

「そもそもうちの店で帽子が見たいとおっしゃるからですよ」ソフィーは答えました。「奥様、うちは町のしがない帽子屋です。なぜ、あなたみたいな方が……」客のうしろで若者がはっと息をのみ、黙れというようなしぐさをしました。「……わざわざうちへおいでになったのでしょう?」ソフィーはどういうからくりがあるのかと不思議に思いながら、言い終えました。

「荒地《あれち》の魔女にはりあおうとする者がいたら、ほうっておかないのがあたくしの方針」と客が答えました。「おまえのことは聞きました。おまえがはりあおうとしても、つべこべ言っても、あたくしは平気。やめさせてやる、ほら」客はソフィーの顔にむけて、手をぱっと動かしました。

「あなたが荒地の魔女ですって?」ソフィーは震え声でたずねました。恐怖と驚きで声がへんになった気がします。

「そう」と、客が答えました。「これでひとの領分に手出しするとどうなるか、骨身に応《こた》えるでしょうよ」

「そんな、身に覚えがありません。何かのお間違いでは?」ソフィーはかすれた声で言いました。若者がなぜ恐怖にひきつった表情でこっちを見つめるのか、見当もつきません。

「間違いではないわよ、ハッターさん」魔女は答えました。「帰りますよ、ギャストン」

魔女はさっと身をひるがえし、店の戸口へむかいました。若者がうやうやしく扉をあけたとたん、魔女はソフィーの方にむきなおり、奇妙なことを言いました。「そうそう、その呪《のろ》いのことは誰にも話せないからね」

魔女が立ちさるとき、扉のベルは葬式の鐘のように鳴り響きました。

あの若者はなんであんな顔であたしを見つめていたのかしら。ソフィーは顔に両手をあてました。と、ふにゃふにゃとなめし革にしわが寄ったような手触りがします。はっとして手を見ると、しわだらけで、すじばっていて、手の甲には太い静脈が浮かび、ごつごつと節くれ立っていました。灰色のスカートを持ちあげ、足を見ると、やせてきゃしゃなくるぶしに、靴の中ででこぼこしている足先。九十歳ぐらいの人の足に見えますが、気のせいではなさそうです。鏡を見にいこうとすると、よろよろとしか歩けません。

鏡の中の顔はいたって冷静でした。落ち着け、と自分に言い聞かせていたからです。褐色のやせてしなびた老女の顔を、少ない白髪《しらが》がとり囲んでいます。こっちを見つめ返している目が黄色い涙目になっているのが、痛々しく見えます。

「だいじょうぶよ、おばあちゃん」ソフィーはその顔にむかって話しかけました。「とても元気そうだもの。こっちの方がよっぽど似合うわ」

ソフィーは落ち着いて、じっくり考えました。何もかもひとごとのような気がします。荒地の魔女に腹さえ立たないのです。

「そりゃもちろん、機会があれば、やっつけてやるけど」とひとり言を言いました。「だけど、レティーとマーサが入れかわってやっていけるなら、あたしだってこれにしんぼうできるはず。でも、ここにはいられない。ファニーが卒倒しちゃうでしょうよ。ええと、灰色の服はこのままでいいけど、肩かけと、それから食べ物が少しいるわね」

店の扉までよたよた歩くと、ソフィーは『閉店』の札をかかげました。動くたびに関節がきしみます。体をかがめ、ゆっくりとしか歩けません。でも、自分がかくしゃくたる年寄りだとわかってほっとしました。体が硬いだけで、別に気分も悪くないし、弱くなった気もしないのです。よたよたと肩かけをとってくると、おばあさんがするように頭と肩に巻きつけます。次に足を引きずりながら住まいに戻り、小銭が入った財布と、パンとチーズの包みをそろえました。外に出るといつもの場所に注意深く鍵を隠し、通りをよろよろ歩きはじめたのですが、あいかわらず落ち着いているのが自分でも驚きでした。

マーサにお別れを言った方がいいかしら。でも、マーサがあたしだとわからなかったらいやだし。このまま出かける方がりこうかな。どこかに落ち着いたら、妹たちに居場所を知らせればいいわ。

ソフィーは、足を引きずりながら市《いち》の立っていた原っぱをとおり、橋を渡り、その先に続く田舎道に入っていきました。うららかな春の日でした。しわくちゃばあさんになっても、景色や生垣に咲くサンザシの匂いを楽しめることがわかりました。もっとも、景色は多少ぼやけて見えます。背中が痛みはじめました。かまわず進んでいきましたが、どうやら杖が必要だ、と思って、何か棒きれでもないかと、生垣沿いに探しはじめました。

明らかに前より目が見えにくくなっています。遠くに棒があると思い、近づいていざとろうとすると、それは誰かが生垣に頭からほうりこんだ、古ぼけたかかしの足でした。ソフィーはかかしを起こしてやりました。顔はしなびたカブです。なんとなく同類のような気がしたソフィーは、かかしをばらばらにして棒を抜きとるかわりに、サンザシの生垣にうまくつっこんで、小粋《こいき》に上半身がのぞくようにしてやりました。棒にかぶせたぼろ着の袖が、生垣の上にはためいています。

「ほら」と言ったとたん、声がしわがれているのに驚いて、思わず笑ってしまいました。「お互い、たいした姿とは言えないわね、かかしくん。ここにいれば、誰かにもとの畑に連れもどしてもらえるでしょ」ソフィーはまた小道を歩きだしましたが、かかしに言い忘れたことがあって、あともどりしました。「あたしは長女だから、出世する運命にはないけれど、お話の中みたいに、あんたが命を吹きこまれて、あたしを助けてくれるといいのにね。とにかく幸運を祈るわ」

ソフィーは歩きながらからから笑っていました。少しおかしくなったのかしら。でも、おばあさんってこういうものでしょ！

小《こ》一時間ほどして土手に腰を下ろし、パンとチーズを食べました。そのとき、杖にする棒が見つかりました。

まず、ソフィーの座っていたうしろの生垣で、かすかなクンクンいう声がしたと思うと、生垣のサンザシの花が散りそうなため息が聞こえました。ソフィーは骨ばったひざをつき、生垣の葉や花、とげをかきわけ、奥をのぞきました。するとやせた灰色の犬が、がっしりした棒にひっかかって、出られなくなっていました。犬の首に巻かれたロープが、なぜかねじれて棒にからまっています。棒は生垣の枝のあいだにしっかりはさまれ、犬はほとんど身動きがとれません。ソフィーがのぞくと、犬は血走った目で見返しました。

もともと、ソフィーは犬という犬を怖がっていました。年寄りになったとはいえ、ひらいたあごから見える白い牙にはぎょっとします。でも、自分にこう言い聞かせました。「こんなばあさんになってるのに、心配したってしかたないじゃない」そしてポケットをさぐり、裁縫道具からはさみを出すと、生垣に手を伸ばし、犬の首のまわりの太いロープを引き切りはじめました。

犬は興奮して、あとずさりしてはうなりました。けれどもソフィーはかまわずに、はさみを使いつづけました。

「ワンくん、このままじゃあんた飢え死にか、窒息死よ」と、しわがれた声で犬に話しかけます。「あたしがこれを切らないかぎりはね。きっと、誰かがわざとあんたを窒息させようとしたのね。あんたが荒れてるのもそのせいでしょうよ」

ロープはとてもきつく首に巻いてあり、棒にいやというほど巻きつけてありました。何度もはさみをふるい、ようやくロープをはずし、犬を自由にしてやると、ソフィーはたずねました。

「パンとチーズでもどう?」犬はうなるだけで、生垣の反対側まで力ずくでとおりぬけ、さっさと逃げだしました。「ありがとうぐらい言ったら!」ソフィーはとげでちくちくする腕をさすりながら、つぶやきました。「それはそうと、あんたはいい物をくれたわ」犬を生垣にとじこめていた棒をひっぱりだすと、立派な散歩用の杖だったのです。仕上げも入念だし、石づきは鉄です。

パンとチーズを食べ終えると、ソフィーはまた歩きだしました。道はどんどんけわしい登りになってきました。

杖があって本当に助かりました。それに話し相手にもなります。ソフィーは元気よく歩きながら、杖に話しかけました。だって、お年寄りはよくひとり言を言うじゃないですか。

「出会いが二度。でもどっちも、魔法でお礼をしてくれやしなかった。むろんあんたはいい杖よ。文句言ってるわけじゃないの。ただ、お話の中だと、三度目の出会いがあるはずなのよ。魔法がらみかどうかは別にして。ううん、ぜったいあるわ。どんな出会いになるのかしら」

三度目の出会いはありました。午後も遅くなり、ソフィーが丘陵地帯のかなり高いところまで登ってきたときです。一人の農夫が口笛を吹きながら、坂を下ってきたのです。たぶん羊飼いが羊の世話を終えて家路《いえじ》につくところでしょう。体格のいい、四十歳かそこいらの若い人です。「おやまあ。けさこの人に会ったら、年寄りだと思ったでしょうね。人の見方って、なんて変わりやすいの！」

羊飼いはソフィーがぶつぶつぶやいているのを見て、用心深く道のむこう側に寄ると、親しげに「こんばんは、おっかさん。どっちへお出かけかね？」と言いました。

「おっかさんだって？　お若いの、あたしはあんたのおっかさんじゃあないよ！」

「話しかけるときの作法でさあ」羊飼いは、生垣へにじり寄りながら答えました。

「一日も終ろうかというこんな時間に、一人で丘を登ってらっしゃるんで、一応おたずねしたまでです。〈上折れ谷《かみおだに》〉に日暮前に着くのは無理ですよ」

今までそんなことは考えてもいなかったソフィーは、立ち止まりましたが、「たいしたことじゃないさ。運だめしに行くときゃ、うるさく言ってられないからね」と、半分ひとり言のように言いました。

「そういうもんですかい」と羊飼い。ようやくソフィーの脇をすりぬけたので、そのぶんだけほっとしているようです。「そんじゃ、幸運を祈ります。ただし、おっかさんの幸運が、わしらの家畜にまじないをかけることと無関係なら、ですがね」すぐに羊飼いは大股で、走るように坂を下りていきました。

ソフィーはむっとして羊飼いを見送り、「あたしのこと、魔女だと思ったんだ！」と杖に話しかけました。うしろからののしってやろうか。でもそれじゃあ、ちょっとかわいそうかな。

ソフィーは丘の頂上目ざし、ぶつぶつ言いながら懸命に登りつづけました。そのうち道の両側は生垣がなくなり、むきだしの土手になりました。土手のむこうはヒースにおおわれ、さらにむこうのけわしい斜面では、黄色い草がカラカラ音をたてています。ソフィーはへこたれずに登りつづけました。節くれ立った老いた足も、背中も、ひざも痛みます。ひとり言も言えないほど疲れきり、はあはあいいながら歩きつづけているうち、とうとう太陽が丘のむこうに沈みはじめました。それを見たとたん、これ以上一歩だって歩けない、と思いました。

ソフィーは道端の石の上にへたりこみ、これからどうしようかと考えました。「今、ほしい物はたったひとつ、座り心地のいい椅子よ！」

ソフィーの座った石は、見晴し台のようになっていて、あたりを見わたすことができました。眼下には夕陽を浴びた谷が広がっています。一面の野原、塀、生垣、蛇行する川、金持ちの豪壮な屋敷が木立のあいだに輝いているようす、そしてはるか遠くには、青い山並が見えます。

すぐ下に〈がやがや町〉が見えます。なじみの通りを見わけられる気がします。〈がやがや広場〉と、〈チェザーリ〉。帽子店の隣にあるうちの煙突に石をぶつけることだってできそうです。

「まだこれしか来てないなんて！」ソフィーはがっかりして杖に話しかけました。「あんなに歩いたのに、まだうちの屋根に登ったようなもんじゃないの！」

陽が沈むと石がひえてきました。冷たい風をさえぎる物もありません。こうなると夜じゅう丘の上ですごしたってかまわない、とは言えなくなってきました。座り心地のいい椅子と炉端《ろばた》が恋しいし、暗闇と野生の動物は恐ろしいし。でも、もし〈がやがや町〉に引き返しても、着くのは真夜中になるでしょう。このまま進むしかありません。ソフィーはため息をつくと、骨をきしませながら立ちあがりました。ひどいもんだわ、体じゅうが痛いなんて。

「年寄りがこんなことを我慢してるとは、ちっとも知らなかった！」ソフィーは息を切らしながら、苦労しいしい登っていきました。「でも、狼があたしを食べたがるとは思えない。干からびてかみきれないにちがいないもの。それだけが慰め」

今や急速に夜の帳《とばり》が下りようとしていました。ヒースの斜面がどんよりした青色にかすみ、風が冷たさを増しました。はあはああえぐ自分の息づかいと、関節がきしむ音があまりに大きく響いていたので、ギシギシいう音がほかからも聞こえると気づくまでに、しばらくかかりました。ソフィーはかすむ目で空を見あげました。

魔法使いハウルの城が、こちらへむかって荒野《こうや》をごとんごとんと進んできていました。黒い煙が黒い胸壁《きょうへき》の中から吹きあげ、雲となってたなびいていました。城は大きく、あちこちが尖っていて、どっしりして醜く、まさに不吉さを絵に描《か》いたようでした。

ソフィーは杖にもたれ、城をじっと見つめました。怖いとは思いませんでした。どうやって動くのだろうと考えていたのです。それにもっぱら頭を占めていたのは、あれだけの煙が出ているからには、あの高く黒い壁の内側のどこかに大きな暖炉があるはずだ、ということでした。ソフィーは杖にむかって言いました。

「そうよ、魔法使いハウルがあたしの魂をほしがるとは思えないわ。若い娘しかつかまえないんだから」

そこでソフィーは杖をかざすと、城にむけてえらそうに振りながら、「止まれ！」と金切り声で叫んだのです。

城はギーギーいいながら、ソフィーより五十フィートほど上の斜面に止まりました。

ソフィーはおぼつかない足どりで近寄りながら、ほっとしていました。

三章　魔法使いハウルの城

黒い城壁の正面に、大きな黒い扉があるのに気づいたソフィーは、小きざみに足を引きずって近寄りました。

近くで見ると、城はいっそう醜く、いっそう大きく見えました。そのうえ、でこぼこと妙な形をしています。深まる闇の中で目をこらすと、石炭のような黒く大きな石、しかも、形も大きさもまちまちな物でできているようです。そばへ寄ると、冷たい空気が吹きでてきましたが、そんなことでひるむソフィーではありません。ひたすら椅子と暖炉のことだけを考え、夢中で扉に手を伸ばしました。

ところが、扉に触れることができないのです。一フィートぐらい手前で、見えない壁が邪魔をしているようです。ソフィーはいらいらしてこの見えない壁をつつきました。なんの変化も起きないので、今度は杖を使ってさぐってみました。上は杖が届くかぎり、下も扉の前のふみ石の外側まで、一面に透明な壁があります。ふみ石の脇から草がはみでています。

「あけろ！」ソフィーはうわずった声を出しました。

壁はびくともしません。

「それなら、裏口を見つけるまでだわ」ソフィーは城の左側へまわることにしました。そちらの方が近いし、少し下りになっていたからです。

ところが、城の角を曲がれません。でこぼこの黒い角石《すみいし》のあたりまで来ると、またもや透明な壁が行く手をふさいでいるのです。これにはソフィーも、口汚くののしりました。こんな言葉はマーサから仕入れたのですが、普通なら老婦人も若い女性も知らないことになっているものです。それから、坂を登って、時計まわりと逆に城の右手にとぼとぼとむかいました。今度は壁がないようなので、角をまわり、壁のまん中にある黒い扉を目ざします。

しかしここでも、透明な壁に邪魔されました。

ソフィーは城をにらみつけました。「ずいぶん感じが悪いこと！」

黒い煙がひとかたまり胸壁《きょうへき》から吹きつけてきて、咳《せき》が出ました。ソフィーはすっかり頭にきました。自分はひよわな年寄りで、寒気《さむけ》がするし、体じゅうが痛んでいます。そのうえもうすぐ夜だというのに、この城ときたら平然として煙を吹きつけてくるのです。

「ハウルに文句を言ってやる」と、勇ましく次の角へむかいました。ここにも障害物はありません――逆時計まわりに進めばいいらしいのです。すると、そこの壁の横手に三つ目の扉がありました。さっきよりはずっと小さくてみすぼらしい感じです。

「やれやれ、裏口だ！」

裏口に近づいたとき、城がまたもや動きだしました。地面が振動し、城壁は、がたがた、キーキーきしみ、扉がすーっと横に遠ざかっていきます。

「だめ、そんなのなしよ！」ソフィーは思わずどなり、扉を追いかけると、杖で強くたたき、大声を出しました。「あけて！」

扉は内側へひらきました。が、城はまだ横へ動いています。ソフィーは夢中で足を引きずり、なんとか片足を外階段にのせました。一段ずつとびあがり、よじ登り、またとびあがります。そのあいだずっと、城はじょじょに速度を上げながら起伏のある丘の中腹を移動していました。それにつれて、扉をとり囲んでいる黒い大きな石がますますがたがたゆれました。城がゆがんで見えるのも不思議ではありません。この場でばらばらにならない方が驚きです。

「城をこんなふうに動かすなんて、ばっかみたい！」ソフィーは大きくあえぎながら、やっと城の中に体を入れました。扉があいたままなので、ゆれた拍子にまた外へ振り落とされまいと、杖をほうりだし、しばらく扉にしがみついていました。

息切れが治まると、目の前の人影に気づきました。その人物も扉を押さえています。

ソフィーより頭ひとつだけ高いのですが、まだほんの若造です。マーサより少し歳上というところでしょう。ソフィーをしめだそうとしています。目の前の暖かい、ランプのともったほの明るい部屋から、夜の戸外へ押しだそうというのです。

「ちょいと、あたしをしめだそうなんて、生意気じゃない！」

「そうじゃありません。扉があけっぱなしだから」相手は言い返しました。「何かご用ですか？」

ソフィーは少年の肩ごしに中のようすをうかがいました。梁《はり》からは、数珠《じゅず》つなぎにしたタマネギ、薬草の束、見たこともない根っこをたばねたものなど、魔法に関係あるらしい物がいくつもつるしてあります。いかにも、魔法使いの持ち物らしい物もあります。革表紙の書物とか、くねくねした形の瓶《びん》とか、茶色の、にやけて見える古びた頭蓋骨《ずがいこつ》とか。

少年のうしろには暖炉があって、中で小さな炎が燃えています。外にあれだけの煙が出ていたわりには、ちっぽけな炎ですが、それはきっとここが城の裏手の部屋だからでしょう。それに見ているうちに、ちっぽけだった炎がバラ色に燃えはじめ、まきの上で小さな青い炎が踊りだしました。さらに暖炉脇の特等席には、低い椅子があり、クッションがのっていました。

ソフィーは少年を脇へ押しのけると、椅子目がけて突進しました。「これよ、これ！」腰を下ろして、ゆったりと身を沈めました。天国みたい。暖炉の火で体の痛みがやわらぐし、椅子に寄っかかれるし。あたしを今ここから追いだそうっていうなら、目いっぱい強力な魔法がいるわよ。

少年は扉をしめ、ソフィーの杖を拾うと、椅子の背にそっと立てかけてくれました。気がつくと、城は動いている気配がありません。おかしなことに、ゴロゴロの『ゴ』の字も聞こえず、かすかな振動さえないのです！

「魔法使いハウルに伝えときなさい。城をこれ以上動かしたら、自分の頭の上にくずれ落ちてくるだろうって」ソフィーは少年に話しかけました。

「城には、ばらばらにならないまじないがかけてあります。それに、あいにくハウルさんは留守なんです」

少しほっとしたソフィーは、「いつごろ戻るって？」とこわごわ聞いてみました。

「そうですね、たぶん、あしたにならないと戻らないでしょう。ご用はなんでしょう？　ぼくでは無理ですか？　ぼく、ハウルさんの弟子で、マイケルといいます」

ますます好都合でした。「あいにくだけど、たぶん魔法使いじゃなきゃだめだね」ソフィーはすばやく、きっぱり言いました。おそらく本当に、だめなのですから。

「待たせてもらうよ、かまわないね」

マイケルがかまうことは、はっきりしていました。困ったようにソフィーのそばをうろうろしています。見習風情《ふぜい》に追いだされるつもりはないとわからせるため、ソフィーは両目をとじ、たぬき寝入りをはじめました。「名前はソフィーだと伝えとくれ」もごもごとつぶやき、念のためつけ加えました。「年寄りのソフィーばあさんだよ」

「それだと、ひと晩じゅう待つことになりますよ」とマイケル。それこそ、望むところでしたから、ソフィーは聞こえなかったふりをしました。いえ、あっというまにうとうとしていたのです。ずっと歩いてきたせいで、とてもくたびれていました。少したつとマイケルはソフィーのことをあきらめ、ランプが置いてある作業台で、やりかけの仕事に戻りました。

これでひと晩、夜露《よつゆ》をしのげます。多少、嘘くさいやり口だとしても。ソフィーはうとうとしながら考えました。ハウルはあんなに悪いやつなんだから、無理やり城に入りこんでもかまいやしない。でも、ハウルが戻ってきて何か言われる前に、ここを離れておかなくちゃ……

ソフィーは重いまぶたをあけて、こっそりマイケルをうかがいました。ハウルの見習が、こんなに感じよく礼儀正しいなんて、驚き。あたしが強引《ごういん》に入りこんだのに、文句も言わなかった。もしかするといつも、ひどくしいたげられているのかしら。でも、ひどい扱いを受けているようには見えないわね。背が高く黒い髪で、人がよさそうな感じのいい顔だし、身なりもきちんとしている。正直なところ、くねくねした細口瓶の緑の液体を、曲がった硝子瓶《ガラスびん》の黒い粉末の上に注意深く注いだりしていなかったら、きっと裕福な農家の息子だと思ってたわね。これが魔法使いの弟子だなんて、なんておかしいの！

だけど、魔法使いのところじゃ、なんでも普通とはちがうものなんだわ。なんにせよ、この台所だか仕事場だかは、すばらしく居心地がよくて静かね……。ソフィーは本式に眠りこみ、いびきをかきはじめました。

ですから、突然閃光がきらめき、作業台で小さな爆発音がし、そのあとでマイケルが早口にきついののしりの言葉を吐いても、ソフィーは目をさましませんでした。マイケルがやけどをした指をなめながら、今晩は仕事じまいにし、戸棚からパンとチーズをとりだしたときも、またソフィーの体ごしに暖炉にまきを足そうとしてがたんと杖を倒したときも、そしてソフィーのあいた口の中をのぞきこんで、「歯が全部そろってます。まさか、荒地《あれち》の魔女じゃないですよね？」と暖炉にむかって声をかけたときも――ソフィーはずっと眠ったままでした。

「もしそうなら、中へ入れるもんか」暖炉から返事をする声がしました。

マイケルは肩をすくめると、もう一度ていねいに杖を拾いあげました。それから同じようにていねいにまきをくべると、上の階のどこかへ寝にいきました。

真夜中、ソフィーは誰かのいびきで目をさまし、とびおきました。でも自分のいびきだと気づいて、腹立たしくなりました。ほんの少しうたた寝をしただけのつもりだったのに、マイケルは姿を消しているし、明りも持ちさっていました。魔法使いの弟子というものは、第一週目に姿の消し方を習うにちがいありません。

マイケルは暖炉の火も小さくしていました。炎がシュウシュウポンポンいってるのを聞くと、いらいらします。冷たいすきま風が背中に吹きつけてきました。考えてみると、魔法使いの城にいるんだし、確かどこかうしろの台に、気味の悪い頭蓋骨もあったっけ。

ソフィーは身震いし、こわばった首をまわしました。うしろはまっ暗で何も見えません。「明りがほしいわね」かすれた小さな声は、炎が燃える音と大差ありません。意外でした。てっきり城の丸天井に反響して、大きく聞こえると思っていたからです。

それはともかく、そばにまきを入れたかごがあったので、きしむ腕を伸ばし、暖炉に投げこみました。と、青緑色の火花がぱっと上がり、煙突を昇っていきました。ソフィーはもう一本まきを追加すると、座りなおしましたが、うしろが気になってちらと見ずにはいられませんでした。すると、なめらかな茶色の頭蓋骨に反射して青紫の炎が踊っていました。部屋は小さく、ソフィーと頭蓋骨のほかは誰もいません。

「あっちは棺桶に両足つっこんだやつ。でもあたしはまだ片足だけ」と、ソフィーは自分を慰めました。暖炉にむきなおると、青緑の炎が燃えあがっていました。「まきの塩分のせいでしょ」と自分に言い聞かせます。もっとくつろいで座ろうと、節くれ立った足を炉囲いの上にのせ、頭を椅子にもたせかけました。こうすると、色とりどりの炎がよく見えます。明日の朝になったらどうしようか、ソフィーはぼんやり考えはじめました。けれども、ふいに炎の中に顔が見えたような気がして、はっとしました。

「やせた青い顔みたい」ソフィーはつぶやきました。「細長くて、鼻も細くて青色。そのてっぺんの緑色のくるくるした炎が、きっとあんたの髪の毛ね。……もしハウルが戻るまで居座っていたらどうなるかしら？　魔法使いなら、魔女があたしにかけた呪《のろ》いを解けるはずだけど……それから、下側の紫色のところが口になるんだ……ちょっと、ずいぶんおっかない歯ねえ。上のふたつの緑色のかたまりが、眉毛で……」

　奇妙なことに、炎の中で普通のオレンジ色をしているのは、この緑の眉の下だけです。ちょうど目のように見えました。そして、ふたつの目のまん中に、それぞれ小さく紫色にきらっと光るところがあるので、ソフィーはもう少しでそれが瞳で、自分を見つめているのだと思いこむところでした。

「とは言っても」ソフィーは炎のオレンジ色のところを見つめながら、続けました。

「呪いが解けたら解けたで、あっというまに心臓を食われちゃうだろうし」

「心臓を食われるのはいやかい？」と炎がたずねました。

炎がしゃべった！　間違いない。言葉といっしょに紫の唇が動いたもの。声はあたしと同じくらいしわがれていて、まきがパチパチ燃える音やシュウシュウいう音がまじっていたけど。

「あったり前じゃないの」ソフィーは答えました。「ところであんた、誰なの？」

「火の悪魔だよ」紫の口が答え、はぜる音よりすすり泣くようなシュウシュウいう音に近い声になって言いました。「契約で、ここの暖炉にしばりつけられてるのさ。おいら、ここから動けないんだ」それからパチパチと力強い声になって、たずねました。

「あんたは、何者だい？　何かの呪いをかけられているのはわかるんだけど」

それを聞いてソフィーは夢心地からさめ、大声で叫びました。「わかるんだ！　あんた、この呪い、解くことができるの？」

悪魔のゆらゆらした青い顔の中のオレンジ色の目がソフィーをじろじろ見つめているあいだ、炎が音もなく燃えていました。「強い呪いだね」とうとう、悪魔は口をひらきました。「荒地の魔女の呪いみたいだけど」

「そのとおり」と、ソフィー。

「だけど、複雑な呪いだよ」悪魔はパチパチと言いました。「二重の呪いだね。それに、相手が先に見破ってくれないかぎり、自分からは誰にも話せないって呪いも、かかってる」悪魔は、ほんの一瞬、ソフィーをじっと見つめました。「もっと研究しないと」

「それって時間がかかるの？」ソフィーはたずねました。

「まあね」悪魔は柔らかな、説きつけるような調子で、炎をちらつかせました。「おいらと取引するってのはどうだい？　おいらをしばってる契約をほごにしてくれたら、こっちもあんたの呪いを解いてやるよ」

ソフィーは悪魔の細くて青い顔を油断なく見まもりました。今、この悪魔、確かに小ずるそうな顔をしたわ。書物で読んだかぎりじゃ、悪魔と取引するのはとても危険なことのはず。それにこの悪魔は、見るからにすごく悪いやつじゃない？　あの、紫色の牙の長いことといったら。

「自分が正直だと誓って言える？」ソフィーは聞きました。

「いや、そうは言えんね」悪魔は認めました。「だけど、そのままでいたいわけじゃないんだろ？　おいらの見立てが正しけりゃ、その呪いは、あんたの寿命を六十年がとこ、縮めてる。あんた、じき死んじまうぜ」

それはむかつくようなこと、ソフィーがこれまで考えないようにしていたことでした。確かに、じきに死ぬとなると、話は変わってきます。「あんたが結んでるその契約だけど、相手は魔法使いのハウルなんでしょ？」

「もちろんさ」悪魔はまたもやあわれっぽい声になりました。「おいらはこの暖炉につながれていて、一フィートだって動けないんだ。おまけにここじゃ、魔法は大部分、おいらがやらされてるんだから。城を支えて動かさなきゃならないし、みんなを怖がらせるようなしかけとか、そのほかにもあれこれハウルの注文に応《こた》えてるのさ。ハウルときたら、ほら、情け知らずだからね」

ハウルが情け知らずだなんて、わざわざ教えてもらうまでもありません。とはいえ、悪魔だって同じくらい悪いやつでしょう。「あんただって、この契約で何か得してるんじゃないの？」

「そうでなきゃ、取引するわけないだろ」悲しげに炎をちらつかせて悪魔は答えました。「でもね、こんなことになるってわかっていたら、してなかったよ。おいらは利用されてるんだ」

警戒していたにもかかわらず、ソフィーはこの悪魔がかわいそうになってきました。義理の母ファニーが遊び歩いていたあいだ、自分が帽子を作っていたことを思いだしたのです。「わかった。それ、どういう契約？　どうやって破ったらいいの？」

悪魔の青い顔の中で紫色の口が、せっつくようなにやにや笑いを浮かべました。

「おいらと、取引するんだね？」

「もしあんたがあたしの呪いを解いてくれるならね」ソフィーは答えながらも、とり返しのつかないことをしている気がしました。

「がってん承知！」悪魔は叫びました。その細長い顔が、陽気に煙突まで躍りあがりました。「あんたがおいらの契約を破ってくれたら、その瞬間に、おいらもあんたの呪いを解いてやるぜ」

「じゃあ教えてよ、どうやったらあんたの契約が破れるのか」

悪魔はオレンジ色の目をきらっとさせ、それからそっぽをむきました。「無理だよ。魔法使いもおいらも契約の中味は話せないというのが、契約の一部だからね」

ソフィーは、はめられたことに気づきました。口をひらき、それなら最後の審判の日まで暖炉にじっとしてれば、と言おうとしました。

悪魔はソフィーの気持ちを読み、「早まるんじゃないよ！」と、火花をちらつかせました。「あんたがよーく見たり聞いたりしてれば、どんな契約なのか、わかるから。やってみておくれよ。長い目で見たら、この契約はハウルにもおいらにもためにならないんだ。それにおいらは約束を守るよ。ハウルとの約束どおりここにはりついてるってことが、何よりの証拠さ！」

悪魔は、真剣そのもので、興奮してまきの上でとびはねていました。ソフィーはまたもや悪魔がかわいそうになりましたが、口ではこう言い返しました。「だけど、あたしが目と耳を働かせなくちゃいけないなら、ここ、ハウルの城にとどまる必要があるじゃない」

「ひと月くらいいればわかるよ。それにおいらも、あんたの呪いを調べないといけないんだし」悪魔は頼みこみました。

「でも、どんな口実で居座るっていうのよ？」

「何か考えつくさ。ハウルって、たいていのことがからきしだめなんだから」と、シューッという非難めいた声で、悪魔がうちあけます。「ハウルときたら、たいてい自分のことにかまけていて、ろくにまわりを見てないんだ。二人でだませるよ。あんたがここに残ると言ってくれれば、だけど」

「わかった。ここに残る。さあ、言いわけを考えてよ」

悪魔が考えているあいだ、ソフィーは椅子でくつろいでいました。悪魔は、小さくパチパチ音をたてたり、炎をちらつかせてしゃべりながら、考えています。ソフィーはここへ来る途中、自分が杖に話しかけていたことを思いだしました。

悪魔があんまりうれしそうに大きくごうごうと燃えるものですから、ソフィーはまたぽかぽかしてきて、居眠りをはじめました。悪魔はいくつか案を出したようです。ずっとつきあいのなかったハウルの大伯母のふりをするという案に、いやだと首を振ったことは覚えています。それからあとひとつふたつ、輪をかけて不自然な口実にも首を横に振ったはずですが、はっきりとは覚えていません。悪魔はやがてやさしく、炎をちらちらさせながら、歌を歌いはじめました。ソフィーが聞いたことのない言葉のようでした。ただ、何度か『フライパン』という単語を聞きとることはできました。とにかく、とても眠くなる歌でした。

ソフィーは深い眠りに落ちました。かすかに、自分が魔法にかけられているのではないか、だまされているのではないかと、疑いながら。けれどもあまり気になりませんでした。すぐに呪いとおさらばできることでしょう……

四章　ひねくれ者の火の悪魔

目をさますと、朝陽がソフィーを照らしていました。ゆうべは窓があることに気づきませんでした。だからまっ先に思ったのは、帽子の仕上げをしているうちに眠ってしまい、家出した夢を見たのだということでした。

目の前の暖炉では火が消えかかっています。赤みがかった燠《おき》と白い灰を見たときは、火の悪魔がいたなんて、夢だったんだ、と思いました。けれども体を動かしたとたん、何から何まで夢だったわけじゃないと思い知らされました。体じゅうでポキポキ音がするのです。

「痛《いた》たた！　体じゅうが痛いよう！」と言った自分の声は弱々しく、かすれています。節くれ立った手を顔にあて、しわに触ってみます。それからようやく、自分がきのう一日じゅうずっとショック状態にあったことがわかってきました。こんな目にあわされたと思うと、はじめて荒地《あれち》の魔女に腹が立ってきました。許せない、ぜったい！

「ずかずかと店に入ってきて、人を年寄りに変えるだなんて！　ああ、きっと思い知らせてやる！」

腹を立てたせいで、ソフィーはぴしぴし体をきしませませながら立ちあがり、窓のところへ足を引きずっていきました。窓は作業台の上にありました。意外や意外、外に見えたのは知らない港町でした。坂道の両側には、小さくてみすぼらしい家がぎっしり立ち並び、家並の上には船の帆柱がつきでて見えます。帆柱のむこう側にちらちら光っているのは海でしょう。海を見たのははじめてです。

「ここはどこだろ？」ソフィーは作業台の上にある頭蓋骨《ずがいこつ》に話しかけましたが、「ううん、答えなくていいから」と、あわててつけ加えました。ここが魔法使いの城だと思いだしたせいです。それからふりむいて室内を眺めました。

ずいぶんちっぽけな部屋でした。天井には黒い太い梁《はり》があります。日光のもとで見ると、驚くほど汚らしいことがわかります。床石は汚れて油だらけだし、炉囲いの中は灰の山、梁からはクモの巣がたれさがり、頭蓋骨にも埃《ほこり》が分厚く積もっています。ソフィーはうわの空でその埃をぬぐうと、作業台の隣にある流し台をのぞきこみました。流しにたまった灰色とピンク色のへどろや、その上のポンプからたれさがっている白いぬるぬるを見て、ぞっとしました。ハウルは、召使が不潔に暮していても平気なようです。

部屋にはほかに、黒塗りの小さな扉が四つありました。このうちのどれかが城の大広間に通じているにちがいありません。ソフィーはいちばん近い、作業台の先のつきあたりの壁にある扉をあけてみました。

すると、大きい浴室がありました。どういうわけかそこは、便器とか、シャワー、脚つきのばかでかい浴槽、四方の壁にかけられた鏡、といったぜいたく品でいっぱいでした。普通なら、宮殿でしかお目にかかれないような豪華な浴室です。ところが、さっきの部屋より汚いのです。ソフィーは便器を見て縮みあがり、浴槽の色を見てあとずさりし、シャワーにはえている緑色の苔《こけ》にはとびのきました。鏡に映っているしわの寄った自分の顔は、見ずにすませました。どうせ鏡には得体《えたい》の知れない物質が、点々や細いすじになってこびりついていたからです。

この得体の知れない物質のもとは、瓶《びん》や箱、筒、何百という汚い茶色の包みや紙袋に入って、浴槽の上の広い棚に置いてありました。いちばん大きい瓶にはくねくねした字で『かんそ　こな』と書いてあります。『う』という字が抜け落ちているのでしょうか。わかりません。なにげなく手にとった包みには『皮膚』と書いてあります。あわてて棚に戻しました。別の瓶には同じ筆跡で『目』とあり、ある筒には『腐敗用』と表示してありました。

「腐敗用は、効きめがあったらしいわね」ソフィーは洗面台をのぞきこみ、身震いしながらつぶやきました。青緑色になった真鍮《しんちゅう》の蛇口をひねると、洗面台に水が流れ落ち、腐ったような汚れが少しは落ちました。ソフィーは洗面台に触らないようにしながら、手と顔をすすぎました。でも、『かんそ　こな』を使う勇気はなかったので、スカートでふき、さっきの部屋に戻り、次の黒い扉にむかいました。

この扉はおんぼろの木の階段に通じていました。誰かが動きまわる音が聞こえてきたので、あわてて扉をしめました。たぶん、屋根裏部屋があるだけでしょう。足を引きずって次の扉に進みます。だいぶ体が動くようになってきました。きのう気づいたとおり、とても元気なおばあさんなのです。

三番目の扉は、高い煉瓦塀《れんがべい》に囲まれた狭苦しい裏庭につながっていました。大きなまきの山のほかに、塀のてっぺんに届くほどうずたかく、くず鉄や車輪、バケツ、鉄板、針金らしい物が積み重ねてありました。扉をしめたものの、ソフィーは狐につままれた思いでした。城とまったくそぐわなかったからです。煉瓦塀のむこうにも、城のほかの部分は見えず、空が広がっているだけでした。だけどきっと、ここが昨晩、見えない壁に行く手をはばまれた側でしょう。

四番目の扉をあけると、そこはただの物置で、ほうきの上には二着の上等のビロードのマントが、埃まみれになってかかっていました。ソフィーはのろのろと扉をしめました。残っているのは窓のある側の扉ですが、そこはゆうべ入ってきたところです。ソフィーは足を引きずって近寄ると、この扉を用心深くあけてみました。

ソフィーはちょっとのあいだ、丘がゆっくりと城の下を動いていくのを眺めました。扉の下をヒースの丘が流れ、かぼそい髪に吹きつける風が感じられます。城が動くにつれて、大きな黒い石がごろごろきしむのが聞こえました。

扉をしめて、今度は扉の脇にある窓に近寄ってみると、そこからはあいかわらず港町が見えました。けっして絵などではありません。通りのむかいで女の人が扉をあけ、ほうきでごみを掃きだしています。その家のうしろでは、灰色の帆が勢いよく帆柱に上がり、それに驚いたカモメの群れが、輝く海の上をぐるぐる旋回しています。

「わからないなあ」ソフィーは頭蓋骨に話しかけました。それから、暖炉の火が消えそうに見えたので、数本のまきをのせ、灰をかきだしました。

まきのあいだから緑色の炎が小さく、渦を巻きながら立ちのぼると、燃えるような緑色の髪をした細長い青い顔になりました。「おはようさん」と、火の悪魔が言いました。「取引したことを忘れてないだろね」

やっぱり何もかもほんとだったたんだ。ソフィーはめったに泣かない方でしたが、さすがにこのときばかりは、かなり長いあいだ椅子に腰かけたまま、しょっちゅう形が変わる火の悪魔を涙でかすむ目で見ていました。起きだしてきたマイケルがたてる物音も、耳に入りませんでした。ふと気づくとマイケルがソフィーのかたわらに立っていて、困ったように少しいらいらしていました。

「まだいらしたんだ。ご用はなんでしたっけ？」

ソフィーは鼻をすすり、「あたしが年寄りなのは」と、うちあけようとしました。しかし、魔女がかけた呪《のろ》いどおり、悪魔が推測したとおり、言葉が出てきませんでした。マイケルはほがらかに「まあ、誰でも歳はとりますからね。朝ごはんはいかがですか？」と言っただけです。

ソフィーはおなかがぺこぺこでした。なにせ、きのうの昼にパンとチーズを食べたきりなのです。ほんとに、がんじょうなばあさんでよかった。「もちろん！」と答えると、マイケルが壁の戸棚をあけたとたんさっと立ちあがり、肩ごしにどんな食べ物があるのかのぞきこみました。

「あいにく、パンとチーズだけなんです」マイケルは知らん顔で言いました。

「だけど、そこのかごに卵がたくさんあるじゃない！　それに、あっちはベーコンだ。いっしょに飲むあったかい飲み物は？　ヤカンはどこよ？」

「ないんですよ。それに、火を扱えるのはハウルさんだけです」

「まかしといて。そのフライパンをとって。やってあげるから」

ソフィーは、邪魔をしようとするマイケルを無視して、戸棚のある壁にかかっていた大きな黒いフライパンに手を伸ばしました。

「無理ですよ」とマイケル。「火の悪魔カルシファーが、ハウルさん以外の人間には頭を下げないので、火が使えないんです」

ソフィーはむきなおって、悪魔を見ました。悪魔はずるそうにゆらゆらしています。

「こき使われるのは、ことわる」

「つまりこういうこと？」ソフィーはマイケルにたずねました。「ハウルがいないときは、あんたは温かい飲み物ひとつ飲めないわけ？」

マイケルは恥ずかしそうにうなずきました。

「じゃあ、こき使われてるのはあんたの方よ！」ソフィーは声をはりあげ、「それを渡して」と言うと、マイケルの手からフライパンをもぎとり、どさっとベーコンのかたまりをのせ、卵のかごにそのへんにあった木のさじをぽんとほうりこむと、意気揚々と暖炉に運びました。「さあ、カルシファー。ばかなこと言うんじゃないの。頭を下げて」

「おいらに指図はできないよ！」悪魔は小生意気に答えます。

「いいえ、できますとも」ソフィーがぴしゃりと言い返します。この厳しい口調で、妹たちの大喧嘩を止めることだってできたのです。「さもないと、水をかけてやる。でなきゃ、あの火箸でまきを全部とりだすとか」ソフィーはひざをきしませながら、暖炉脇にかがみ、声をひそめてつけ加えました。「それとも、きのうの取引をやめてもいいし、さもなきゃハウルに言いつけるってのはどう？」

「ちぇっ、いまいましい」カルシファーは吐き捨てるように言いました。「なんでこんなやつを中へ入れたのさ、マイケル？」すねたようにカルシファーが青い顔を前へかがめると、輪になったちぢれた緑色の炎が見えるだけになりました。

「ご苦労様」ソフィーは言うと、相手が急に起きあがらないか警戒しながら、重たいフライパンを緑色の輪にどさりとのせました。

「ベーコンなんか焦げちまえ」カルシファーはフライパンの下で、こもった声を出しました。

ソフィーはフライパンの中でベーコンを炒めました。ベーコンがジュウジュウと音をたてます。フライパンは熱々《あつあつ》で、スカートのはじを使わないと把手《とって》を持てないほどでした。

そのとき扉があきました。でも、ベーコンが焼ける音にまぎれ、ソフィーは気づかないまま、カルシファーに言い聞かせていました。「いい、ばかなことはなし。卵を割り入れるあいだ、じっとしてるのよ」

「あ、ハウルさん、お帰りなさい」マイケルが困ったように言いました。

ソフィーは少しあわててふりむき、びっくりして見つめました。入ってきたのは、派手な青と銀の服を着た背の高い若者でした。若者は部屋の片すみにギターを立てかけようとして手を止め、風変わりな澄んだ緑色の目にかぶさった金髪をかきあげると、ソフィーを見つめ返しました。やせた細長い顔が、不思議そうな表情になりました。

「あんた、いったい誰だい？　前にどこかで会ったっけ？」

「いいえ、これが初対面」ソフィーはきっぱりと嘘をつきました。つまるところ、ハウルとはたった一度、五月祭で会っただけです。それもソフィーを「ネズミちゃん」と呼ぶ程度。だから、まるきり嘘というわけでもないのです。あのときはあやうく逃れられたのだと、幸運な星まわりに感謝すべきところでしょう。でも、まず思ったのは――おやまあ、魔法使いハウルってのは、あんなに悪いやつのくせして、二十代のほんの若造じゃないの！――ということでした。

フライパンのベーコンを裏返しにしながら、ソフィーは歳をとるとこんなにも見方が変わるものなのかと考えていました。この着飾った若者に、五月祭のときに同情した娘だと知られるくらいなら、死んだ方がましというものです。いえ、若い娘の心臓や魂がどうとかいう話は、この際、関係ありません。とにかく、ハウルにはあれが自分だと知られてはならないのです。

「ソフィーさんとおっしゃるそうです」マイケルが説明しました。「昨晩お見えになって」

「どうやってカルシファーをかがませたんだろ？」と、ハウル。

「おいらをいじめたんだよ！」カルシファーがジュウジュウいうフライパンの下から、

くぐもった声であわれっぽく訴えました。

「誰にでもできることじゃないよ」ハウルは考えこみながらギターをすみに置くと、暖炉に近寄り、有無《うむ》を言わせずソフィーを脇に押しのけました。ベーコンの匂いにまざって、ハウルからはヒアシンスの香りがします。「カルシファーはぼく以外の人間が料理するといやがるんだよ」ハウルはひざをつき、長い袖のはじをフライパンの把手に巻きつけました。「ベーコンをもうふた切れと、卵を六つこっちに。それと、ここへ来た理由を話して」

ソフィーはハウルの耳からぶらさがっている青い宝石に見とれていましたが、はっとして、次々に卵を手渡しました。「ここに来たわけだって、お若いの？」ソフィーは考えました。さっき見た城内のようすから、いい口実を思いつきました。「何言ってるんだい、あたしはおまえさんの新しい掃除婦じゃないか」

「それ本当？」ハウルは片手で卵を割っては、殻をまきのあいだにほうりこみながら聞き返しました。まきのあいだではどうやらカルシファーが、その殻をがつがつのみこんでいるようです。「誰がそんなことを？」

「このあたしさ」それからソフィーはすましてつけ加えました。「あんたみたいな腹黒いやつをまっ白にするのは無理でも、この城の掃除くらいできるさね、お若いの」

「ハウルさんは腹黒い人じゃありませんよ」マイケルが抗議します。

「いや、腹黒いとも。マイケルはぼくがどんなに悪いやつか、うっかり忘れてるんだ」ハウルはソフィーにあごをしゃくってみせました。「どうしても仕事がしたいんなら、おばさん、ナイフとフォークを探して、台の上を片づけてよ」

でも、ソフィーが手を出さなくても、マイケルが作業台の下にあった丸椅子をひっぱりだし、横のひきだしからナイフやフォークを出し、台の上の物をひとまとめにして、すきまを作りました。

ソフィーは、ハウルに歓迎されるとは、もちろん思っていませんでした。でも朝食のあとも居残っていいことになったのかどうか、まだはっきりしません。マイケルは手が足りているようでしたから、ソフィーは足を引きずっていって杖を手にとると、ゆっくり、これ見よがしに物置にしまいました。ハウルが見ていなかったようなので、「よかったら、一カ月ためしに雇ってくれてもいいよ」と声に出して言いました。

魔法使いハウルはそれには答えず、煙を上げているフライパンを持って立ちあがり、「マイケル、皿をくれ」と言っただけでした。解放されたカルシファーはワアッと喜びの声をあげると、煙突高く炎を上げました。

ソフィーはもう一度、魔法使いにだめを押しました。「もしこれからひと月ここを掃除するんだったら、城の残りがどこにあるのか知っておきたいんだけど。見つかったのは、この部屋と浴室だけだった」

驚いたことに、マイケルとハウルは大声で笑いだしました。

ハウルはつかみどころがないうえに、どんな質問にも答えるのがいやなようでした。朝食がほぼ終るころになって、問いの矛先《ほこさき》をマイケルにむけたソフィーはようやく、二人が笑ったわけがわかりました。

「答えてやりなさい」ハウルが言いました。「そうしたら、少しは静かになるだろう」

「ほかに部屋なんてないんです」マイケルが言いました。「あなたがごらんになったところと、あとは二階に寝室がふたつあるだけ」

「なんだって?」ソフィーの声が思わず大きくなります。

ハウルとマイケルはまたもや笑いだしました。「ハウルさんとカルシファーが城に見せかけて、カルシファーが動かしてるんです」とマイケル。「本当は、これはポートヘイヴンの町にあるハウルさんの古い家にすぎません。城の中に本当にあるのは、その家にある部屋だけなんです」

「そんな! ポートヘイヴンは何マイルも海の方じゃないか!」ソフィーは言いました。「このばかでかくて醜い城を丘じゅう動かして、〈がやがや町〉の人を死ぬほどおどかすなんて、どういうつもりさ?」

ハウルは肩をすくめました。「あんたはずいぶんはっきりものを言うんだなあ! 職業柄、みんなに力と邪悪さを印象づけたかったんだ。それに、王様にぼくのことをよく思われたくないんだ。おまけに去年、とても力のあるやつを侮辱して怒らしちゃってね。だから、両方を避けたいんだ」

誰かを避けるにしては、ずいぶんとおかしなやり方です。でも、魔法使いの考え方というのは普通の人とはちがっているのでしょう。すぐにソフィーは、この城にはもうひとつ変わったところがあることを発見しました。三人が食べ終え、マイケルが作業台の脇のぬるぬるした流しに皿を積み重ねていたときのことです。誰かが扉をたたく、大きなこもった音がしました。

カルシファーの炎がぱっと大きくなります。「キングズベリーの扉！」

浴室へ行こうとしていたハウルが、扉にむかいました。扉の上の横木に、四角い木製のダイヤルのような物がついていました。四つのへりに、それぞれちがう色のペンキが塗ってあります。ちょうどそのときは、緑色の面が下になっていました。するとハウルはダイヤルを動かし、赤い面を下にしてから、扉をあけたのです。

外に立っていたのは、ごわごわの白いかつらの上に大きな帽子をかぶった人物でした。真紅と紫、金色の衣装をつけ、小型の五月柱《メイポール》のような、リボンがひらひらする杖をかかげていました。男はお辞儀をしました。それといっしょに、クローブとオレンジの花の香りがします。

「国王陛下にあらせられましては、二千足の七《しち》リーグ靴《ぐつ》に対しましして、おん礼を申しあげ、報酬をおつかわしになられました」と、男は口上《こうじょう》を述べました。

男のうしろには馬車が控えています。そのうしろには、極彩色《ごくさいしき》の彫像のある壮麗な家並や、丸い塔や尖塔、円屋根がちらと見えます。想像したこともなかったほどの豪華さです。

残念なことに、扉の外の男がチャリンチャリン音のする細長い絹製の財布を手渡し、ハウルが受けとってお辞儀を返し、扉をしめるまで、あっというまでした。ハウルは緑色の面が下になるようにダイヤルを動かすと、財布をポケットにしまいこみました。ソフィーはマイケルが、気がかりでたまらないというように、財布を目で追っていることに気づきました。

ハウルはまっすぐ浴室に入ると、「カルシファー、こっちに熱いお湯を送って！」と声をかけたきり、ずいぶん長いあいだ、出てきませんでした。

ソフィーは好奇心を抑えきれず、マイケルに聞きました。「さっき来たのはいったい誰？　というより、あれはどこなの？」

「あの扉はキングズベリーに通じています。王様がおいでの都です。さっきの人は、大臣秘書だと思います。それはそうと」マイケルは、今度は心配そうに、カルシファーに話しかけました。「ハウルさんに全額渡さないでくれるとよかったのにねえ」

「ハウルはここに置いてくれる気かねえ？」ソフィーはたずねました。

「そうだとしても、ハウルさんはけっしてはっきりしたことは言いませんよ」と、マイケルが答えました。「あの人は、とにかくしばられるのが嫌いですから」

五章　掃除、掃除、掃除

こうなったら、とソフィーは考えました。ハウルに、あたしがどれほど優秀な掃除人で、どんなに適任だか、見せつけてやるしか手がないわ……

ソフィーは薄くなった白髪《しらが》の頭にぼろきれをかぶり、骨ばった腕の袖をまくりあげると、エプロンがわりに、物置にあった古いテーブルクロスを腰に巻きつけました。掃除するのが城まるごとでなく、たった四部屋でいいと思うとほっとします。バケツとほうきをつかみ、仕事開始です。

「何する気？」マイケルとカルシファーがおびえて叫びます。

「そ、う、じ」ソフィーはきっぱり答えました。「この城ときたら、ごみためじゃないか」

カルシファーは「掃除する必要ないよ」と言い、マイケルは「ハウルさんに追いだされますよ」と小声でつぶやきました。

しかしソフィーは二人を無視して、掃除を続けました。埃《ほこり》がもうもうと舞いあがります。

そのさなか、ひとしきり扉をたたく音がしました。カルシファーが炎を大きくすると、「ポートヘイヴンの扉だ！」と叫びました。それから大きなくしゃみをしたものですから、埃の渦のあいだに紫色の火花が散りました。

マイケルは作業台から立ちあがり、扉に近づきました。ソフィーは自分が立てている埃ごしに、マイケルが四角のダイヤルを動かし、今度は青い面が下になるようにしたのを見ました。扉をあけると、外は窓から見えているのと同じ町並でした。

女の子が一人立っていました。「こんにちは、フィッシャーさん。おっかさんのかわりに来ました」とその子は言いました。

「おとっつぁんの船のお守りでしょ？　すぐに用意するよ」マイケルは作業台に戻ると、棚の上から瓶《びん》をひとつ下ろし、四角い紙の上に粉を量り入れました。ソフィーは興味しんしんで女の子を見つめましたが、女の子も、不思議そうに見返しました。マイケルは粉の入った紙をねじると、「船全体にふりかけるようにおっかさんに伝えなさい。嵐があっても、帰ってくるまで保《も》つからね」と言いながら、戸口に引き返していきました。

女の子は紙包みを受けとり、硬貨を渡しました。「魔女さんは、魔法使いさんの仕事を手伝ってるの？」

「ううん」とマイケル。

「あたしのこと？」ソフィーは言いました。「ああ、そうだとも。あたしゃインガリーの国でいちばん腕がよくてきれい好きな魔女さ」

マイケルは扉をしめました。いらいらした顔です。「今の話はあっというまにポートヘイヴンじゅうに伝わっちゃいますよ。ハウルさんはいやがるだろうな」マイケルはまた緑色の面が下に来るようダイヤルを動かしました。

ソフィーは小さく笑い声をたてました。少しも反省する気にはなりません。もしかしたら手にしていたほうきに、今のような考え方を吹きこまれたのでしょうか。でも、みんながソフィーは魔法使いの仲間だと思えば、ハウルだってここに置いてやろうと考えるかもしれません。

若い娘だったときなら、今のようにふるまうなんて、思っただけで恥ずかしくて、身震いしていたことでしょう。でも年寄りになった今では、自分が何をしようが何を言おうが、気にならないのです。それがとてもいい気分でした。

マイケルが暖炉の石をひとつ持ちあげ、さっきの女の子から受けとった硬貨を隠しているのを見て、ソフィーはどたどたと近寄りました。「何してるの？」

「カルシファーと、お金をためようとしてるんです」マイケルはややうしろめたそうに答えました。「でないと、ハウルさんはかたっぱしから使っちゃうんで」

「考えなしの浪費家なのさ！」カルシファーがパチパチ言いました。「おいらがまきを一本燃やすあいだに、王様の金庫を使い果たしちまうだろうな。分別がないんだ」

ソフィーは埃を静めるために水をまきました。おかげでカルシファーは、またもや煙突の中に退却です。それから床一面をもう一度掃きながら、扉に近づき、上の四角いダイヤルを偵察しました。まだ使っているのを見たことがない四番目の面は、黒く塗ってあります。これはどこへ通じているのかしら。ソフィーは梁《はり》のクモの巣を手早く払い落としました。マイケルはうめき声をあげ、カルシファーはまた、くしゃみをしました。

そのとき、ハウルが香水の香りをぷんぷん漂わせながら浴室から出てきました。とてもさっそうとして見えます。上着の銀の飾りや刺繍《ししゅう》でさえも、輝きを増したようです。ハウルは室内をひと目見ると、青と銀色の袖で頭をおおって浴室の中へあとずさりました。

「やめやめ、おばさん！　かわいそうなクモをほっといてやれよ！」

「クモの巣なんてみっともない！」ソフィーはクモの巣をいくつか引きおろしながら言い返しました。

「じゃあ、クモの巣だけ払って、クモはそっとしておく」と、ハウル。

きっとハウルは同じ悪者同士、クモと相性がいいんだろうと思いながら、ソフィーは言いました。「そしたらまた巣をはるだけじゃないの」

「そしてハエを殺す、それが役に立つんだ。頼むから、ぼくが自分の家を出るまでは、そのほうきを動かさないでいてくれたまえ」とハウル。

ソフィーはほうきに寄りかかって、ハウルが部屋を横ぎり、ギターをかかえるのを見ていました。ハウルの手が扉のかけがねにかかった瞬間、ソフィーは声をかけました。「もし赤い面がキングズベリーで、青い面がポートヘイヴンなら、黒い面はどこへ通じているの？」

「なんておせっかいなばあさんだ！　あれはぼくの個人的な隠れ家《が》に通じてるけど、あんたにその場所を教えるいわれはないよ」ハウルが扉をあけると、広大な荒野《こうや》と丘陵地帯がじりじりじりと動いているのが見えました。

「ハウルさん、お帰りはいつです？」マイケルがやけっぱちのようにたずねました。

ハウルは聞こえなかったふりをして、ソフィーにこう言っただけです。「ぼくがいなくても、一匹だってクモを殺すんじゃないよ」ハウルが、ばたんと扉をしめて出ていくと、マイケルは意味ありげにカルシファーに視線を送り、ため息をつきました。カルシファーは意地の悪い笑い声をあげました。

どちらもハウルの行き先を教えてくれないので、ソフィーは、またもや若い娘の魂を狩りに出かけたものと決めこみ、さっきよりもっと精力的に仕事にとりかかりました。ハウルに釘を刺された以上、クモの子一匹とて傷つける気はありません。だから、ほうきで梁をどしんとたたいて叫んだだけです。「クモよ出ていけ！　邪魔だよ！」クモたちはクモの子を散らすように、命からがら逃げだし、クモの巣が下に降ってきました。そのため、ソフィーはもう一回床を掃除するはめになりました。その後はよつんばいになって床磨きです。

「もう終りにしてくださいよ！」邪魔にならないように階段に座っていたマイケルが訴えました。

炉格子のうしろに縮こまったカルシファーもつぶやきました。「あんたと取引なんかするんじゃなかった！」

ソフィーは元気よく磨きつづけます。「きれいになったら、気分がよくなるわよ」

「でも、今はとってもひどい気分ですよ！」とマイケルは抗議しました。

ハウルはその夜遅くなって帰ってきました。そのころにはソフィーは掃いたり磨いたりしすぎて、へとへとになっていました。体じゅうの痛みをこらえ、椅子に背を丸めて座っていたのです。

マイケルがハウルの長い袖をつかんで浴室へひっぱりこみ、強い口調でまくしたてているのが聞こえてきます。カルシファーが音高く燃えさかっていても、「恐ろしいおばあさん」とか「ひと言だって聞き入れない」といった言葉がはっきり聞こえてきます。「ハウルさん、止めてくださいよ。あの人、ぼくらを殺しちゃいますよ！」

けれどもマイケルから解放されたハウルがソフィーにむかって言ったのは、「クモは殺してないだろね？」だけでした。

「まさか！」ソフィーはがみがみ返事しました。痛みで気が短くなっているのです。「あたしを見たら、命からがら逃げだしていったよ。あのクモの正体は何？　あんたに心臓を食われた娘たちなの？」

ハウルは声をたてて笑い、「いいや、ただのクモだってば」と言うと、夢でも見ているように、静かに二階に上がっていきました。

マイケルはため息をつくと、物置の中をひっかきまわし、古そうな折りたたみ式のベッドと、麦わらをつめたマットレスと、毛布を探しだし、階段下の空間に置きました。見あげると、天井が少し丸みをおびています。「今夜はここで寝てください」

「ハウルはあたしを置いてくれるって？」

「知るもんですか！」マイケルは怒ったように答えました。「ハウルさんはいつだって態度をはっきりさせないから。ぼくがここに住んでいると気づいたのだって、半年ぐらいたってからですよ。見習になれたのも、それからです。とにかく、ベッドの方が椅子よりは楽でしょう」

「そうだったの、ありがとう」実際、ベッドの方が椅子よりはるかに快適でした。そして夜中にカルシファーが空腹を訴えたとき、体をきしませて起きあがり、まきをくべてやるのも簡単なことでした。

その後の数日、ソフィーは少しも手加減せずに、大いに楽しい気分で城じゅうを掃除しつづけました。手がかりを探しているのだと自分に言い聞かせながら、窓ガラスを洗い、べとべとだらけの流しを掃除し、マイケルに命じて作業台と棚から品物をすべて下ろさせて、磨きました。戸棚の中の物や梁から下がっている物も全部下ろして、きれいにしました。気のせいか、頭蓋骨もマイケルと同じようにしんぼう強い表情を浮かべだしたようです。あまりにひんぱんに動かされたからでしょう。

それからソフィーは、使い古しのシーツを暖炉に近い梁と梁のあいだにゆわえつけて煤《すす》よけにしました。煙突を掃除しているあいだは、カルシファーに頭をかがめさせて炎を小さくさせました。カルシファーはいやがり、部屋じゅうに煤をとびちらせました。ソフィーが部屋全体をもう一度掃除するはめになったので、カルシファーは下品な声をたててうれしがりました。

これはソフィーの泣きどころでした。つまり、手順が悪いのです。それでいてぜったいに手加減はしないのです。でもソフィーは、こういう調子で徹底的に掃除していけば、早晩ハウルが隠している娘たちの魂のたくわえや、しゃぶったあとの心臓――またはカルシファーとの契約の中味がわかるような何か別の物――に出合うだろうとふんでいました。カルシファーに守られている煙突の中などは、とびきりうまい隠し場所のような気がしていたのです。でもあいにく煙突で見つかったのは、大量の煤だけ。ソフィーはこの煤を袋につめて裏庭に置きました。裏庭も、頭の中では隠し場所の候補としては上位にあがっていました。

ハウルが外出から戻るたびに、マイケルとカルシファーはソフィーのことで、派手に文句を言いました。けれどもハウルは、気にするようすはありません。それどころか城がきれいになったことにも、また食料品の戸棚が菓子やジャム、ときにはレタスなどでいっぱいになってしまったことにさえ、気づいていないようです。

戸棚がいっぱいなのは、マイケルが予想したように、ポートヘイヴンじゅうに噂が広まったせいです。人々はソフィーを見物しようとやってきました。

ポートヘイヴンではソフィーのことを「魔女さん」と呼び、キングズベリーでは「魔法使いのマダム」と呼びました。そうです、都《みやこ》にも噂が伝わっていたのです。首都キングズベリーで扉をたたく人たちは、ポートヘイヴンよりよい身なりをしていました。でもどちらの住人も、力のある魔女を手ぶらで訪問する勇気はないようでした。そこでソフィーは仕事の手を休めてはうなずいたりほほえんだりして、贈り物を受けとり、注文された簡単なまじないをマイケルに用意させたのです。

贈り物の中には絵画や貝殻をつらねた飾りや、役に立つエプロンのように、すてきな品物もありました。ソフィーはエプロンをつけ、階段下の狭い空間に貝殻と絵を飾りました。今ではそこはとても居心地のよい場所になっていました。

ソフィーはハウルに追いだされたら、この隠れ家《が》が恋しくなるだろうな、と思いはじめていました。出ていきたくない気持ちがどんどん強まっています。でも、ハウルだって、いつまでも自分を無視できるものではないでしょう。それもわかっていました。

　次にソフィーが掃除したのは浴室でした。これは数日がかりでした。というのも、ハウルが毎日外出前にかなりの時間、そこを占領するからです。ハウルがもうもうと立ちのぼる蒸気と香りの呪文でいっぱいの浴室から出てくると、かわりにソフィーが入りこみます。

「さあ、今度こそあの契約の正体を見つけてやろう！」ソフィーは浴槽にむかってつぶやきました。でも、本当のねらいは、棚に並んだ包みや瓶や筒でした。ソフィーは棚を掃除するという口実で、ひとつひとつ下に下ろしました。そして『皮膚』『目』『髪の毛』などと書かれた物が、実際に娘たちのなれの果てなのか、長い時間をかけて念入りに確かめたのです。

　しかし見たかぎりでは、中味はどれもクリームやパウダーといった化粧品でした。もし、こういった物が娘たちからできているとしたら、ハウルは『腐敗用』の筒を使って、見わけがつかないほどすっかり腐らせてしまったのでしょう。ソフィーは容器に入っているのがただの化粧品であることを祈りました。

ソフィーは品物を棚に戻し、磨きたてました。その夜、ソフィーが痛む体で椅子に座っていると、カルシファーがソフィーのせいで温泉がひとつからっぽになってしまった、と不平を言いました。

「温泉って、どこの？」ソフィーはたずねました。このごろ、好奇心が強くなっているのです。

「大部分はポートヘイヴンの湿原の下だよ。でもこの調子であんたが使ってたら、荒地《あれち》の温泉も使うことになるだろうなあ。いつになったら掃除をやめて、おいらの契約を破る方法を見つけてくれるんだい？」

「時機が来たらね。だってハウルが四六時中いないのに、どうやって契約について情報を引きだせるっていうのよ。いつもこんなに出かけてばかりいるの？」

「女の人を追いかけてるときだけだよ」と、カルシファー。

浴室がぴかぴかにきれいになると、ソフィーは階段と二階の廊下にとりかかりました。その次は、マイケルが使っている二階の手前の小部屋の掃除です。最近ではソフィーがまるで自然災害の一種だというように、しぶしぶ受け入れているように見えたマイケルも、このときばかりは、胆《きも》をつぶしたように叫ぶと、貴重な宝物を救出しに階段を駆けあがってきました。

マイケルの宝物というのは、虫食いだらけの小さいベッドの下にある、古い箱のことでした。大事な箱をあわてて運びだそうとしたとき、中に、青いリボンでたばねた手紙らしき物と、薔薇《ばら》の形のキャンディーがちらりと見えました。

「マイケルには恋人がいるのね！」ソフィーは窓を勢いよくあけはなちながら、思いました。この窓からもポートヘイヴンの通りが見えます。そして風にあてるためにかけ布団を窓にかけました。最近の自分がどれほどせんさく好きかわかっていましたので、相手はどこの娘さんか、どうやってその娘さんをハウルの魔手から守っているのかと、マイケルを問いつめなかったのはちょっと意外なほどでした。

ソフィーがマイケルの部屋から掃きだした埃とごみの量ときたら！ 全部燃やすはめになって、カルシファーの炎があやうく消えそうになりました。

「あんた、おいらを殺す気かい！ ハウルと同じくらい、心ないしうちだぜ！」カルシファーは息をつまらせました。緑色の髪の毛と、細長い額の一部が青く見えているだけです。

マイケルは宝物の箱を作業台のひきだしに入れ、鍵をかけると言いました。「ハウルさんがちゃんと話を聞いてくれたらなあ！ どうして今度の娘さんには、手間どってるんだろう？」

次の日は裏庭に手をつけるつもりでした。けれども、その日のポートヘイヴンは雨でした。雨は窓にはげしくたたきつけ、煙突からぱらぱらと吹きこむものですから、カルシファーはいやがってシュウシュウ音をたてています。家同様裏庭もポートヘイヴンにあるので、裏口の扉をあけると、外はどしゃぶりでした。

ソフィーは頭からエプロンをかぶり、少しばかり裏庭をのぞいてまわりました。そのかいがあって、びしょ濡れになる前に、バケツ一杯のしっくいと大きな刷毛《はけ》が見つかりました。そこでこの戦利品を室内に持ちこみ、壁に塗りはじめました。物置で見つけた古い脚立を使い、天井まで白く塗りたてたのです。

ポートヘイヴンではそれから二日、雨が続きました。もっともハウルがダイヤルの緑色の面を下にして扉をあけ、丘に降りると、外は晴れでした。城が移動する速度よりも速く、大きな雲の影がヒースの上を駆けぬけていきます。ソフィーは自分の領分、階段、二階の廊下、そしてマイケルの部屋まで白く塗り終っていました。

「どうなってんだい？　前より明るくなったね」外出から戻ってきたハウルがたずねたのは、三日目のことでした。

「ソフィーさんです」マイケルがこの世の終りだと言わんばかりに答えました。

「聞くんじゃなかった」ハウルはそう言うと、浴室に姿を消しました。

「気づいてくれた！」マイケルはカルシファーにささやきました。「きっと、ようやく娘さんをくどき落としたんだね！」

ポートヘイヴンでは翌日もまだ霧雨でした。ソフィーは頭にぼろきれをかぶり、袖をまくりあげ、腰にエプロンを巻きつけました。ハウルが外出するやいなや、ほうき、バケツ、石鹸《せっけん》を用意すると、歳をくった復讐の天使のように、ハウルの寝室の掃除にとりかかろうとしました。

ここを最後にしたのは、何が見つかるものやら怖かったからでした。これまではのぞき見さえしていません。でも怖がるなんてばかげてる――階段をよたよた上りながら、ソフィーは思いました。強力な魔法はカルシファーが一手に引きうけ、下働きはすべてマイケルがしていることは、はっきりしてるじゃない。ハウルときたら娘さんをつかまえにほっつき歩いて、ファニー義母《かあ》さんがあたしを食いものにしたように、二人を食いものにしているんだわ。ハウルなんかとくに怖いと思ったことはないし、今となっては、軽蔑しか感じないわよ。

ところが二階にたどりついたソフィーを待ちうけていたのは、寝室の前に立ちはだかっているハウルでした。だらしなく壁に片手をついて、とおり道をふさいでいます。

「お断りだね。汚いのが気に入ってるんだからさ」ハウルは愛想よく言いました。

ソフィーはハウルをぽかんと見つめました。「どこから入ってきたの？　出かけるのを見たのに」

「そう見せたのさ。カルシファーとかわいそうなマイケルをひどい目にあわせただろ。今日あたり、ぼくの番だと考えるのがあたり前じゃないか。それに、カルシファーがなんと言ったか知らないけれど、ぼくはれっきとした魔法使いだよ。魔法ができるとは思わなかったの？」

ハウルを見くびりすぎていたようです。でも、そうと認めるぐらいなら死んだ方がましです。「お若いの、あんたが魔法使いだってことは百も承知だよ」きつい声でソフィーは答えました。「だが、あんたの城があたしが訪ねたほかのどこよりも汚いってことに変わりはないね」

ソフィーはハウルの腕からたれさがっている青と銀色の袖ごしに、室内をのぞきこみました。床に敷いてある絨毯《じゅうたん》の上は、小鳥の巣の中並みの散らかりようです。ペンキのはげかかった壁と、棚いっぱいにつまった書物がちらりと見えました。書物の中にはずいぶんへんてこな物もまじっているようです。かじりかけの心臓がうずたかく山になっているようすはありませんが、ばかでかい天蓋つき寝台のうしろか下に隠してあるのかもしれません。寝台のカーテンは埃で薄汚れた灰色になっています。天蓋が邪魔して窓の外のようすは見えません。

ハウルはソフィーの顔の前で袖を振りまわしました。「だめ、だめ。おせっかいはなし」

「そんな、おせっかいだなんて！」ソフィーは言い返しました。「とにかく、この部屋ときたら……！」

「いいや、おせっかいもいいとこ。あんたときたら、おっそろしくせんさく好きで、ひどくえらそうで、気持ち悪いぐらいきれい好きなばあさんだよ。少しは控えなさい。ぼくたち全員が迷惑してんだから」

「でも、これじゃ豚小屋よ。それにきれい好きは性格なんだから、どうにもならないだろ！」

「そんなことないさ。とにかく、今のままの部屋が好きなんだ。豚小屋に住みたけりゃ住む権利だってあるのさ。そうだろ。さあ、下に降りていって、別の仕事を見つけたらどうだい？　頼むよ。ぼくは言い争うのが嫌いなんだ」

ソフィーはバケツをがちゃつかせ、よたよた階段を降りていくしかありませんでした。少し動揺していましたが、その場で城から追いだされなかったことに驚いてもいました。

追いだされなかったのですから、次にすべきことはわかっていました。階段脇の扉をあけると、霧雨はほとんどやんでいました。そこで裏庭にさっと降りて、まだ濡れているがらくたの山を熱心にかきまわしだしたのです。

金属をガチャリ！　とぶつけたとたん、ハウルがあらわれていました。ハウルは、ソフィーが動かしかけていた大きなさびた鉄板にぶつかりそうになって、ちょっとよろめきました。

「ここもだめ」と、ハウル。「あんたは本当に手に負えない人だな。この庭は触らないで。どこに何があるのか全部わかっているんだから、整理なんかされたら、移動のまじないに必要な物が見つけられなくなるんだよ」

きっと、ここのどこかに魂の包みやかじられた心臓の箱があるんだと、ソフィーは思いました。でも手も足も出せません。

「あたしは掃除するためにいるんだよ！」ソフィーはどなりました。

「ほかに生きがいを探すんだね」ハウルがやり返します。ほんの一瞬、ハウルもかんしゃくを起こしかけたようでした。あの不思議な淡い色の瞳がソフィーをにらみつけます。けれどもハウルは気をとりなおすと、こう言いました。「さあ、中へ入った入った、働きすぎのおばさん。ぼくが腹を立てないうちに、何かほかのおもちゃを見つけなさいよ。腹を立てるのは嫌いなんだ」

ソフィーはやせこけた腕を組みました。ビー玉のような目でにらみつけられるなんて、不愉快だわ。

「ええ、腹を立てるのが嫌いでしょうとも！　あんたって、不快なことはみんな嫌いなんだから、ちがう？　逃げまわるウナギみたい。いやなことがあると、いつだってぬるぬると逃げちゃうんだ」

ハウルはこわばったほほえみを浮かべました。「じゃあ、これで互いの欠点はわかったわけだね。さあ、家の中に入って。ほら、戻って」ハウルはソフィーの方に近づいてきて、手を振って扉へと追いやりました。振りまわしていた袖がさびた金物のはじにひっかかり、ひっぱられてほころびました。「こんちくしょう！」ハウルは青と銀色の長い袖のはじをつかむとののしりました。「ほら、あんたのせいで破けたじゃないか！」

「繕《つくろ》ったげるよ」とソフィー。

ハウルは冷たくじろっとにらみました。「ああ、まただ。あんたは奴隷働きがよっぽど好きらしい」ハウルは右手の指で破れた袖をやさしくつまむと、指のあいだに布をすべらせました。青と銀色の布から指を離すと、裂け目はなくなっていました。

「ね、おわかりかい？」

ソフィーは少ししゅんとなって、屋内に戻りました。魔法使いというものは、確かに普通のやり方で仕事する必要はないのです。ハウルはどれほど手強《てごわ》い魔法使いであるかを今、見せつけてくれました。「だけど、どうして追いださないんだろう？」とソフィーは半分ひとり言、半分マイケルにむかってつぶやきました。

「ぼくにはわかりっこありません。でも、ハウルさんはカルシファーで判断してるみたいです。ここに来た人はたいてい、カルシファーに気づかないか、でなきゃ、カルシファーをとっても怖がるんですよ」とマイケルが言いました。

六章　不機嫌なハウルと緑のねばねば

ハウルはその日だけでなく、その後も数日外出しませんでした。一方ソフィーはハウルとかかわらないようにしながら、炉端の椅子に静かに座り、考えこんでいました。ハウルにはあれくらい言ってやっても当然だけど、あたしも、荒地《あれち》の魔女のことで頭にきたぶんを、この城でかっかとあたりちらしていたのは確かだわ。それに嘘八百の口実で居座っていると思うと、気がとがめるし。ハウルは、カルシファーがあたしに好意を持っていると思ってるんだろうけど、カルシファーはあたしと取引したかっただけなのよ。でも、カルシファーの期待にもまだ応《こた》えてないし……

けれども、こういういやな気分は長続きしませんでした。繕う必要のあるマイケルの服が山ほどあることを見つけだしたソフィーは、ポケットから指ぬき、はさみ、糸をとりだすと、仕事にかかりました。そして夕方には元気をとりもどし、カルシファーが歌う、フライパンがどうこうというざれ歌をいっしょに口ずさんでいました。

「仕事は順調かな？」ハウルが皮肉りました。

「もっとあったって平気」

「忙しいのがお望みなら、古い上着を繕ってくれてもいいんだけど」

どうやらハウルはもう腹を立てていないようです。よかった。けさはちょっと怖かったものね。

ハウルが、ねらっている女性をまだ射とめていないことは明らかです。でもマイケルときたら、そんなわかりきったことをたずねています。ハウルは、聞かれてものらりくらりと逃げています。

「なんというぬるぬるウナギ」ソフィーは、マイケルの靴下につぶやきました。「自分の欠点を認めたくないんだね」ハウルがさっきから落ち着かないのは、ねらった女性にふりむいてもらえない不満を隠そうとしているからでしょう。ソフィーにもよくわかります。

ハウルは作業台で、いかにも玄人《くろうと》らしい手つきで材料をまぜあわせています。マイケルよりも手早いし、乱暴です。そばでマイケルが浮かべている表情からすると、おおかたはめずらしくて高度なまじないのようです。でもハウルときたら、作っている途中で、何か隠してある物――きっと不気味なものでしょう――を見に寝室へ駆けあがっていったり、かと思うとすぐに裏庭へ走っていって、そこで大がかりな物を組み立てたりするのです。

ソフィーは細目に扉をあけ、いつもは優雅な魔法使いが泥の中にひざをつき、長い袖を邪魔にならないように首のうしろで結んだ格好で、からまりあった油まみれの金属を注意深く組み立てているのを見て、ちょっとあっけにとられました。

ハウルは王様に依頼された品を作っているのでしょう。少し前のことですが、着飾って香水をつけた、前とは違う使者が書状を持参し、長々と口上《こうじょう》を述べたのです。いわく――ハウル様は強力でいと賢き頭脳をお持ちであらせられます。さだめし重要なお仕事に従事されておいでではございましょう。しかしながら、われらが王を悩ましているささいな問題がございまして、恐れ入りますがそれにお時間をさいていただくわけにはまいりませんでしょうか。お願いしたいのは、重装備の馬車を擁《よう》するわが軍隊が、湿地やでこぼこ道をすみやかに通行するための品なのでございますが。

ハウルは驚くほどいんぎんに、まわりくどく返事しました――できない、と。けれども使者はさらに半時間あまりしゃべりつづけました。とうとう双方がお辞儀をし、ハウルはそのしかけを作ることになったのです。

「おもしろくない展開だなあ」使者が立ちさると、ハウルはマイケルにこぼしました。「なんでまたサリマンは荒地《あれち》で行方不明になっちゃったんだろう。王様はかわりにぼくが仕事をするべきだと考えているらしいぞ」

「サリマンさんは、誰が見てもハウルさんほど発明の才能がありませんでしたからね」とマイケル。

「ぼくはしんぼう強くて親切すぎるんだ」ハウルは憂鬱そうに続けました。「もっと代金をふっかければよかったよ」

ハウルはポートヘイヴンからの客たちに対しても、同じようにしんぼう強く、親切でした。しかも困ったことだとマイケルが心配そうに言ったように、こうした客からはほとんど金をとらないのです。さっき船長のおかみさんがやってきて、いまだにびた一文払えない理由を一時間あまりまくしたてたときも、ハウルは、ご亭主に『風のまじない』をただ同然で用意してやると約束してしまったのです。ハウルは心配そうなおももちのマイケルを、魔法を教えるからと言ってごまかそうとしています。

ソフィーはマイケルのシャツにボタンを縫いつけながら、ハウルがマイケルに呪文を教える声に耳を傾けました。

「そりゃ、ぼくはいいかげんな人間だよ。でもねマイケル、おまえがまねすることはないんだ。いつだってまず呪文に注意深く目をとおすこと。全体の形式からわかることがけっこうあるからね。たとえばただ書いてあるとおりにすればいいのか、まず謎を解くのか。あるいはただ唱えるやつか、身ぶりをしながら唱えるのか、なんてことだ。それがわかったら、くり返し読みながら、書いてあるとおりでいい部分と、謎々になっている部分とを見きわめる。

さあ、これからはもっと強力な呪文も扱うぞ。力の呪文は、そのまま声に出して読んじまったらたいへんなことになるから、どいつにもわざと間違ってるところとか、謎が、少なくともひとつはしこんであるものなんだ。そういった部分を見わけなくちゃならない。さてと、この呪文だけど……」

ソフィーは、マイケルがつっかえつっかえハウルの質問に答えるのを聞きながら、ハウルが不思議なほどインクが長持ちする羽根ペンで要点を書きなぐるのを、目のすみで追っていました。そうだ、あたしも魔法を教わっているようなものだわ。マーサだってフェアファックス夫人のところでレティーと入れかわる方法を発見できたんだから、あたしだってもとに戻る方法を見つけられるはず。つきがあれば、カルシファーに頼らずにすむかもしれない……

ポートヘイヴンでお金をとりそこねたことがマイケルの頭からすっかり消えたことに満足したハウルは、裏庭へ連れだして王様の注文の品作りを手伝わせはじめました。ソフィーは骨をきしませて立ちあがり、よたよた作業台へむかいました。呪文はとてもはっきり読みとれるのですが、ハウルの筆跡にはまいりました。

「なんて汚い字！」ソフィーは頭蓋骨相手にこぼしました。「ハウルが使ってるのはペンなの、それとも火かき棒？」作業台にあった紙きれに順ぐりに熱心に目をとおし、ねじれた瓶《びん》に入った粉末や液体を調べてまわります。

「確かにあたしはのぞき屋よ。でも収穫はあった。おかげでニワトリの病気の治し方や、百日咳の手当の仕方、顔に落ちかかる髪の毛を吹きあげる風の起こし方まで、わかったものね。マーサがこれほど魔法を習っていたら、今もフェアファックス夫人のところに残っていたでしょうに」

ハウルは裏庭から戻ると、ソフィーが何をしていたのかあちこち見てまわりました。それとも、落ち着きがないだけでしょうか。ハウルはどうやら、何も手につかないようでした。ひと晩じゅう階段を何度も上り降りしているのが聞こえました。

次の朝も、浴室には一時間しかこもらず、マイケルがよそゆきの紫色のビロードの服に着替え、キングズベリーにある宮殿へ出かける支度をしているあいだも、じれったくてたまらないようすでした。二人はかさばる品物を金色の紙で包みました。マイケルが一人で、両の腕に抱きかかえて運べるところを見ると、かさのわりに軽い物のようでした。ハウルは赤い面が下をむくように扉のダイヤルを動かすと、色あざやかな町並へとマイケルを送りだしました。

「むこうは、お待ちかねだよ」とハウル。「せいぜい午前中待たされるぐらいだろう。そいつは子どもにだって扱えると言ってやるといい。実演して見せなさい。おまえが帰るまでに、次にとりかかる力の呪文を用意しておくから。じゃあ、行っておいで」

ハウルは扉をしめるとまた室内をうろついていましたが、だしぬけに言いました。

「足がむずむずするな。丘を散歩してくる。マイケルに、約束した呪文は作業台の上だと言っといて。それから、これ、留守中のあんたの仕事」

ソフィーのひざの上に、どこからともなく灰色と真紅の服があらわれました。あの青と銀色の服に負けず劣らず、派手です。あっけにとられているあいだに、ハウルはすみに立てかけてあったギターをとりあげ、ダイヤルの緑色の面を下にした扉から、すべるようにすぎていく〈がやがや町〉の北のヒースの丘に降りていきました。

「足がむずむずするだって！」カルシファーが不満げにうなりました。ポートヘイヴンは霧でした。カルシファーは煙突から落ちる水滴をよけてたびたび移動しながら、まきのあいだにうずくまっています。「こんな湿っぽい暖炉にへばりついている、おいらの身にもなってほしいよなあ」

「じゃあ、あたしに契約を破る方法のヒントぐらいちょうだいよ」ソフィーは灰色と真紅の服をばたばた振って埃《ほこり》を振るい落としながら、服に話しかけました。「おやまあ。あんたはちょっとくたびれちゃいるが、上等の服じゃないか！　女の子を夢中にさせる服だね？」

「ヒントなら、出してやったろ！」カルシファーは口から火花を飛ばしました。

「じゃあ、もう一度教えてよ。気がつかなかったもの」ソフィーは服を置くと、扉に近寄りました。

「だけど、もしおいらがこいつはヒントだよ、と教えたら、そいつは『情報』になるじゃないか。情報は提供できないのさ」とカルシファー。「どっかへ行くのかい？」

「ハウルたちがいるあいだは行けなかったとこよ」ソフィーは扉の上の四角いダイヤルを動かし、黒い面を下向きにして扉をあけました。

外はからっぽでした。黒でもなければ灰色でもなく、白でもありません。にごっても透きとおってもいないのです。なんの動きも感じられません。匂いも、これといった手触りも。ソフィーがおそるおそる指を伸ばしたかぎりでは、熱くも冷たくもありません。なんにも感じられない、まったく完全な無でした。

「これ、どこよ？」ソフィーはカルシファーに声をかけました。

カルシファーも興味をひかれたようです。霧のことを忘れ、青い顔を暖炉からつきだし、「わかんないや」と小声で答えました。「おいらは出口につなげてるだけだもんな。わかってるのは、この出口には誰も来ないってことだね。すっごく遠いところみたいだ」

「お月さんのむこう側みたいじゃない！」ソフィーは扉をしめると緑色の面を下に戻し、ほんの少しためらったあとで、今度は二階へむかおうとしました。

「ハウルは鍵をかけてったよ。もしあんたがまたのぞこうとしたら、そう言えってさ」と、カルシファー。

「へえ。何が隠してあるんだろう？」

「見当もつかないね。二階のことはなーんにも知らない。それがどんだけ腹立たしいことか、わかるかい？　城の外だってろくに見えなくてさ、どっちに進んでるかわかるだけなんて」

カルシファーと同じくらいがっかりしたソフィーは、座りこんで灰色と真紅の服の繕《つくろ》いにとりかかりました。それからまもなく、マイケルが戻ってきました。

「すぐに王様に謁見できました。王様は……」マイケルは室内を見まわすと、いつもギターが立てかけてある壁際がからっぽなのに気がつきました。「まさか！　また、あの女性のところだ！　てっきり相手がハウルさんに夢中になって、この件はとっくに片づいたと思っていたのに。なぜ、さっさと恋に落ちないんだろう？」

カルシファーが意地悪そうにパチパチ、声を出しました。「おたくは読みちがえたね。ハウルのやつ、女性が手強《てごわ》いと知って、冷却期間を置けば、相手がなびくと考えたのさ。それだけのことだよ」

「いやだなあ！」とマイケル。「やっかいなことになりそうだ。それなのに、ぼくときたら、ハウルさんが分別をとりもどすころだろうと期待していたんです」

ソフィーはひざの上で服をばたんとはたきました。「まったくもう！　二人とも、これほどの悪事をどうしてそんなに軽々しく話せるの？　まあ、カルシファーを責めても無理よね、なにしろ悪い悪魔なんだから。でも、マイケル、あんたは……」

「おいらは悪いやつじゃないぜ」カルシファーが抗議しました。

「ぼくだって平気なわけじゃないんです、もしそういうふうにお考えなら」マイケルも言いました。「こんなふうにハウルさんがやたらに恋に落ちるせいで、ぼくらがどれほどやっかいな目にあってきたか、ご存じないでしょ。訴えられるのはしょっちゅうで、剣《けん》を振りかざしたもとの恋人に、めん棒を持った母親に、こん棒の父親と叔父さんたちが押しかけてくるんですよ。それから叔母さんたち。恐ろしいのなんのって、帽子ピンでつきさそうと追いかけてくるんです。

　最悪なのが、相手の女の子がここをつきとめたときですね。戸口に来て、めそめそ泣くでしょう。ハウルさんは裏口から逃げだしちゃうから、ぼくとカルシファーで相手をしなきゃならないんだ」

「不幸せな人間は嫌いさ」カルシファーも口を出します。「おいらをびしょびしょにするんだもん。怒ってるやつの方がましだい」

「ねえ、はっきりさせたいんだけど」ソフィーは真紅のサテン地の中でぎゅっと手を握りしめました。「ハウルはかわいそうな女の子たちをどうするの？　聞いた話じゃ、心臓を食べて魂を盗むそうだけど」

　マイケルはきまり悪そうに笑いました。「あなたは〈がやがや町〉の人ですね。はじめて動く城を人前に出したとき、ハウルさんに言われて、悪い噂を流しにいきましたから。ぼくが、そのう、そういった噂を流したんです。叔母さんたちの言いそうなことですが、でも、あくまで言葉の綾です」

「ハウルは移り気なのさ」今度はカルシファーが言いました。「女の子に興味を持ってるのは、相手が恋に落ちるまでだね。相手がハウルにほれたとたん、もうどうでもよくなるわけ」

「でもね、相手に恋心を抱かせるまでは、ハウルさんは気が休まらないんです」マイケルが熱っぽく続けます。「それまでは分別を期待しても無理です。ぼくはいつだって、女の子がハウルさんに降参する瞬間を待ち望んでいますね。ハウルさんの機嫌がずっとよくなるから」

「むこうがハウルの居場所をつきとめないかぎりはね」とカルシファー。

「だけど、ハウルだって偽名を名乗るぐらいの頭はあるでしょ、いくらなんでも」ソフィーはあざけりました。まんまとだまされていたきまり悪さを隠そうとしたのです。

「ああ、いつも偽名ですよ」マイケルが応じました。「偽名とか変装とか、大好きだから。求愛していないときでもやってます。ほら、ポートヘイヴンでは魔術師ジェンキン、キングズベリーでは魔法使いペンドラゴンでしょ。動く城のあるあたりでは恐怖のハウルですが。気づいてなかったんですか?」

ソフィーは気づいていなかったので、さっきよりもっとばつが悪くなり、そのせいで腹が立ってきました。「それにしたって、かたっぱしから女の子を不幸せにするなんて、悪さそのものじゃない。残酷だし、なんの得があるのよ」

「そういう性格なんだね」カルシファーが言います。

マイケルは三本脚の椅子を暖炉際に引き寄せて座ると、縫物をしているソフィーに、ハウルの恋愛ざたと、その後のやっかい事をいくつか話してくれました。ソフィーはてれ隠しに、派手な上着につぶやきかけました。

「上着くん、あんたが、女の子の心をつかまえるんだね。でも叔母さんが姪《めい》のことで、どうしてそんなに頭にくるんだろう？　あんたはきれいだから、叔母さんもきっとあんたに気があったんだね。怒り狂った叔母さんに追いかけられたら、どんな気がすると思う？」

マイケルが、とくにすごいけんまくだったある叔母さんの話をしてくれているのを聞いているうち、まさにこういう話に尾ひれがついて〈がやがや町〉に流れてきたのだと、思いあたりました。こういう噂でもなかったなら、レティーのような勝気な娘は、ハウルに興味を持ち、不幸な目にあっていたかもしれません。

マイケルがそろそろ昼ごはんですが、と言いだし、いつもどおりカルシファーが文句を言ったときでした。扉がばたんとあき、ハウルが入ってきました。さっきよりもっと不機嫌そうです。

「何か食べる?」ソフィーがたずねました。

「いらない。カルシファー、浴室にお湯だ」ハウルはほんの一瞬、むっつりと浴室の入口で立ち止まりました。「ソフィー、あんたまさか、この棚の物まで動かしてないよね?」

ソフィーはさっきよりもっと自分に腹が立ちました。娘たちの痕跡を探して棚の包みや瓶を調べたなんて、ぜったい認めるもんですか。「何ひとつ触っていないよ」ソフィーはフライパンをとりにいきながら、すまして答えました。

「ほんとでしょうね?」浴室の扉がばたんとしめられたとき、マイケルが不安げにソフィーに言いました。

ソフィーが料理しているあいだに、浴室からはジャージャー水が流れる音がしました。

「ハウルのやつ、お湯をたくさん使ってるな」カルシファーがフライパンの下から口を出します。「髪の毛を染めてるんだと思う。髪の毛のまじないを動かしていないことを祈りたいね。薄ぼけた色の髪をした十人並みの男のくせに、ハウルは自分の器《き》量《りょう》についちゃ、えらくうぬぼれてるもんな」

「お黙り。全部もとの場所に戻しといたんだから」ソフィーはぴしゃりと相手をさえぎりましたが、かりかり腹を立てたあまり、フライパンの卵とベーコンをカルシファーの上にぶちまけてしまいました。

カルシファーは、むろん大きな炎を上げ、喜んでがつがつと全部たいらげました。ソフィーはカルシファーが食事をしていない側で、もう一度料理しました。それをマイケルと食べて、二人であと片づけをし、カルシファーが紫色の唇のまわりを青い舌でなめまわしているときでした。浴室の扉がすさまじい勢いであいたと思うと、ハウルが叫びながらとびだしてきたのです。

「これ、見てよ！　ほら、これ！　おばさん、どれだけのまじないをめちゃめちゃにしたんだ？」

ソフィーとマイケルは、ぱっとハウルの方にふりむきました。二人の見るところ、ハウルの髪の毛は濡れているだけで、それ以外にとりたてて変わった点は見あたりません。

「もしかして、あたしのこと言ってる……」ソフィーが言いかけると、ハウルは金切り声をあげました。

「ああ、あんたさ。よく見るんだ！」三本脚の椅子にどさりと座りこみ、濡れた髪の毛を指でぐさぐさかきまわします。「よく見て、じっくりだよ。髪の毛がだいなしだ！　ベーコンエッグみたいな色じゃないか」

マイケルとソフィーは、おそるおそるハウルの頭の上にかがみこみました。根もとまで、いつもどおりに金髪です。唯一変わった点といえば、わずかに、かすかに、赤みが入っていることでしょう。ソフィーはこっちの方がいいと思いました。自分の以前の髪の色を思いだしたからです。

「とてもすてきだと思う」

「すてき！」ハウルが大声を出しました。「ああ、そうだろうさ。あんた、わざとやったな。ぼくまでみじめにしないと気がすまないんだ。これじゃ、赤毛だ。はえかわるまで、身を隠すしかないじゃないか」ハウルは両腕を芝居っ気たっぷりに広げて嘆きました。「なんたる絶望！　なんたる苦しみ！　悪夢だ！」

とたんに室内が薄暗くなりました。大きくて不透明な人型をした物が部屋の四すみからふくらんできて、わめきながらソフィーとマイケルの方に近づいてきます。そのわめき声はぞっとするような叫び声から、絶望的な吠え声に、さらに苦痛と恐怖のまじったかん高い悲鳴にと変わりました。手で耳をふさいでも、かん高い声はすきまから入りこみ、どんどん大きく、またいっそう恐ろしくなっていきます。

カルシファーはひゅっと縮むと、暖炉のいちばん低いまきの下で震えだしました。マイケルはソフィーのひじをぐいとつかむと、戸口の方へ引きずっていき、扉のダイヤルの青の面を下にして、けとばすように扉をあけて、大急ぎでポートへイヴンの通りへ連れだしました。

　でもあいかわらず、ここにまであのひどい声が聞こえてきます。通りのあちこちで扉があき、人々が耳をおおいながらとびだしてきました。

「あのままほっといていいの？」ソフィーの声が震えます。

「いいんです。ハウルさんがあなたのせいだと考えている以上、近くにいない方がいいんです」

　二人は耳が痛くなるような叫び声に追いたてられながら、町を急ぎ足でとおりぬけていきました。かなりの数の人がついてきます。今や霧が霧雨に変わっているのに、誰もが港や砂浜を目ざしていました。町よりはまだ静かに思えたからです。灰色に広がる海が騒音を多少吸いとるのでしょう。

　人々は濡れた体を寄せあい、白くかすんだ水平線や停泊中の船のロープを眺めています。そのあいだにハウルの声は、悲しみにうちひしがれた巨人のようなすすり泣きになっていました。ソフィーは生まれてはじめて間近で海を見たことに気づきました。こんな場合でなければもっと楽しめたのに、残念です。

　ハウルのすすり泣きはじょじょに残念そうな大きなため息になり、静まりました。人々は用心しつつも町へ引き返していきました。中にはおずおずとソフィーに声をかける人もいます。

「魔女さん、魔法使いさんはどっかぐあいでもお悪いんですかい？」

「今日は少しばかりご機嫌ななめでね」マイケルが返事しました。「さあ、行きましょう。もう帰っても平気でしょう」

二人が港の石畳を歩いていると、停泊中の船から船乗りたちが心配そうに呼びかけ、さっきの声は嵐とか悪運と関係あるのか、とたずねました。

「ちがうね。もう、終ったよ」ソフィーが答えました。

けれども終ってはいませんでした。戻ってきて、外から見ると、ハウルの家は多少いびつな、ごくありふれた小さな建物に見えました。マイケルといっしょでなければ、これが城だとは気づかなかったことでしょう。マイケルはみすぼらしい扉をそっとあけました。

室内ではハウルがまだ椅子に座っています。すっかり絶望しきったようすです。そしてハウルの体全体が、緑色のねばねばした物でおおわれていたのです。緑のへどろのてんこ盛りです。ものすごく、恐ろしく、すさまじい量でした。ハウルはへどろにすっぽり包まれています。ねばねばしたかたまりが頭や体からたれさがり、ひざや腕の上に山をなし、どろっとした液体が足を伝い、椅子からもねばっこく下へ流れ落ちていました。床のいたるところにじくじくした池と四方に伸びていく水たまりがあります。ひどい臭いです。水たまりのひとつが暖炉へと触手を伸ばしていました。

「助けて」カルシファーがかすれた声でささやきました。もう、ゆらめく小さなふたすじの火でしかありません。「こいつに消されちゃうよ」

ソフィーはスカートのすそを持ちあげると、ぎりぎりまでハウルに近づき、命令しました。「やめなさい！　今すぐ。あんたときたら、赤ん坊みたいじゃないの！」

ハウルは身じろぎもせず、返事もしません。緑のへどろの中の顔は、痛ましいほどまっ青で目を見ひらいています。

「どうしましょ？　死んでるんですか？」マイケルは戸口でびくびくしています。

マイケルはいい子だけど、いざというときはものの役に立たないわね、とソフィーは思いました。

「まさか、そんなことないわよ。こんなふうにウナギのゼリー寄せになってたきゃ、一日じゅうやってたって知ったこっちゃないけど、カルシファーがかわいそうだからね。浴室の戸をあけて」

マイケルがへどろの池をよけながら浴室に行くあいだに、ソフィーはへどろがカルシファーにこれ以上近づかないよう、自分のエプロンで暖炉をおおい、暖炉用のスコップをつかみ、灰をひとすくいすると、いちばん大きな池に入れました。ジュッと大きな音がして湯気が立ちこめ、さっきよりひどい悪臭がしました。

ソフィーは袖をまくり、腰をかがめて、魔法使いのべとつくひざをしっかりつかむと、椅子ごと浴室にむけて押しました。へどろのせいで足もとがすべりますが、椅子を動かすにはかえって好都合でした。マイケルも手を貸し、ハウルのへどろだらけの袖をひっぱってくれました。二人で力を合わせ、ハウルの体ごと浴室へ入れました。あいかわらずハウルが動こうとしないので、シャワーのところまで移動させます。

「カルシファー、お湯出して」ソフィーは息を切らしながら、きっぱりと命じました。「うんと熱く」

ハウルのへどろを全部洗い流すのに一時間かかりました。マイケルがハウルを説得して椅子から立たせ、乾いた服を着せるのにさらに一時間。幸運だったのは、繕《つくろ》ったばかりの灰色と真紅の服が、ソフィーの椅子のうしろにかけてあったおかげで無事だったことでした。青と銀の服はだいなしです。ソフィーはぶつぶつ文句を言いながら、マイケルには服を浴槽につけといて、と言い、カルシファーにはお湯をもっと、と命令しました。そしてダイヤルの緑色の面を下にして扉をあけ、荒野にへどろを掃きだしました。

城は、かたつむりのように、ヒースの上にねばねばのあとを残していきます。でも、これでへどろとおさらばできたんだから、こういうときは動く城も便利だね、床を洗い流しながらソフィーは考えました。ハウルのあの声は、動く城の出口からも聞こえてたのかしら。そうだとしたら、〈がやがや町〉のみんなもお気の毒に。

そのころになると、ソフィーも疲れて気が立っていました。緑のねばねばはハウルの復讐だとわかっています。マイケルがようやくハウルに灰色と真紅の服を着せ、浴室から連れだして優しく炉端の椅子に座らせたときも、まだ同情する気はありませんでした。

「ほんとにばかげてるぜ」カルシファーがぶつぶつ言いました。「あんた、おいらの魔力とおさらばしたかったのかい、さんざん利用しといてさ、え？」

ハウルはうんともすんとも言いません。しょんぼり座って震えているだけです。

「口もきいてくれないんです」困りきってマイケルがささやきます。

「ただのかんしゃく」とソフィー。マーサとレティーもよくかんしゃくを起こしました。対処のしかたは心得ているつもりです。ただ、髪の毛のことでヒステリーを起こした魔法使いをぴしゃりとぶつのは、ちょいとばかり剣呑《けんのん》かもしれません。いずれにしろ、ひどいかんしゃくには、たいていほかにわけがあると経験からわかっていました。

ソフィーはカルシファーをかがませ、牛乳を入れた鍋をまきの上にのせました。牛乳が温まるとカップに注ぎ、「飲みなさい」と、ハウルに押しつけました。「さあ、なんで騒いでたの？　あんたが会いにいってた娘さんのこと？」

ハウルはおとなしく牛乳をすすりました。「うん。ほうっておいたら少しはぼくが恋しくなってくれるかと思ったんだ。でもだめだったのさ。前から、ぼくが好きかどうかわからないって言ってたけど、今になって、ほかに好きなやつがいるって言うんだ」

ハウルがあまりつらそうなので、ソフィーはかわいそうになりました。髪の毛が乾いてみると、確かにピンクといってもいい色なので、うしろめたい気もします。

「あの子はここいらでいちばんの器量よしなんだ」ハウルが嘆きつづけます。「これほど夢中なのに、ぼくの求愛を無視して、ほかのやつに心を動かすなんて。あんなに愛情を示したのに、どうしてほかのやつなんかにかまうのさ、えっ？　今までの子はぼくが通いだすと、ほかのやつらをみんなふってたもんだけど」

かわいそうだという気持ちに、ぶすっと穴があきました。ハウルがあんなに簡単に緑のへどろで全身をくるみこめるのなら、髪の毛の色だって思いどおりになるはずだと、気づいたからです。「それならどうしてその娘さんにほれ薬を飲ませて、さっさととりこにしないの？」

「とんでもない。それじゃ、ゲームにならない。ちっともおもしろくないだろ」

『かわいそう』にもうひとつ、穴があきました。ゲームだって？「相手の娘さんの身になって考えてみたことないの？」ソフィーはぴしゃりと言いました。

ハウルは牛乳を飲みほし、甘ったるい笑みを浮かべてカップの底をのぞきこんでいます。「四六時中考えているよ。かわいい、かわいいレティー・ハッターちゃん、って」

『かわいそう』に最後の大穴があきました。かわりに不安が大きくふくらみます。ああ、マーサ。あんたも忙しかったのね！　あんたが言ってた結婚したい相手って、〈チェザーリ〉の徒弟さんじゃなかったのね、そうだったの！

七章　かかしの恩返し？

ソフィーがその日の夕刻に〈がやがや町〉へ出かけそこなったのは、体じゅうが痛かったせいでした。ポートへイヴンでの霧雨が心底こたえたのです。階段下のベッドに横たわり、痛みに耐えながら、ソフィーはマーサのことを心配していました。でも、なんとかなるでしょう。マーサに、あんたがことわりきれずにいる求婚相手は、実は魔法使いハウルだと言うだけでいいのです。マーサは震えあがり、ハウルのことをきっぱりあきらめるでしょう。そのあとで、おっぱらうには、「あなたが好きです」とハウルにうちあけるのがいちばんだと教えてやりましょう。ついでにあたしには帽子ピンを持った叔母さんたちがいる、とおどかしてやればいいって。

翌朝起きたときも、まだ節々《ふしぶし》が痛みました。「荒地《あれち》の魔女よ、呪われろ！」とりだした杖に、小声で言います。ハウルが、かんしゃくなんて起こしたことないよ、と言わんばかりに機嫌よく浴室で歌っているのを聞きながら、ソフィーは足を引きずって、こっそり戸口を目ざしました。

　わかりきっていたことですが、ソフィーが戸口に着く前に、ハウルが出てきました。ソフィーは不機嫌に相手を見やります。すっかりおめかししたハウルは、かすかにリンゴの花の香りを漂わせています。窓から射しこむ日光が灰色と真紅の服をまばゆく照らし、髪の毛の淡いピンク色が目立ちます。

「髪の毛はこの色の方が……」とハウル。

「本気でそう思う？」ソフィーは不機嫌に聞き返しました。

「この服と、よく合うよ」とハウル。「あんたの縫物の腕はたいしたもんなんだね。なにせ、服がかっこよくなってる」

「そうかい！」

　ハウルは扉に手をかけたまま立ち止まって、たずねました。「どこか痛いの？　それとも心配事かい？」

「心配事？　なんでさ？　誰かがこの城を腐ったゼリーでいっぱいにして、ポートヘイヴンの衆に耳をふさがせて、カルシファーを消えかけるほどおどして、何百人もの娘っこを失恋させたからかい？　それがあたしになんの関係があるのさ」

　ハウルは笑いながら、扉のダイヤルを赤に合わせました。「今日は王様がぼくを謁見されたいそうでね。きっと宮殿で夕方まで待たされると思う。でも帰ったら、おわびの印に、あんたのリューマチをなんとかしてあげよう。忘れずにマイケルに言っといてね、呪文は作業台の上だからって」ハウルはソフィーに明るく笑いかけると、尖塔が立ち並ぶキングズベリーの通りへ足をふみだしました。

「あんたはこれで仲直りしたと思ってるんだろうけど!」扉がしまるとソフィーは口ではそう言ったものの、ハウルのさっきの笑顔のせいで怒りが消えているのを感じました。「あの笑顔があたしに効くぐらいだ、かわいそうに、マーサが心を動かしても無理ないね」

「出かけるなら、まきをおくれ」カルシファーが要求しました。

ソフィーは炉格子の中にまきを落としてやりました。けれども、扉にむかおうとしたとたん、マイケルが階段を駆けおりてきて、台の上からパンの残りをかっさらって、扉へ急ぎました。そしてあわてて言いました。

「かまいませんよね、ね? 帰りに新しいパンを買ってきますから。今日は急いでしなきゃならないことがあって。でも夕方には帰ります。もし船長さんが『風のまじない』を受けとりにきたら、ラベルをはって台のはじに置いてありますから」

マイケルはダイヤルの緑色の面を下にして、パンの包みを胸にかかえたまま、風が吹いている丘にとびおりました。「行ってきまーす」城がとおりすぎ、扉がしまる前にマイケルが叫びました。

「やっかいせんばん」ソフィーはうめきました。「カルシファー、城に誰もいなくても、あんた、扉をあけられる？」

「もちろん。あんたとマイケルなら、おいらがあけたげる。ハウルは勝手に入ってくるよ」

　ではソフィーが外出しても、誰かさんをしめだすことにはならないわけです。戻るつもりがあるのか、自分でもよくわかりませんでしたが、カルシファーにそんなことを知らせるつもりはありません。マイケルの行く先がどこであれ、たっぷり遠くまで行ったころあいを見はからい、扉にむかいました。ところが今度はカルシファーが、ソフィーを呼び止めました。

「長く留守にするんなら、おいらの届くところにまきを置いといておくれよ」

「まきをつかめるの？」しびれを切らしかけていたにもかかわらず、ソフィーは好奇心にかられました。

　答えるかわりに、カルシファーは青い炎の腕先を伸ばし、緑色の指の形にしてみせました。指はあまり長くないし、力がありそうには見えません。でもカルシファーは「ほら。炉床《ろどこ》にだって届くんだぜ」と誇らしげです。

　ソフィーはひと束のまきを炉格子の前に積み重ねて、少なくとも最上段のまきがとれるようにしてやりました。「燃やすのは炉格子の中にとりこんでからよ」さあ、これで出かけられます。

今度は、ソフィーが扉に着く前に、誰かがノックしました。

厄日《やくび》ね、きっと船長さんだわ、そう思ってソフィーはダイヤルを青色に合わせようとしました。

「ちがう。動く城の扉だもの。ただね、おいらにはよく……」カルシファーが言いかけました。

それならマイケルが何かの事情で引き返してきたんだろう、と思ったソフィーは、扉をあけました。

カブがいやらしい目つきでこちらを見ていました。白かびが臭います。青空を背に、先端から棒がつきでたぼろぼろの腕がぐるっと回転し、ソフィーに触ろうとしました。かかしです。棒とぼろ布でできているのに、生きていて、中に入りこもうとしています。

「カルシファー！」ソフィーは叫びました。「もっと速く、城の回転速めて」

戸口のまわりの石がキーッときしりました。茶と緑の荒野が急にさっととおりすぎはじめます。かかしの腕が扉にぶつかりましたが、城が動いたので、城壁をこすることになりました。かかしはもう一方の腕をぐるっとまわして、石の壁をつかもうとします。なんとかして中に入る気です。

ソフィーは扉を勢いよくしめました。まったくもうこれだから、長女が運だめしに出かけたってむだだっていうの！　あれは、城へ来る途中で生垣に立てなおしてやったかかしじゃない。まるで、あのときかかしに言った、あんたが命を吹きこまれてあたしを助けてくれるといいのに、という冗談が、かかしに邪悪な命を吹きこんじゃったみたい。ここまでずっとあとをつけてきて、顔に触ろうとするなんて……。ソフィーは窓に駆け寄り、かかしがまだ城に入りこもうとしているか、確かめようとしました。

でもむろん、窓から見えるのはポートヘイヴンです。天気がよく、一ダースほどの帆船が帆を上げているのが屋根ごしに見え、たくさんのカモメが青空で旋回しています。

「これだから、一度にいろんな場所にいるのはやっかいなんだ！」ソフィーは作業台の上の頭蓋骨にこぼしました。

そのとき、歳をとる最大の欠点を思い知らされました。心臓の鼓動がひとつとび、ちょっと中断したかと思うと、胸からとびだしそうなほど勢いよく、どきんどきん打ちはじめたのです。胸に痛みが走り、全身が震えて、ひざががくがくします。ひょっとして死ぬのでしょうか。やっとのことで椅子のところへたどりつくと、胸を押さえ、あえぎました。

「どうかしたのかい？」カルシファーがたずねました。

「ああ、心臓が。戸口に、かかしが、立ってた！」ソフィーは切れ切れに答えました。

「かかしとあんたの心臓と、どんな関係があるんだい？」

「ここへ入ろうとしているの。ぎょっとした。おまけにあたしの心臓が……といっても、あんたみたいな若い悪魔には、わかるまい！」ソフィーは息をつくと、続けました。「どっちみち心臓がないんだから」

「あるよ」カルシファーは腕を見せたときと同じように、誇らしげに言い返しました。

「まきの下の赤々と燃えているところさ。それに、若いなんて言われたくないね。おいらの方が百万年がとこ、年寄りだぜ！　城の速度をもとに戻していいかい？」

「かかしがいなかったら」と、ソフィー。「いない？」

「わからないよ。あいつは血と肉でできてないから、感じとれないんだ。それに言ったろ、おいらには外がろくに見えないって」

ソフィーは気分が悪いのを我慢して、体を引きずるようにして扉へ近づき、ゆっくりと警戒しながらあけました。緑の丘や岩山、紫色の斜面がうなりをたてておりすぎ、めまいがします。でもしっかりと扉の枠をつかみ、体をのりだして、壁に沿って荒野を眺めわたしました。

かかしは五十ヤードほどうしろにいました。ヒースの茂みから次の茂みへと、不気味な勇猛さでとび移り、斜面でバランスをとるために棒の腕をあちこち傾けながら、ゆっくりと、でも着実に追いかけてきます。ソフィーは扉をしめました。

「まだいる。ぴょんぴょん追ってくる。もっと速く動かして」

「でも、計算が狂っちまう。おいらは丘陵地帯をぐるっとまわって、夕方、マイケルが出ていった地点に戻るつもりだったんだ」

「そしたら、速度を倍にして、丘を二周すれば。あの恐ろしいやつをまいてほしいの！」

「なんでそんなに騒ぐのさあ！」とこぼしたものの、カルシファーは速度を上げました。椅子の中で縮こまり、このまま死ぬかと思っていたソフィーは、はじめて城ががたんがたんゆれるのを感じました。でも、マーサと話をするまでは、死にたくありません。

　速度が上がるにつれ、城内のいろいろな物が音をたてはじめました。瓶はチリンチリン鳴り、作業台の頭蓋骨はカタカタ。浴室では棚の品物が浴槽に落ちるたびに、水のはねる音がします。浴槽にはハウルの青と銀色の服がまだつけてあるはずです。

　少し気分がよくなったソフィーは、戸口まで行って、髪の毛を風になびかせ、偵察しました。地面が流れるようにすぎていきます。城がその上をあっというまにとおりすぎるので、丘までゆっくりと回転しているように見えます。城はガタガタ、ギーギーとひどい音をたて、煙突から上がった煙がうしろへ流れていくのが見えます。かかしはもう、遠くの斜面の黒い点になっていました。次にのぞいたときは何も見えませんでした。

「よかった。じゃあ、夜にそなえて休もう。すごく疲れたもんな」と、カルシファー。がたごとしなくなり、物もゆれなくなりました。カルシファーはまきのあいだに引っこみ、寝てしまいました。青と緑の炎が小さくなると、白い灰をかぶったピンク色の筒のような物が見えてきました。

ソフィーはかなり元気をとりもどしました。汚い浴槽の中から包みを六つ、瓶を一本、すくいあげます。包みには水がしみこんでいます。きのうあれほど騒がれたあとでは、散らかしておく気にはなれません。そこで床の上に包みを置くと、『かんそこな』とあるしろものを注意深くかけたのです。

すぐ効きめがあらわれました。それに励まされ、今度は浴槽の水を抜き、ハウルの服にも『かんそ　こな』を使ってみました。服も乾きました。かすかに緑色のしみが残り、多少縮んだようすですが、何かうまくいくことがあると思っただけで、気分が明るくなります。

その明るい気分のまま、夕食の支度にとりかかり、作業台の上の物を頭蓋骨のまわりに積みあげると、あいた場所でタマネギを薄切りにしはじめました。「あたしとちがって、あんたは泣かずにすむわね」と、頭蓋骨に話しかけます。「感謝しなさいよ、あんた」

そのとき扉が大きくあきました。ぎょっとしたソフィーは手を切りそうになりました。あのかかしかしら！

でも、意気揚々と入ってきたのはマイケルでした。パンにパイ、それにピンクと白の縞模様の箱をどさっとタマネギの上にのせ、ソフィーの骨ばった腰に手をまわして部屋じゅう踊りまわり、陽気に叫びました。

「だいじょうぶなんです、平気だったんです」

ソフィーはマイケルに足をふまれないよう、とんだりよろけたりしました。「落ち着いて、ねえったら！」あえぎながらも、ソフィーはどちらも怪我しないところへナイフをどけようと、せわしい思いをしました。「どうしたっていうの？」

「レティーは、ぼくを、愛してる！」マイケルは叫ぶと、踊りながら浴室に、暖炉にと、ソフィーをひっぱりました。「レティーはハウルさんとは会ったこともないって。なんかの間違いだったんです」マイケルは部屋の中央でソフィーといっしょにぐるっとまわりました。

「手を放しとくれ。さもないと、どっちかがナイフで怪我する」金切り声でソフィーが頼みました。「それから、少しは説明してほしいね」

「イヤッホー」マイケルはまた叫ぶと、つむじ風のようにソフィーを椅子に運び、どすんと座らせました。ソフィーははあはあと息をつきました。「きのうは、あなたがハウルさんの髪の毛を青く染めてくれればよかったのに！　と、思ってましたよ。もうどうでもいいですけど」マイケルが話しだします。

「ハウルさんが『レティー・ハッター』って名前を口にしたときは、ハウルさんの全身をこの手で青く染めてやりたいと思ったぐらいです。ハウルさんの言い方、わかるでしょう。むこうがほれたとたんに、ほかの娘さんたちと同様今度もふるだろうと、ぼくにはわかりました。そして、その犠牲者がぼくのレティーだと知ったとき、ぼくは……

だけど、ほかに好きな人がいるという話だったので、ぼくのことだろうと思いました。だから今日、〈がやがや町〉へとんでいったんです。そしたら、何もかもだいじょうぶでした。ハウルさんの追いかけている女性は、間違いなく同名の別人です。レティーはハウルさんに会ったこともないって言うんですから」

「ちょっとはっきりさせようじゃないの」ソフィーは目がくらみそうでした。「あんたが言ってるのは、〈チェザーリ〉のパン屋で働いているレティー・ハッターのことなのね？」

「そうですよ」マイケルはうれしそうに答えました。「レティーがあそこで働きはじめてから、ずっと好きだったんです。レティーも好きだと言ってくれたときは、もう信じられなくって。レティーには山ほど崇拝者がいるんです。だからハウルさんもその一人だとしても、驚きませんけど。ああ、ほっとしたなあ！　お祝いに〈チェザーリ〉のケーキを買ってきました。どこに置いたっけ？　ああ、ここだ」

マイケルはピンクと白の箱をソフィーにつきだしました。すると薄切りのタマネギがソフィーのひざに落ちてきました。

「あんたはいくつだっけ？」と、ソフィー。

「このあいだの五月祭で十五歳です」と、マイケル。「カルシファーが城から花火を上げて祝ってくれましたよ。ね、カルシファー？　なんだ、寝てるのか。婚約するには若すぎると思ってらっしゃるんでしょうね。ええ、あと三年は徒弟奉公をしなきゃなりません。レティーはもっと長くです。でも、いっしょになると約束したんです。二人とも、待つのは苦にならないんです」

では、マイケルはマーサにちょうどいい年ごろだ、とソフィーは思いました。マイケルがとても感じのよい堅実な若者であることも、魔法使いになろうとしていることも、よくわかっていました。マーサの見る目は確かです。とほうにくれたあの五月祭のことを思い返してみれば、マイケルが〈チェザーリ〉のカウンターにもたれ、マーサに声をかけていた中にまじっていたんだろうと、想像がつきます。でもあの日は、ハウルも〈がやがや広場〉にいましたっけ。

「あんたのレティーとやらが、ハウルのことで嘘をついてないって自信はあるの？」

ソフィーは心配そうにたずねました。

「確かですとも」マイケルがうけあいます。「嘘をついているときはわかるんです。指をひねくりまわさなくなるから」

「ああ、そうだね」ソフィーは思いだし笑いをすると、

「どうしてわかるんです？」驚いたマイケルが聞きました。

「だって、あの子はあたしの妹……の孫だからだよ」ソフィーは答えました。「あの子は小さいころからときどき嘘をついた。でもあの子はまだ若くて……その……これからまだ変わるかもしれないね。見た目だって、この一、二年のうちに変わるかもしれないよ」

「ぼくだって。ぼくらの年ごろでは、しじゅう変化していますよ。二人とも心配してません。いつだってレティーはレティーです」

まあ、ある意味ではね、とソフィーは思い、心配そうにつけ加えました。「でも、もしあの子が知らないとしたら？　つまり、ハウルが偽名でレティーと会ってたとしたら？」

「ご心配なく。それも考えました。ハウルさんの外見を説明してみたんです。ほら、とても目立つでしょう？　そしたら、ハウルさんも、例のギターも知らなかったんで

す。ハウルさんがギターの弾き方を知らないことは言わずにすみましたよ。ほんとに見たことがないんですよ。だってその話のあいだ、レティーは指をぐるぐるまわしていましたから」

「それはよかった！」ソフィーはゆっくりと椅子の背にもたれました。とにかくマーサについては、これでひと安心。でも、この地方にはほかにレティー・ハッターは一人しかいないはずです。もし妹たちのほかにもレティー・ハッターがいたなら、帽子店でお客から噂を聞いたでしょうから。ハウルの相手は、本物のレティーなのです。まだ安心できません。

ハウルに降参しないなんて、しっかり者のレティーらしいこと。でも、マーサのふりをしてるはずのレティーが、ハウルにほんとの名前をしゃべったのは心配ね。ハウルを本気で好きかどうかはわからないけど、そういう大事な秘密をうちあけたのなら、少しは好きなのかもしれない……

「そんなに心配しないで」マイケルは笑って椅子の背にもたれました。「おみやげのケーキをあけてくださいよ」

箱をあけながらソフィーは、マイケルが本当に好意を見せてくれていると、今さらのように気づきました。もう災害とは思ってないみたい。ああ、よかった。マイケルに、レティーとマーサとあたしのことをうちあけよう。縁組しようという相手の家族のことなんだから、知らせてあげるのはあたり前……

箱があきました。〈チェザーリ〉でいちばんおいしいケーキで、上にはクリーム、チェリー、そしてくるくる巻いたチョコレートの飾りがのっています。「まあ！」ソフィーは驚きの声をあげました。

そのとき、扉のダイヤルが回転する音がして、赤い面がひとりでに下になったと思うと、ハウルが入ってきました。「なんてすごいケーキだい！　ぼくの好みのやつだね。どこで手に入れたんだい？」

「ぼく……えーっと、その、〈チェザーリ〉です」マイケルははにかんで、おずおずと答えました。

ソフィーはハウルの顔を見あげました。自分に呪《のろ》いがかかっていると話そうとするたびに、何かしら邪魔が入ります。ハウルまで魔女にあやつられているんでしょうか。

「わざわざ買いにいくだけのことはあるみたいだね」ハウルはケーキをしげしげと眺めながら言いました。「〈チェザーリ〉はキングズベリーのどこのケーキ屋よりもおいしいと、評判だ。それなのに、ぼくはまだ行ったこともないんだ。おや、そこにあるのはパイかい？」ハウルは作業台に近寄りました。

「生のタマネギの上にのっているとは。頭蓋骨も被害をこうむったみたいだね」ハウルは頭蓋骨を持ちあげると、目のくぼみからタマネギの薄切りをたたき落としました。

「ソフィーはまた、忙しかったらしいね。頭蓋骨くん、きみにもソフィーをおとなしくさせるのは無理なのかい？」

頭蓋骨が歯をかたかたいわせました。ハウルはびっくりしたように、ぱっと頭蓋骨を下に置きました。

「ハウルさん、今日、何かあったんですか？」マイケルはハウルの気持ちが読みとれるようでした。

「ああ。王様の前でぼくの悪口を言えるやつを、誰か見つけなきゃならない」とハウル。

「あの軍隊用のまじない、どこかまずかったんですか？」とマイケル。

「いや、あれは完璧さ。それでかえってやっかいなことになってね」ハウルはいらだたしげに人さし指で輪になったタマネギをくるくるまわしました。「王様は、ぼくに何かほかの件も引きうけさせようとしてるね。カルシファー、二人で用心してないと、王室づき魔法使いに任命されちまいそうだ」

カルシファーは返事もしません。ハウルはうろうろと暖炉のそばへ引き返し、カルシファーが寝こんでいるのを見つけました。「マイケル、起こして。相談したいことがあるんだ」

マイケルはまきを二本暖炉に投げこみ、カルシファーに呼びかけましたが、かろうじて薄い煙が渦を巻いて上がっただけです。

「カルシファーったら！」ハウルが大声を出しました。それも効きめがありません。ハウルはマイケルに何やらめくばせをすると、火かき棒をとりあげました。そういえばソフィーの知るかぎり、ハウルが火かき棒を使うのは、はじめてです。「ごめんよ、カルシファー」と言うと、まだ燃えていないまきの下をぐいとついたのです。「起きろ！」

黒い煙が太い柱のように立ちあがり、おさまりました。「あっちへ行けよ」カルシファーが文句を言いました。「おいらはくたびれてるんだ」

それを聞いて、ハウルはとても心配そうになりました。「どうしちゃったんだろ？こんなカルシファーは見たことないよ」

「かかしのせいだと思う」ソフィーが口をはさみました。

ハウルはひざをついたまま向きを変えると、薄い色の瞳をソフィーにひたとすえました。「今度は何をやらかしたんだい？」説明を聞きながらもソフィーをにらみつけています。「かかしだって？　かかしのせいで、カルシファーが回転速度を上げた？ねえ、ソフィー、どれだけいじめたの、この悪魔にそこまでやらせるなんてさ。ぜひともうかがいたいもんだ！」

「いじめてないわよ」ソフィーは言い返しました。「かかしにぎょっとしたもんで、カルシファーが同情してくれただけ」

「かかしにぎょっとしたんで、カルシファーが同情した？」ハウルはおうむ返しに言いました。「いいかい、ソフィー。カルシファーは誰にも同情なんかしないんだ。とにかく、今日の夕食は生のタマネギと冷たいパイでよしとしてもらうしかないね。だって、あやうくカルシファーを消すところだったんだから」

「ケーキもあります」なだめようとしたマイケルが、思いださせました。

食べ物のおかげで、ハウルの機嫌もだいぶよくなりました。でも食事中も、炉床のまきがいっこうに燃えあがらないことがずっと気がかりなようすでした。パイはよくひえておいしかったし、ソフィーが酢漬けにしたタマネギもいい味でした。食後のケーキだって豪勢なものです。食べながら、マイケルは勇気をふるいおこし、王様のお召しとはなんだったのか、ハウルにたずねました。

「まだ何もはっきりしていないんだ」憂鬱そうにハウルが答えました。「ただ、王弟のジャスティン殿下のことでさぐりを入れられてね。いやな感じだ。はっきりしているのは、ジャスティン殿下が失踪される前に、お二人がかなりやりあったってことだけさ。それでいろいろ噂になっている。

王様は弟ぎみの捜索にぼくが志願すると期待してたようだ。なのにぼくときたらあほうみたいに、魔法使いのサリマンは死んだとは思いません、なんて言ったものだから、事態はますます悪くなった」

「捜索の仕事に乗り気でないのはなぜさ?」ソフィーが問いただしました。「見つけられないと思ってるからなの?」

「あんたって、いじめ屋のうえに無礼なんだなあ」ハウルはさっきのカルシファーの件をまだ根に持っているようです。「知りたけりゃ教えてあげますがね、ぼくには殿下を見つけられるとわかってるから、やりたくないんだ。ジャスティン殿下はサリマンと仲がよくってね、喧嘩の原因も、殿下がサリマンを探しにいきたいと言いだしたせいなんだ。殿下は、そもそも陛下がサリマンを荒地に行かせるべきではなかったと考えていたし。

ほら、あんただって知っているだろう、荒地にはきわめて危険な女性がいることを。ぼくも去年、生きたままフライにしてやるとおどされた。そのうえぼくに呪いをかけようとしてるみたいだけど、これまでのところまぬがれている。なにせ偽名を教えとくだけの頭があったからね」

ソフィーは畏敬の念に近いものを抱きました。「つまり荒地の魔女とつきあってたけど、ふったって言うのかい?」

ハウルはケーキをもうひと切れとりながら、悲しさ半分、得意さ半分の顔をしました。「そうは言ってほしくないな。しばらくのあいだはあの人に好意を抱いていたのは認めるさ。ある意味では愛に恵まれない、気の毒な女性だからね。インガリー国じゅうの男性がひどく怖がっていることではあるし。ソフィー、あんたなら魔女の気持ちがわかるだろう？」

ソフィーが憤慨《ふんがい》して口をひらこうとすると、マイケルがすばやく割って入ります。

「動く城をどこかへ移した方がいいと思いますか？　そのために動く城を発明したんですよね？」

「すべてはカルシファーしだいだよ」ハウルはまたもや肩ごしに、煙がほとんど出ていない暖炉を見やりました。「もし、国王とあの魔女の両方に追われているとすると、千マイルも離れたけわしい岩山あたりに、ぜひとも城を動かしたいもんだ」

マイケルは口を出さなければよかったという顔です。千マイルとはマーサからひどく遠くなる、とマイケルが考えているのがソフィーにはわかりました。「でも、あんたのレティー・ハッターとやらはどうなるのさ」ハウルに聞いてやりました。「もしあんたが空中の城を遠くへ移したら？」

「まあ、そのころには片がついてるだろうしね」ハウルはうわの空で返事しました。

「でも、国王の追及をかわす方法が思いつければなあ……そうか！」ハウルはとろりとしたクリームごと、ケーキの分厚いひと切れをフォークで刺すと、そのままフォークをソフィーにむけました。「あんたが王様にぼくの悪口を言えばいいんだ。歳とった母親のふりをして。そしてお気に入りの息子のために一席ぶってくるのさ」

ハウルがクリームのついたフォークごしにソフィー目がけて放ったまぶしい笑顔は、過去には荒地の魔女を、そしておそらくはレティーをとろかしたものだったでしょう。

「カルシファーをこき使えるほどだ。王様を丸めこむなんて、きっとたやすいことだろう」

ソフィーはまぶしい笑顔を見つめ、黙っていました。だからいやなんだ。やっぱりここを出よう。カルシファーとの取引だけでも持てあましてるのに、ハウルにはほとほとうんざり。まずあの緑のねばねば。さっきはカルシファーが好意でしてくれたことなのに、にらみつけられたし。そして今度はこれ！

あしたこそ〈上折れ谷《かみおだに》〉へ抜けだし、レティーに何もかもうちあけてやりましょう。

八章　七《しち》リーグ靴《ぐつ》の歩き方

翌朝カルシファーが明るく元気に炎を上げているのを見て、ソフィーはほっとしました。それにハウルの喜びようときたら！　もしもとっくに愛想をつかしている相手でなければ、ついほろりとなったところです。

「火の玉親分、てっきりソフィーにやられたのかと思ったよ」ハウルは袖が灰に触れるのもかまわず、暖炉の前にひざをつきました。

「くたびれただけだい」とカルシファーが答えます。「城にブレーキみたいなものがかかってた。なのに、これまでないほど速く城を動かしたんだぜ」

「いいかい、二度とソフィーの言いなりになるなよ」ハウルは立ちあがると、灰色と真紅の服から優雅なしぐさで灰を払い落として、続けました。「マイケル、今日から例の呪文にとりかかりなさい。それから、王様のところから使いが来たら、ぼくは急を要する内密の用で明日まで出かけていると、答えるように。本当はレティーに会いにいくんだけれど、そんなこと言う必要ないからね」

ハウルはギターをかかえあげると、ダイヤルの緑色の面を下にして、曇天《どんてん》が広がる丘に通じる扉をあけました。

ハウルが扉をあけたとたん、外にいたかかしが、横から体あたりしました。カブの頭がハウルの胸《むな》もとにぶつかり、ギターが「ボワーン」とひどい音をたてました。ソフィーはおびえて小声で「キャッ」と叫び、椅子にしがみつきました。かかしの片方の腕が扉をつかもうと、ぎくしゃくと空《くう》をかすめます。ハウルが足をふんばっているようすから見ても、かかしはかなり強くぶつかってきたようです。なんとしてでも城に入りこもうというのでしょう。

カルシファーが青い顔を炉格子からのぞかせました。マイケルはむこうの方で立ちつくしています。「ほんとだ、かかしがいる！」二人は声をそろえて叫びました。「こりゃ驚いたね！」ハウルは息を切らしながら、片足でけりあげました。かかしはよろよろと吹きとばされ、数ヤード離れたヒースの上へあおむけに、ばさっと落ちました。でもすぐに立ちあがり、またも城にむかってとびはねてきます。ハウルは急いでギターを戸口に置くと、下へとびおり、かかしとむきあいました。「来るな、もといたところに帰れ」

ハウルが片手をつきだして、ゆっくり前進すると、かかしはしぶしぶあとずさりしました。ハウルが立ち止まると、かかしも止まります。かかしは一本足でヒースの上に立ち、喧嘩をはじめる合図のように、ぼろぼろの腕をあちこちに振りました。ぼろい袖がはためくようすは、ハウルの袖の下手なものまねに見えました。

「帰るか？」ハウルが聞くと、カブ頭が「いやだ」と言うように、ゆっくりと左右にゆれます。「あいにく、帰ってもらわないと」と、ハウル。「おまえはソフィーを怖がらせた。ソフィーは、怖がったら何をしでかすか、見当もつかないんだ。そういやあ、ぼくもさっきは怖かったなあ」

ハウルはとても重たい物を押しあげるように、ゆっくりと両腕を頭の上まで上げ、奇妙な言葉を叫びました。突然雷鳴が起こり、なんと言ったかは聞きとれませんでした。かかしが高く舞いあがり、抗議するように腕をぐるぐる振りまわし、ぼろをはためかせ、どんどん高くなりました。そして空のしみになり、雲のあいだにぽつんと点になり、ついにかき消えてしまいました。

ハウルは腕を下ろすと戸口へ引き返してきて、手の甲で顔の汗をぬぐい、息を弾ませながら言いました。「ソフィー、さっきはきついことを言ったけど、とり消すよ。あいつならおびえて当然だ。きのうも丸一日、城にブレーキをかけていたのはあいつかもしれない。あれほど強い魔法はめずらしいよ。あれの正体は知らないけれど……もしや、あんたがこのあいだまで掃除に通っていた人物の、なれの果てとか？」

ソフィーは弱々しく笑い声をたてました。また心臓がおかしくなったのです。

ハウルはソフィーのようすがへんだと気づき、ギターをとびこえてきて、ソフィーのひじをつかんで椅子に座らせました。「さあ、楽にして！」ハウルはソフィーを支え、カルシファーも炉格子から身をのりだしてきました。

二人が協力して魔法を使った感じがしました。何をしたにしろ、ソフィーの心臓はすぐに規則正しい動きをとりもどしました。ハウルはカルシファーに肩をすくめてみせると、マイケルに、今日はソフィーをおとなしくさせておきなさいと、あれこれ指図したうえで、ギターを持って外出していきました。

ソフィーは椅子にじっとして、実際の倍もぐあいが悪いふりをしました。ハウルには出かけてもらわないと。やっかいなのはハウルの行き先もまた、〈上折れ谷《かみおだに》〉だということね。でも、あたしがのろのろ歩いていけば、むこうに着くころにはハウルは帰ったあとよ。大事なのは途中でハウルに出くわさないこと。

ソフィーは、呪文の紙を前に頭をかいているマイケルのようすを、ひそかにうかがいました。マイケルは棚から大きな革表紙の書物をひっぱりだすと、とほうにくれたように走り書きをはじめました。すっかり呪文に気をとられているのを見すまし、ソフィーは数回「なんだか息苦しい」とつぶやいてみました。

マイケルは気づかないようです。「ほんと、息がつまりそう」ソフィーは立ちあがってよろよろ扉まで歩きました。「新鮮な空気……」扉をあけ、外へ降りました。カルシファーは親切にそのあいだ城を停めてくれました。

ヒースの上に降りたソフィーは、あたりを眺めながら考えました。〈上折れ谷〉にいたる丘越えの道は、ヒースのあいだをとおる砂だらけの道で、城から下ったすぐのところにあります。まあ、当然ね、カルシファーがハウルを不便な目にあわせるわけないもの。ソフィーは歩きはじめました。マイケルとカルシファーとお別れだと思うと、少し悲しくなります。

丘越えの道の手前まで来たとき、うしろで大きな声がしました。マイケルが大股でころがるように丘を駆けおりてきます。そのうしろでは高い黒い城が、四つの尖塔から心配そうに煙を吹きあげ、上下にゆれています。

「何をしてるんです？」ソフィーに追いつくとマイケルがたずねました。その表情から察するに、マイケルはかかしの一件以来ソフィーのおつむがおかしくなっていると思っているようすでした。

「どこも悪くないんだから」憤然としてソフィーは言いました。「別の妹――の孫娘に会いにいくだけ。この子もレティー・ハッターという名前でね。さあ、わかったでしょ」

「その人はどこに住んでいるんです？」マイケルは、これには答えられないだろう、というように問いつめます。

前」

「でも、十マイル以上ありますよ！　ぼくはハウルさんに、あなたを休ませるって約束したんです。行かせるわけにいきません。あなたから目を離さないって言った手前」

ハウルはあたしにいてほしいわけじゃない、とソフィーは思いました。あたしを王様に会わせたがっているだけ。だから出ていかれたら困るんだ。「フン！」

「それに、ハウルさんもきっと〈上折れ谷〉に出かけていますよ」マイケルはまだわかっていないようです。

「そうだろうとも」とソフィー。

「それじゃあ、あなたのもう一人の妹さんのお孫さんというのが……。そうか、それで心配なんですね」マイケルもようやく核心にたどりついたようです。「わかりました！　でも、行かせるわけにはいきません」

「行くよ」

「むこうでハウルさんとかちあったら、ものすごく怒るでしょうねえ」マイケルは考え考え言います。「それにぼくも約束したんだから、ぼくにも腹を立てるだろうし。第一あなたは休んでなくちゃ」ソフィーが思わずぴしゃりとぶちそうになったとき、マイケルは大声を出しました。「そうだ！　物置に七《しち》リーグ靴《ぐつ》がある！」

「〈上折れ谷〉」

マイケルは骨ばったソフィーの手首を握り、斜面の上で待っている城へ戻ろうとひっぱりました。ソフィーはヒースに足をとられないように、ぴょんぴょんとぶはめになりました。

「だけど……」あえぎながらソフィーが言います。「七リーグって二十一マイルよ！　二歩も行けば、ポートヘイヴンの近くまで行ってしまうじゃないの」

「いいえ、一歩だと十マイル半です。〈上折れ谷〉にどんぴしゃりじゃないですか。二人で片方ずつはくことにすれば、ぼくはあなたから目を離さずにすむし、あなたもはげしい運動をしないでいい。そのうえハウルさんより先にむこうへ着けるから、出かけたことも気づかれずにすみます。これですべて解決ですね！」

相手があまりうれしそうだったので、ソフィーはあえて反対する気になれませんでした。肩をすくめ、こう考えたのです。マーサとレティーが互いにもとの顔になる前に、マイケルもレティーが二人いることに気づくべきかもね、と。その方がまっとうというものです。でもマイケルが七リーグ靴をとりだしてきたとき、不信の念がむくむく湧いてきました。把手がとれ、ちょいとひしゃげた革製のバケツだとずっと思っていた物だったからです。

「靴をはいたまま、足を中に入れるんです」マイケルは重たいバケツそっくりの品物を外へ運びながら説明しました。「これはハウルさんが王様の軍隊のために作った七リーグ靴の試作品で、あとからもっと軽くて長靴に近い物ができたんです」

二人は戸口に腰を下ろし、七リーグ靴にそれぞれ片足をつっこみました。「爪先を〈上折れ谷〉にむけてから、靴を下ろすんですよ」マイケルが注意しました。二人は普通の靴をはいている方の足で立ち、そっと〈上折れ谷〉の方に体をむけました。

「さあ、足を下ろして」

ぴゅっ。猛烈な速度で景色がすぎていったので、すべてがかすみました。地面が緑がかった灰色、空が青みがかった灰色。ソフィーは髪の毛が風でひっぱられるうえ、顔のしわまで強くひっぱられたので、顔半分がうしろに残るのではと思ったほどです。

移動は、はじまったときと同様、急に終りました。おだやかでよい天気の中、二人は〈上折れ谷〉の村の共有地のまん中に、ひざまでキンポウゲに埋まって立っていました。近くにいた雌牛が二人を見ました。むこうでわら葺《ぶ》き屋根の民家が木の下でまどろんでいるように見えます。と思ったのもつかのま、バケツ型の長靴が重すぎたので、ソフィーはよろめきました。

「そっちの足を下ろしちゃだめです！」マイケルが叫んだときは、もう手遅れでした。

ぴゅっという音がして景色がかすみ、突風が耳もとをかすめます。次に降りたのは〈折れ谷〉の〈折れ沼〉のほとりでした。「ああ、いまいましい」ソフィーは注意深く靴のむきをもとに戻し、出発します。

ぴゅっ。景色がかすみます。〈上折れ谷〉の緑の共有地に戻ったものの、長靴の重みでまたよろめきます。マイケルが自分にとびつこうとしているのが目に入りましたが……

ぴゅっ。景色がかすみます。「なんてこった！」ソフィーは叫びました。丘の上に戻っています。そばには不格好な黒い城がおだやかに浮かび、カルシファーが尖塔のひとつから黒い煙を輪にしてとばして遊んでいます。そこまで見てとったとき、またもや靴がヒースにひっかかってよろけ……

ぴゅっ。ぴゅっ。今度はたてつづけに〈がやがや町〉の〈がやがや広場〉と、大邸宅の芝生を訪問しました。最初に「くそっ！」、二カ所目では「いまいましい！」と叫びます。そこで前かがみになったため、またもやぴゅっと飛んで、どこかの谷間の原っぱに立っていました。大きな赤い雄牛が草むらから鼻輪をつけた顔を上げ、ゆっくりと角を下げます。

「出かけるから、さよなら！」ソフィーは半狂乱になって体をぐるっと回転させます。ぴゅっで、さっきの大邸宅。ぴゅっで、〈がやがや広場〉。ぴゅっで、またもや城です。じょじょにこつがわかってきました。ぴゅっ。〈上折れ谷〉です――でも、どうすれば止まれるのでしょう？　ぴゅっ。

「こんちくしょう！」〈折れ沼〉に逆戻りです。

今度こそ、そっと体の向きを変えて、慎重にふみだします。ぴゅっ。幸運でした。牛糞の上に降りたとたん、どすんと尻餅《しりもち》をついたので、ぱっと駆けつけたマイケルが、靴を脱がせてくれたのです。

「ありがとう！」息が切れています。「二度と止まれないのかと思った！」

二人で〈上折れ谷〉の共有地をとおり、フェアファックス夫人の家まで歩いているとき、ソフィーの心臓はまた少しどきどきしていました。でも、何かを急いでやったときの動悸にすぎません。ハウルとカルシファーが治してくれたおかげでしょう。

「いいところですね」フェアファックス夫人の庭の生垣に七リーグ靴を隠しながら、マイケルが感想を述べました。

ソフィーもそう思いました。夫人の家は村でいちばん大きく、屋根はわら葺き、黒い梁《はり》のあいだは白壁です。子ども時代に訪問したときの記憶どおり、花が咲き乱れ、蜜蜂がぶんぶん飛んでいる道を抜けると、そこが玄関でした。ポーチではスイカズラと白いつる薔薇《ばら》が、競うように咲き誇り、蜜蜂を引きつけていました。〈上折れ谷〉は気持ちのいい夏の朝です。

フェアファックス夫人みずからが扉をあけました。ふくよかで感じのよいご婦人で、バター色の髪を編んで、頭に巻きつけています。見るからに幸せな気分にさせてくれる夫人を見て、ソフィーは、レティーにかすかなねたましさを覚えました。夫人はソフィーからマイケルへ視線を移しました。夫人と最後に会ったのは去年、ソフィーが十七歳のときでした。九十歳に変身した今のソフィーを、夫人が見てわかるとは思えません。

「おはようございます」夫人はていねいに挨拶しました。

　ソフィーはほっと息をつきました。マイケルが口をひらきます。

「こちらはレティー・ハッターさんの大伯母さんです。レティーに会いたいというので、お連れしました」

「ああ、どうりで見覚えがあるはずねえ！　なんとなく似てらっしゃいますもの」と、フェアファックス夫人。「どうぞ、お入りくださいな。レティーは今ちょっと手が離せないんですの。お待ちのあいだに蜂蜜をつけたスコーンなんて、いかが？」

　夫人は玄関の扉を大きくあけました。そのとたん、大きなコリーが夫人のスカートと戸のわずかなすきまをすりぬけました。コリーはソフィーとマイケルを押しのけると、近くの花壇に走りこんだので、あちこちで花がぽきぽき折れました。

「あ、つかまえて！」夫人はあとを追いかけながら、切れ切れに言いました。「今は、出られては、困るの」

　それから一分ほど、てんやわんやの追跡劇となりました。犬はうるさく鳴きながら、あちらこちらと走りまわり、夫人とソフィーは、花壇をとびこえ、互いにぶつかりそうになって犬を追いかけました。そしてマイケルは「止まって。ぐあいが悪くなっても知りませんよ！」と叫びながら、ソフィーを追いかけたのです。

犬はぴょんぴょんはねて家の角をまわりました。マイケルはソフィーを止めるには、犬を止めるのが早道だと気づいて、花壇をななめにつっきり、犬のあとを追って家の横手へ突進し、果樹園の裏手で追いつき、ふさふさした毛をぎゅっとつかみました。ソフィーがようやく追いつくと、マイケルは犬をうしろ向きに引きずりながら、さかんにソフィーにむかって顔をしかめてみせました。ソフィーははじめ、マイケルがぐあいでも悪いのかと思いました。あまり何度も果樹園の方にあごをしゃくってみせるので、ようやく何か言いたいのだと悟りました。でも蜜蜂の群れがいて危ないぐらいにしか思わなかったので、家の角から顔をつきだしてみました。

そこにいたのはハウルとレティーでした。果樹園の苔《こけ》むしたリンゴの木には花が満開で、遠くに蜜蜂の巣箱がずらりと並んでいます。レティーは白い庭椅子に座り、足もとの草むらにハウルが片ひざをついています。レティーの片手を握って、いかにも貴族的で献身的な風情《ふぜい》です。レティーは愛らしくほほえんでいます。

でも、最悪なのは、レティーがもう、少しもマーサらしく見えないことでした。美しいレティーそのものです。頭上に咲くリンゴの花と同じようなピンクと白のドレスを着て、つややかに波打つ黒髪は片方の肩からたれ、その瞳はひたとハウルを見つめています。

ソフィーは頭をひっこめ、あわれっぽく鳴くコリーをつかんでいるマイケルに、目で助けを求めました。

「こんなに早く着いてるなんて、きっと移動のまじないを持って出たんですね」マイケルも、とほうにくれたように小声で言いました。

フェアファックス夫人が二人に追いつきました。息を弾ませ、ほどけかかった髪の毛をピンでとめようとしています。夫人は犬に小声できつく言いました。

「いけない犬ね！　もしもう一度あんなことをしたら、呪文をかけるよ」犬がまばたきして足もとにうずくまると、夫人はいかめしく指をつきつけました。「家の中にお入り！　出てくるんじゃないわよ！」コリーはマイケルの手をふりほどくと、こそこそと家の方へ去りました。

「どうもお手数かけまして」と、犬のあとを家にむかいながら、夫人がマイケルに礼を言いました。「あの犬ときたら、レティーのお客に必ずかみつこうとしましてね」夫人は家の前庭まで来ると、反対側からもう一度果樹園に入りこもうとたくらんでいた犬に、ぴしゃりと言いました。「お入り！」コリーはうちひしがれたような顔で夫人をふり返り、ポーチをとおって憂鬱そうに中へ入っていきました。

「あの犬の勘は正しいのかもしれない」ソフィーは言ってみました。「フェアファックスさん、レティーのお客の正体をご存じですか？」

フェアファックス夫人はくすくす笑って答えました。「魔法使いペンドラゴン、またの名をハウル、まあどっちでもいいんですけどね。でも、レティーもあたくしも、気づいていることを内緒にしていますわ。あの子がシルヴェスター・オークと名乗ってはじめて来たときは、もうおかしくって。だってあちらさんが忘れていても、こちらは覚えていましたもの。もっとも、見習のころは黒髪でしたがね」夫人は体の前で両手を組み、背すじをぴんと伸ばしました。これはソフィーが昔からよく知っているように、一日じゅうでもおしゃべりを続ける構えなのです。

「あの子はほら、あたくしの恩師ペンステモンさんが引退する前の、最後の教え子でしたのよ。夫が生きていたころは、二人でときどきキングズベリーまでお芝居を見に出かけました。あたくしもゆっくりなら、人間二人分の移動のまじないができましたから。そして帰りに先生のところに必ず立ち寄ったものなんです。

ペンステモン先生は教え子に会うのをとても楽しみにされていてね。あるとき、ハウルという若い子に紹介してくださいましたわ。ハウルを自慢なさってました。あの方は魔法使いサリマンも指導されたの、ご存じでしょう。そして、ハウルの方がサリマンよりも倍も優れてると……」

「でも、ハウルの評判はお耳に入っていらっしゃらないんですか」マイケルが口をはさみました。

夫人の話に割りこむのは、まわっている縄とびに入るようなものでした。とびこむにはタイミングを見きわめさえすればだいじょうぶ。でも入ったら最後、いっしょにとぶしかないのです。夫人はかすかにマイケルの方に顔をむけました。

「ほとんどはただの噂ですわ、あたくしの目から見ればね」マイケルは何か言いたそうに口をあけましたが、なにしろ縄とびの中です。縄は回転しつづけます。

「ですから、あたくしレティーに、『いいこと、めったにない機会よ』と申しましたの。ハウルでしたら、あたくしの二十倍もレティーに教えられますし――それに、この際ですから申しあげますけど、レティーはあたくしよりもずっと頭がいいんです。将来はあの荒地《あれち》の魔女と同じくらいになれます――ただし、ずっといい魔女にね。

レティーはとてもいい子で、あたくしも気に入ってます。もし、ペンステモンさんが今も現役なら、明日にだってレティーを弟子入りさせたいところです。でもあいにく、そうはいかない。ですから申しました。『ねえ、レティー、求愛してるのは魔法使いのハウルよ。ハウルをうまくあしらって、先生にしてしまいなさいよ。あなたたちが組めば、無敵よ』レティーははじめのうち、あまり乗り気じゃなかったんですが、このごろはだいぶ愛想よくするようになりました。今日なんか、とてもうまくやってるみたいですわ」

ここでフェアファックス夫人はマイケルににこやかにほほえんで、ひと息入れました。今度はソフィーが大急ぎで縄とびにとびこむ番です。「でも、ある人が、レティーの好きなのは別人だと話してくれましたけど」

「その人に悪いとおっしゃるのね」と言うと、夫人は声をひそめ、意味ありげにささやきます。「でもレティーの好きな人は、たいへんな問題をかかえてましてね。あれじゃ、どんな娘の手にもあまるというものですわ。あたくし、本人にそう言ってやりましたの。あたくしだって気の毒に思っていますけど……」

ソフィーはあいまいに、「まあ？」とあいづちをうちましたが、夫人は気にもとめずに続けます。

「その人、恐ろしく強い呪いにかかってますの。荒地《あれち》の魔女がかけた呪いは、あたくし程度の力ではとても破れないって、そう言ってやるしかありませんでしたのよ。まあ、ハウルにはできるかもしれませんが、まさか恋敵《こいがたき》のハウルには頼めませんもの、ねえ？」

いつハウルが角を曲がってこちらへ顔を出さないものでもないと、ひやひやしていたマイケルが、ここでようやく縄をふみつけ、さえぎりました。「そろそろお暇《いとま》しませんと」

「お入りになって、蜂蜜を召しあがりません？　あたくし、あらゆる魔法に使ってますの、ご存じでしょう?」夫人はまたもや話をはじめました。今度は、蜂蜜の持つ不思議な魔力についてです。

マイケルとソフィーはそれにはかまわず、門を目ざして歩きつづけ、夫人は二人のうしろからついてきます。そしておしゃべりのあいだも、犬がふんだ植物を悲しそうに直してやっています。ソフィーは夫人がどうして、マーサとレティーが入れかわったことを見破ったのか、マイケルにわからないように聞いてみたいものだと思っていました。そのとき夫人が大きなルピナスを持ちあげ、少しばかり息をつきました。

ソフィーは思いきって言ってみました。「あなたの弟子になるはずだったのは姪《めい》のマーサでは……?」

「レティーとマーサときたら!」ルピナスのあいだから顔を見せたフェアファックス夫人はにこにこして、首を振りました。「蜂蜜を使ったまじないが、このあたくしに見破れないと思うなんて。だからそのとき、レティーに言ってやりました。『あたくしは誰かを無理に引き止めるつもりはないし、どちらかといえば意欲のある人を教えたいわ』で、つけ加えたんですのよ。『ただし、ここではごまかしは認めません。本当の姿でとどまるか、出ていくかよ』と。ごらんのとおり、万事うまくいっています。本当に、ゆっくりなさって、直接あの子の口からお聞きにならなくていいんですの?」

「ええ、もう行かなくては」と、ソフィー。

「戻らなきゃいけないんです」マイケルも、不安そうに果樹園の方を眺めて言いました。生垣から七リーグ靴をひっぱりだし、ソフィーのために門の外に置いてやります。

「今度は、しっかりつかまえておきますから」とマイケル。

夫人は、ソフィーが七リーグ靴をはいていると、門の上から身をのりだしました。

「七リーグ靴ねえ。もう何年も見かけませんでしたわ。あなたぐらいのお歳になると、便利でしょうね。あたくしもそろそろほしいものですわ。ええっと、お名前をうかがってたかしら？　きっと、レティーはあなたから魔力を受けついだんですわねえ。いつも誰かから受けつぐってものじゃありませんが、でもときには……」

マイケルがソフィーの腕をつかみ、ひっぱりました。二人の七リーグ靴が動いたとたん、フェアファックス夫人のおしゃべりは、ぴゅっ！　という空気の流れとともにとぎれました。

次の瞬間、マイケルは城に衝突しないように、足をふんばるはめになりました。扉があいていて、中でカルシファーが大声を出しています。

「ポートヘイヴンの扉だ！　あんたたちが出かけてからずっと、誰かがたたいてるぜ」

九章　手強《てごわ》い呪文に手こずるマイケル

扉をたたいていたのは、船長さんでした。

わざわざ『凪のまじない』をとりにきたのに、待たされてご機嫌ななめの船長は、マイケルに言いました。「ええか、もしこれで潮を逃したら、魔法使いにあんたのことで苦情を言わにゃならん。怠け者は嫌いだでな」

ソフィーから見ると、マイケルの応対はもったいないくらい丁重でした。でもソフィーは落ちこんでいたので、おせっかいする気にもなりません。船長さんが帰ると、マイケルはまたもや作業台の前で、ハウルが置いていった呪文とにらめっこ。ソフィーは黙って自分の靴下の繕《つくろ》いをはじめました。靴下はこれ一足しかないのに、ごつごつした足のせいで大きな穴があいたのです。灰色の服もすり切れ、薄汚れてきました。青と銀色のハウルの服から、汚れが少ない部分を切りとって、新しいスカートをこしらえるべきでしょうか。そこまで思いきってやる気にはなれません。

「ソフィーさんって、姪御《めいご》さんが何人いるんですか？」十一枚目のメモから顔を上げてマイケルがたずねました。

ソフィーは内心、この手の質問を恐れていました。「お若いの、あたしぐらいの歳になるとね、数なんてどうでもよくなるんだ。みんな似たり寄ったりでね。あたしから見れば、二人のレティーなんて、ふたごも同然」

「いいえ、ちがいますよ」意外にもマイケルが反論しました。「〈上折れ谷《かみおだに》〉の姫御さんは、ぼくのレティーほどきれいじゃありません」マイケルは十一枚目のページを破り捨てると、十二枚目のメモを書きました。「ハウルさんがぼくのレティーに会わないで本当によかった」マイケルは書きはじめたばかりの十三枚目のメモも破り捨てて、続けます。「フェアファックスさんがハウルさんの正体を知っているとおっしゃったとき、ぼくはもうおかしくって。そう思いませんでした？」

「いいや」と、ソフィー。ハウルの正体を知っても、レティーは怖がらなかったのです。リンゴの花の下で、うっとりハウルを見つめているレティーの姿が浮かんできました。あきらめたように、ソフィーは聞いてみました。「ハウルが今度ばかりは本気なんて、ありえないだろうね？」

カルシファーが鼻を鳴らしたので、緑色の火花が煙突を昇りました。

「そうお考えになるのではないかと思っていました」とマイケル。「でも、あなたはフェアファックスさんと同じで、楽天的すぎますね」

「どうしてさ？」

カルシファーとマイケルはめくばせをかわしました。「ハウルさんはけさ、いつもの浴室一時間を、省略しましたか？」と、マイケル。

「二時間はいたぜ。顔にまじないをかけてさ。おろかなうぬぼれやだ！」と、カルシファー。

「ほらね。ハウルさんが浴室にこもるのを忘れれば、本気で恋をしているってことになるけど、それまではだめですよ」

ソフィーは、ハウルが果樹園で片ひざをついているときに、目いっぱい麗《うるわ》しく見える姿勢できどっていたことを思いだし、マイケルたちの言うとおりだと認めました。浴室へのりこみ、美しさのまじないを便器に流したいところですが、とても実行できません。そのかわり、青と銀の上着をとってくると、今日はこのあと小さな青い三角形の布を切りとることにしよう、と思いました。青の布だけをはぎあわせてスカートを作ってやる！

マイケルは十七枚のメモすべてをカルシファーにくべると、ソフィーの肩を優しくなでました。「誰だって、いつかは痛手から立ちなおりますよ」

マイケルが呪文に手こずっているのは、今や明らかでした。メモ作りをあきらめて、煙突の煤《すす》を少しこすりとりました。カルシファーが不思議そうに首を伸ばしている前で、マイケルは梁《はり》から下がっている袋のひとつからしなびた根をとりだし、それを煤の中につっこみ、しばらく考えこんでから、扉のダイヤルを青に合わせてポートへイヴンへ出かけました。

二十分ほどして大きな巻貝を持ち帰ると、煤のついた根っこといっしょに並べます。次に紙を小さくちぎって、これも煤の中に入れました。最後に頭蓋骨《ずがいこつ》の前にそれら全部を並べ、息を吹きかけたので、作業台のあちこちに煤や紙きれがぱらぱらと吹きあがりました。

「あいつ、何してるんだろ?」カルシファーがソフィーにたずねます。

マイケルは吹くのではうまくいかないと思ったらしく、紙きれから何から全部を乳鉢に入れ、乳棒ですりはじめました。ときどき、何かを待ちうけるように頭蓋骨に視線を走らせています。でも、何も起きないので、今度は袋や瓶《びん》から別の物を出しては鉢に入れはじめました。

「ハウルさんをこっそり見ちゃったのがうしろめたくて」マイケルは三回目の組み合せを乳鉢の中でどすんどすんつきながら、告白しました。「ハウルさんはほれっぽい人ですけど、ぼくにはとってもよくしてくれます。だって、引きとり手のないみなしごのぼくがポートへイヴンの戸口に座りこんでいたとき、引きとってくださったんですから」

「どうしてそんなことに？」ソフィーは青い三角をまたひとつ切りとりながらたずねました。

「母さんが死んで、父さんも嵐で溺れ死んだんです。でも誰もぼくを引きとってくれなかった。家賃が払えないんで、家を出るしかなくて。外で暮そうとしたんですけど、軒先からも船からも追い払われてばかりいました。とうとう、みんなが怖がって干渉しない場所があるって思いついたんです。ハウルさんは、まだ魔術師ジェンキンとしてささやかに開業したばかりでしたが、そのころからみんなは、あそこには悪魔がいると噂してました。

で、ふた晩ほどハウルさんの戸口にもたれて寝てたら、ある朝、ハウルさんがパンを買いにいこうと扉をあけたので、そのまま中にころげこんだんです。ハウルさんは買い物をしてくるから中で待ってろ、と言ってくださって。中にはカルシファーがいて、ぼくは悪魔と初対面だったものですから、すぐにおしゃべりしましたよ」

「どんな話を？」ソフィーは、カルシファーがマイケルにも契約破りの件をもちかけたのか、知りたかったのです。

「どれほどひどい目にあってきたか話して、めそめそ泣いたんだよね？」と、カルシファー。「おいらもひどい目にあってるとは、思いもしなかったらしいぜ」

「だって、ひどい目になんてあってないでしょう。よくこぼしてるだけで」マイケルが応じます。

「カルシファーもあの朝はとても優しくって。それがハウルさんにいい印象を与えたみたいです。ただ、どんな人かご存じでしょう？　口に出して言ってくれないんですよ、ずっといてもいいとは。出ていけとはおっしゃらないだけ。で、ぼくはできるかぎりお役に立とうとしました。ほら、お金のことに気をつけて、ハウルさんが右から左に使わないようにさせる、とか」

そのとき、まぜあわせていた薬がヒュッと音をたて、ちょっとした爆発を起こしました。マイケルは頭蓋骨に飛んだ煤を払い落とし、ため息をつくとまた別の組み合せをためしはじめました。ソフィーは床の上に青い三角の布をずらっと並べて、縫いあわせる順番を考えました。

「最初のころはばかな間違いばっかり、しでかしたんです」マイケルが続けました。「でも、ハウルさんは全然怒りませんでした。ぼく、ちょっとは上達したとばかり思ってました。お金もかせげるようになったんですよ。ほら、ハウルさんって高い衣装を買ってむだづかいばかりするでしょう。もうかってなさそうな魔法使いには仕事の依頼だって来ない、というのが口ぐせですから」

「服が好きだってことだよ」カルシファーが言いながら、オレンジ色の目で何か言いたそうに縫物中のソフィーを見たので、ソフィーは言いわけしました。

「この服、だめになったんだもの」

「服だけじゃないんです。カルシファー、冬にあったこと、覚えてる？　財布がすっからかんで、まきもあと一本で最後というとき、ハウルさんときたら、あの頭蓋骨と弾けもしないギターを買ってきちゃったんですよ。あのときは腹が立ちました。ハウルさんいわく、カッコよかったからだって」

「で、まきはどうしたの？」

「金を貸してた人から、いくらかとり返したんです。貸してたっていうのが、真実だと思いたいですね。あのときは海草まで食べました。ハウルさんは、健康にいいって」

「ありゃ、いい。乾いてるし、燃えやすい」カルシファーがつぶやきます。

「ぼくは嫌いだ」乳鉢の中の粉をぼんやり見つめながら、マイケルが言いました。

「わからないなあ。七品なのか、それとも七段階なのか。まあいいや、五芒星《ごぼうせい》の中でやってみるか」マイケルは乳鉢を床に置くと、そのまわりに白墨《はくぼく》で星型を描きました。

爆発が起こり、粉末がかなり勢いよく飛びちったので、ソフィーが切りとった布きれが暖炉にまでとびこんだようです。マイケルは毒づき、あわてて白墨の線を消しました。

「ソフィーさん、この呪文がにっちもさっちもいかなくて。ちょっと、知恵を貸してもらえませんか？」

おばあちゃんのところに宿題を持ちこむ子どもみたい。ソフィーは吹きとばされた布を拾って根気よく並べなおしながら、用心深く言いました。「見てもいいけど、あたしゃ魔法のことはなんにも知らないよ」

マイケルはいそいそと、へんにつやのある紙を押しつけてきました。呪文だとしても、変わったものです。全部肉太《にくぶと》の活字で刷ってありますが、字は灰色っぽくにじんでいます。それに、紙のはじが薄汚れています。

「どう思われます？」

ソフィーはざっと読みました。

「さあ、流れ星をつかまえてこい、*
マンダラゲの根っこをはらませろ、
おれに話してくれ、
過去の歳月の居場所を、
誰が悪魔のひづめを割《さ》いたかを。
おれに教えてくれ、
どうしたら人魚の歌が聞けるかを、

嫉妬のとげより身を守るにはどうするかを。
　そして見つけろ
　どんな風が吹いたら
正直者に役立つのかを。

これについて解釈しなさい。続きを自分で書いてみよう！」

なんのことやら、ソフィーにはさっぱり見当もつきませんでした。以前に盗み見た呪文のどれにも似ていません。二度、ゆっくり読み返しましたが、そばでマイケルがあれこれ説明しようとするので、ちっとも頭に入りません。
「ハウルさんが高度な呪文には謎解きが入っていると言ってたでしょ？　それで、最初は全部の行が謎かけになっていて、するべきことをあらわしているのかと思ったんです。流れ星のかわりに煤の中に火花を落とし、人魚の歌のかわりに貝殻を使ってみました。それに、ぼくは子どもの部類に勘定できると思ったから、マンダラゲの根を梁から下ろして、暦から過去の出来事を書き写してみました。

＊　イギリスの形而上派の代表詩人、ジョン・ダン（一五七二―一六三一）の詩『ソング』の第一連。

ただ、そこはあまり自信がなくて——そこが間違っていたんでしょうか？——それから、さっきは考えつかなかったんですが、とげのひりひりする痛みに効くのはスカンポの葉でしょうかねえ？　とにかく、うまくいかなくって」

「不思議はないね。だって、不可能なことばかり並んでいるみたいだもの」と、ソフィー。

　でもマイケルはそれには賛成しません。不可能だというなら、そもそも魔法なんてものが働くはずがない、ともっともなことを言ったのです。「それに、ハウルさんを見ちゃって気がとがめてるんで、この呪文を完成させて埋め合せがしたいし」

「わかった。それなら、『これについて解釈しなさい』から考えよう。ここが物事を動かす出発点でしょ、だって解釈も魔法の一部なんだから」

　マイケルはそれにも納得しません。「いいえ。これはやっていくうちにわかってくる種類の呪文ですよ。最後の行が言っているのはそういうことです。後半を作りあげて、呪文の意味をはっきりさせれば、それで呪文が作動するはずです。すごく高度なやつです。だからまず、最初から順番に解読しないと」

　ソフィーは三角形の布を積み重ねながら言いました。「カルシファーに聞いてみたら？　ねえ、カルシファー、誰が……」

　でも、マイケルはそれにも異《い》を唱えました。「だめですよ。カルシファーも呪文の一部だと思うんです。ほら、『おれに話してくれ』と、『おれに教えてくれ』ってあるでしょ。最初は頭蓋骨のことかと思ったけれど、うまくいきませんでした。だからきっと『おれ』ってのはカルシファーですよ」

「あんた自分でやったら？　そんなふうにあたしに逆《さか》らってばかりならさ。カルシファーは悪魔なんだから、誰が自分の足を割《さ》いたか、知ってるにちがいないのに」

カルシファーは炎を少し大きく上げました。「おいらにゃ、足はないぜ。悪魔だけど、地獄から来たわけじゃないもん」それだけ言うと、カルシファーはまきの下にもぐってしまいました。ぶつぶつ言う声が聞こえます。「まったく、ばかげてるぜ」

その後ソフィーとマイケルは呪文について、ああでもないこうでもないと話しあいました。ソフィーはすっかり呪文にとりつかれてしまい、青い三角形の布を全部しまうと、紙とペンをとりだし、マイケルと同じようにせっせと大量のメモをとりはじめました。二人とも午後じゅう視線を宙にさまよわせ、羽根ペンをかじりながら、意見を述べあいました。

ソフィーのメモはおおよそこんな感じです。

ニンニクは嫉妬心を追い払えるか？　星型に紙を切りとり、落下させる。ハウルに話すべきか？　ハウルはカルシファーより人魚が好きなはず。ハウルが『正直者』

だとは思えない。カルシファーはどうか？　歳月の居場所ってどこ？　あの乾いた根っこに実ができなければならないのか。植える？　スカンポの隣に？　貝殻の中に？　先の割《わ》れたひづめは、馬以外のたいていの動物。ニンニクを馬の蹄鉄《ていてつ》にする？　風？　匂い？　七リーグ靴の風か？　ハウルは地獄から来た悪魔か？　七リーグ靴に割れた爪先？　長靴をはいた人魚？

ソフィーがこうしたことを書いているあいだ、マイケルもまた、ぶつぶつ言っていました。『風』が風車の羽根という可能性は？　正直な男の首をつるす？　でも、それだと黒魔術だ」

「夕食にしましょう」と、ソフィー。

二人はあいかわらずうわの空でパンとチーズを食べました。とうとうソフィーが口をひらきました。「マイケル、推理はもういいかげんでやめて、実地にためそうよ。流れ星をつかまえるのに絶好の場所はどこ？　ヒースの丘かしら？」

「ポートヘイヴンの湿原の方が平らですね。でもできますかね？　流れ星はとてもすばやいですよ」

「七《しち》リーグ靴《ぐつ》でなら、あたしたちだって」

マイケルはほっとしたように立ちあがり、「確かにそうですね！　ぜひ、ためしましょう」と言ってさっそく七リーグ靴をとってきました。

今度はソフィーは手まわしよく、杖と肩かけを持って出ました。もう夜になっていたからです。けれどもマイケルが扉のダイヤルを青に回転させたとき、奇妙なことがふたつ起きました。作業台の頭蓋骨がかたかたと歯を鳴らしはじめ、同時にカルシファーが、煙突の中で明るく燃えあがって「行ってほしくないよ！」と言ったのです。

「すぐに戻るから」マイケルがなだめます。

二人はポートヘイヴンの通りへ出ました。月の明るいさわやかな夜です。ところが、通りのはずれまで来たとき、マイケルはけさソフィーのぐあいが悪かったことを思いだし、夜風が体にさわるんじゃないかと心配しはじめました。ソフィーは、ばかなこと言うんじゃないよ、と言ってやり、杖をつきながら元気に歩きつづけました。港町の明りが遠くなると、夜の湿気と冷気が広がります。

湿原は潮と土の匂いがしました。遠くで海がきらきら光り、潮が静かに引いていきます。湿原が何マイルにもわたって平らなことが、目で見るというより感じられました。青みがかった霧が帯のようにたれこめ、沼の水はほんのり明るい光を放って幾重《いくえ》にも重なり、空とまじりあっていました。空はどこもかしこも、とほうもなく広々していきます。銀河はまるで湿原から延びている霧の帯の続きのようです。星々がその中にきらめいています。

マイケルとソフィーは七リーグ靴をそれぞれ自分の前に置き、星が落ちるのを待ちました。

一時間後、ソフィーはマイケルを心配させまいと、震えを我慢していました。

それから半時間後。マイケルが言いました。「五月は流れ星のシーズンじゃないんです。八月か十一月が最高で」

さらに半時間後。マイケルは心配そうに「マンダラゲの根っこはどうしたらいいんだろう?」と言いました。

「その心配より先にこっちを終らせよう」ソフィーは歯がちがち鳴らないように、奥歯をかみしめたまま言いました。

それからまた少したちました。「ソフィーさん、あなたは帰ってください。ぼくの呪文ですし」

ソフィーがそうさせてもらうわと返事しかけたとき、星がひとつ、天空より放たれ、空に白い弧を描きました。「あそこ!」ソフィーは金切り声をあげました。

マイケルは七リーグ靴に足をつっこみ、突進しました。ソフィーも杖を握りしめ、一瞬遅れであとを追います。ぴゅっ。ばしゃっ。広々とした湿原のまん中に出ました。どこもかしこも霧に包まれ、沼があちこちでにぶく光っています。ソフィーは地面に杖をつき立て、どうにか立ち止まりました。マイケルが脱ぎ捨てた七リーグ靴が、すぐかたわらで黒く浮かびあがっています。マイケル本人はどこか前方で水音をたてて、懸命に走っているようです。

流れ星が落ちてきます。マイケルとおぼしき黒っぽい影の少し前方に、小さな白い炎の形をした物が、地面にむかってゆっくりと落ちてくるのが見えます。その輝く炎は、今にもマイケルの手に届きそうです。

ソフィーは七リーグ靴から足をひっぱりだし、声をあげました。「杖よ、さあ！　あそこまで連れていっておくれ」ソフィーは足を引きずりながら、目いっぱい急ぎました。草むらや沼のあいだをよろよろ進むあいだも、その白い光から目を離しません。

ソフィーが追いついたときには、マイケルは星目がけて両腕を伸ばし、しのび足で近寄っていくところでした。流れ星の明りでマイケルの姿が黒い影に見えます。

流れ星はマイケルの両手と同じ高さで、ほんの一歩先を漂いながら進んでいましたが、怖そうにマイケルをふり返りました。なんて奇妙なんでしょう！　マイケルのまわりの水草やアシや黒い沼の水が、流れ星の光で丸く浮かびあがっています。それなのに流れ星には小さく尖った顔があり、大きな目がこわごわマイケルをうかがっているのです。

ソフィーが加わったことも流れ星を怖がらせました。ひょいっととっぴな動きをして、かん高い声で叫んだのです。「なんなんだ？　何がほしい？」

ソフィーはマイケルに「止まりなさい。怖がってるから」と言おうとしましたが、息が切れて言えません。

「捕まえようとしているだけだよ」マイケルが説明しました。「傷つけたりしないから」

「だめ、だめ！」流れ星は必死に叫びました。「いけないよ。ぼくはこのまま死ぬことになってるんだ」

「でも、ぼくにつかまえさせてくれたら、死なないですむじゃないか」マイケルは優しく言います。

「だめ！　死ぬ方がいい！」流れ星はマイケルの指の少し先で沼に飛びこもうとしました。マイケルはつかもうとしましたが、相手のすばやさが上でした。流れ星が手近の沼につっこんだ瞬間、黒い水面が白く輝き、それからジュッという音が小さく聞こえました。ソフィーが近寄ると、マイケルは黒い水底《みなそこ》で小さな明りが丸いかたまりになってしまうのを見まもっているところでした。

「悲しい結末」と、ソフィー。

マイケルはため息をつきました。「ええ、胸にこたえました。さあ、帰りましょう。もうこの呪文にはうんざりです」

七リーグ靴を見つけるのに二十分もかかりました。いえ、見つかっただけでも奇跡です。

二人でハウルの家の入口までポートヘイヴンの暗い通りをとぼとぼ歩いていると、マイケルが話しかけてきました。「ねえ、ぼくにはこの呪文はとても無理です。高度すぎるんです。ハウルさんに聞かなくちゃ。降参するのはしゃくですけど、でもあっちのレティー・ハッターさんがハウルさんにまいったようだから、少しは優しくなってくれるでしょう」

それを聞いても、ソフィーはちっとも明るい気分になれませんでした。

十章　聞きのがしたヒント

　ハウルは、ソフィーとマイケルがいないあいだに戻っていたようでした。翌朝ソフィーがカルシファーの上で朝ごはんを作っていると、浴室から出てきて、スイカズラの匂いを漂わせながら優雅に椅子に腰を下ろしました。すっきり身だしなみを整え、晴れ晴れした顔です。

「いやあ、ソフィー」ハウルが言いました。「おせっかいさん。きのうはぼくの言うことを無視して、ずいぶんご活躍だったみたいじゃない？　だけど、どうしてぼくの上等の服でジグソーパズルをはじめたんだろうなあ。いや別に、喧嘩を売ろうってんじゃないよ」

「この服、このあいだへどろまみれでだめになったから、作りなおそうと思って」とソフィー。

「自分でできるよ。やって見せたじゃないか。それから足の大きさを教えてくれれば、あんた専用の七リーグ靴も作ってあげよう。茶色の子牛の革が実用的でいいだろう。

それにしても、一歩で十マイル半も移動してるのに、いつも雌牛の糞の上に着地するなんて、すごいよなあ」

「雄牛だったかもよ。どうせ沼の泥がついているのも見つけたんでしょう。あたしぐらいの歳になると、運動が必要でね」

「しかしあんたはぼくの思ってた以上におせっかいだったんだなあ。きのうのことだけど、たまたまレティーのきれいな顔からひょいと目を上げたら、何が見えたと思う？　あれはぜったいあんたの長い鼻だね。家の角からつきでてたっけ」

「フェアファックスさんとは、家族ぐるみの友人でね。あんたがそこにいるなんて、知るはずないでしょ？」

「ソフィー、あんたには秘密をかぎあてる才能があるらしいねえ。何ひとつ隠しておけないんだなあ。たとえぼくが大海原のどまん中にある氷山の上で、女の子をくどいたとしても、遅かれ早かれ、たぶんあっというまに、あんたがほうきの上からのぞき見してることになりそうだ。いやいや、あんたがのぞいてないと、かえってがっかりするだろうな」

「今日は氷山へお出かけ？」ソフィーは言い返しました。「きのうのレティーのようすだと、そろそろあんたはあの子に見切りをつけそうだものね」

「そりゃあんまりだよ、ソフィー」ハウルはひどく傷ついたようでした。ソフィーはまだ疑《うたぐ》り深く横目でうかがいました。耳飾りの赤い宝石がゆれ、ハウルの横顔は悲しげで気高く見えます。「ぼくがレティーにさよならするのはずっと先のことだよ。それに、今日はまた王様に会いにいくんだ。これで満足した？　おせっかいおばさん」

ソフィーは、額面どおり信じたものかと迷いました。でも、行く先がキングズベリーであることは、扉のダイヤルが赤になっているので間違いありません。ハウルは朝ごはんがすむと、あの不可解な呪文について相談しようとしたマイケルをはねのけ、出かけてしまいました。やることがなくなったマイケルも出かけました。〈チェザーリ〉へ行くつもりだとか。

あたしは置いてきぼりね。ハウルがレティーについて言ったことをうのみにはできないわよね。だってハウルはいいやつだって言ってるのは、マイケルとカルシファーだけだもの……。でも前にも、ハウルはひどいと思っていたら、そうでもなかったし……。ハウルに悪いことをした気がしてきたソフィーは、切りぬかれて目の粗い銀色の網にしか見えなくなってしまった上着に、青のはぎれをもとどおり縫いつける作業にかかりました。

誰かが扉をノックしたとき、ソフィーはきっとかかしにちがいないと決めこみ、あわてて立ちあがりました。

「ポートヘイヴンだぜ」カルシファーは紫色の顔をにやりとさせました。

それならだいじょうぶだわ。ソフィーはダイヤルを青に合わせて扉をあけました。外には荷馬車が停まっていて、手綱をとっていた五十歳ぐらいの若い衆が言いました。

「魔女さん、はずれてばかりいる蹄鉄《ていてつ》をどうにかできねえだか」

「わかった」ソフィーは暖炉に近づき、「どうしたらいいの？」とカルシファーにひそひそたずねました。

「黄色い粉、二番目の棚の四つ目の瓶《びん》だよ」カルシファーがささやき返しました。「この種のまじないの基本は信じこむことさ。渡すときは、自信たっぷりにね」

そこでソフィーはマイケルのやっていたとおり、四角い紙の上に黄色い粉を入れ、手際よくひねってから、戸口へ戻りました。「ほら、お兄さん。これで釘百本よりしっかり蹄鉄がつくからね。馬くん、聞いてるかい？　来年まで鍛冶屋《かじや》に行かないですむよ。お代は一ペニーだよ、どうも」

忙しい一日でした。ソフィーはたびたび縫物の手を止め、カルシファーの助言を受けながら、下水管の穴をふさいだり、山羊をつかまえたり、ビールの味をよくするまじないを売りつづけました。

唯一やっかいだったのは、キングズベリーの戸をドンドンとたたいたお客でした。扉をあけると、マイケルより少し歳上の身なりのよい若者が、まっ青な顔に汗をびっしょりかき、手をもみしぼっていたのです。

「魔法使いのマダム、お願いです」若者は言いました。「ぼくは、明日の夜明けに決闘しなければならないんです。ぜったい勝てるまじないをいただけませんか。おっしゃるだけ、払いますから」

ソフィーが肩ごしにカルシファーを見ると、カルシファーはしかめつらをしました。そういう出来合いの品はない、という意味です。「そんなの卑怯じゃないか」ソフィーは厳しい口調で言いました。「第一、決闘なんて間違ってるよ」

「じゃあ、せめて対等に闘えるようにしてください」若者は必死です。

ソフィーは相手を観察しました。背が低く、おびえきって、負け犬特有の暗い顔つきです。「やれるかどうか、見てみよう」ソフィーは棚の前で、瓶を眺めわたしました。『トウガラシ』というラベルの赤い粉がいちばんよさそうです。ソフィーは紙の上にたっぷりと粉を注ぎ、脇に頭蓋骨《ずがいこつ》を並べて、「あんたの方がまじないにかけちゃ詳しいにちがいないね」と話しかけました。

若者が心配そうに、扉ごしにこちらをうかがう中、ナイフをとりあげたソフィーは、せいぜい神秘的に見えるようにナイフを粉の上で動かしました。「相手と対等にしておやり」とつぶやきます。「いいかい、対等だよ」それからひねった紙包みを持って戸口へ引き返しました。「決闘がはじまったらこれを投げつけてごらん。きっと互角に闘えることだろう。まあ、勝てるかどうかは、あんたしだいだけど」

小柄な若者はとてもありがたがり、お礼に金貨を渡そうとしましたが、ソフィーは受けとれませんでした。結局若者は二ペニーだけ払うと、うれしそうに口笛を吹きながら帰っていきました。

「ペテン師みたいな気分」暖炉の石の下にお金をしまいながらソフィーは言いました。「だけど、決闘は見てみたいね」

「おいらだって！」カルシファーがパチパチ言いました。「ねえ、いつになったらおいらを解放して、見物ができるようにしてくれるんだい？」

「どんな契約なんだか、ヒントさえもらえたらねえ」

「それなら、今日じゅうにひとつはだいじょうぶさ」カルシファーがうけあいました。

午後も遅くなってから、マイケルが元気よく帰ってきました。心配そうにあたりを見まわしてハウルがまだだと確かめると、ずっと忙しかったように見せかけるために、作業台の上にいろいろ並べはじめました。そのあいだも陽気に歌を口ずさんでいます。

「あんな遠いとこまで元気に歩けてうらやましいよ」ソフィーは、銀の網に青い三角を縫いつけながら言いました。「それで、マー、……マイケル、あの子はどうしてた？」

マイケルはうれしそうに暖炉脇の椅子に腰を下ろすと、その日の出来事を話してくれ、ソフィーにも留守中のことをたずねました。両腕に山のような荷物をかかえたハウルが肩で扉を押しあけて入ってきたとき、マイケルは忙しそうなふりをするどころか、決闘のまじないのことを聞いて、座りこんで腹をかかえて笑っていたのです。

ハウルは背中で扉をしめると、そのままぐったりと背をもたせかけて言いました。

「あんたたちときたら！　もうぼくは破滅だっていうのに。あんたらのためにずっとあくせく働いてきたのに。それなのに、誰一人、カルシファーでさえ、お帰りとも言ってくれない！」

マイケルはぎくりとしてとびあがりましたが、カルシファーは「おいらはお帰りなんて言ったこと、ないぜ」と言いました。

「どうかしたの？」ソフィーがたずねました。

「ああ、よかった」とハウル。「お義理とはいえ、ようやくぼくを見てくれる人がいた。ソフィー、よくぞ聞いてくれた。そうさ、どうかしたんだ。王様が正式に王弟殿下の捜索を依頼してきたんだよ。おまけに、荒地《あれち》の魔女も退治してくれると都合がよろしいと、露骨《ろこつ》にほのめかされた。それなのに、あんたらは笑ってるんだからな！」

今や、ハウルのご機嫌があの緑のねばねば生産寸前であることは明らかでした。ソフィーはあわてて縫物をしまいました。「熱々《あつあつ》のバタートーストをこしらえてあげよう」

「悲劇が目の前に迫っているのに、あんたにできるのはそれだけ？　トーストだって！　いやいや、立ちあがらなくていい。こっちはあんたたちのための買い物でくたくたになってきたんだから、せめて興味あるふりぐらいしなさいよ。ほら」と言うと、ハウルはソフィーのひざの上に荷物の雨を降らせ、マイケルにも別の包みを手渡しました。

わけがわからないままに、ソフィーは包みを次々にあけてみました。絹の靴下が数足。たっぷりしたひだに、レースと、サテンの帯のついた上等な亜麻布《あまぬの》製のペチコート。はき心地のよさそうなブーツはハトのような灰色のスエード。レースの肩かけ。灰色の絹のドレスは波模様を織りこんだ生地で、すそには肩かけと同じレースがついています。玄人《くろうと》の目で品物を見渡したソフィーは、息をのみました。このレースだけでもひと財産します。こわごわ、絹のドレスに触ってみました。

マイケルの包みに入っていたのは、真新しくすてきなビロードの上着とズボンでした。「きっと王様からもらった財布のお金を使いきったんでしょう！」マイケルの声は、うれしそうではありません。「ぼくはいりませんよ。ハウルさんこそ、新しい服が必要なのに」

ハウルの靴が、青と銀色の服のなれの果てにひっかかりました。ハウルは悲しそうに布をつまみあげました。ソフィーは懸命に縫いつけていたのですが、あいにくまだ穴の面積の方が多いのです。「ぼくって、なんて無欲なんだろう！　だけど、ぼくの母親がおともをつれて王様にぼくの悪口を言いにいくとなったら、ぼろ着ていかせるわけにもいかないだろ。王様に、歳とった母親の面倒もみれないと思われるじゃないか。ねえ、ソフィー？　靴はぴったりかい？」

ソフィーは夢からさめたように顔を上げました。「あんたって、親切なの？　それとも、卑怯なの？　服はありがたいけれど、行くのはまっぴら」

「なんと恩知らずなお言葉！」両腕を広げてハウルが叫びます。「もう一度緑のねばねばを出そうかな。あんたが行かないとなったら、城を千マイルも移動させなきゃならなくなって、かわいいレティーとは二度と会えないんだ」

マイケルまでもが、すがるようにソフィーを見ました。ソフィーはハウルをにらみつけました。自分が王様と会うかどうかに、妹たちの幸福がかかっているのはよくわかりました。おまけに緑のねばねばでおどされて。「あいにくまだ何もちゃんと頼まれちゃいないよ」

ハウルはにっこりしました。「じゃあ、出かけてくれるんだね？」

「しかたないね。いつにしてほしい？」

「明日の午後だよ。マイケルが従僕になるんだ。王様とはもう約束してきたから」椅子に座りこんだハウルは、大まじめでソフィーの言うべきせりふを説明しはじめました。自分の思いどおりになったので、不機嫌さは跡形もなく消えています。ソフィーはそれに気がつき、ハウルをひっぱたいてやりたくなりました。

「とても微妙なことをやってほしいんだ」ハウルが説明します。「今後とも移動のまじないのような簡単な仕事はもらえるけれど、王様の弟を探すような大事な仕事をまかせるのは無理だと思われるように。ぼくが荒地《あれち》の魔女を怒らせたのは、つきあってたあげく、ふったからだと話すんだ。あんたにとってはとても孝行な息子だけど、王様にとっては役に立たないやつだとわからせるんだよ」

ハウルはこまごまと説明を続けました。ソフィーは新しい服や下着を両手でしっかり握りしめたまま、話をのみこもうと努力しましたが、こう思わずにはいられませんでした――もしあたしが王様だとしたら、ばあさんにこんなことくどくど言われたって、なんだかさっぱりわからないでしょうね！

一方マイケルの方はハウルの脇をうろつき、例の呪文のことで質問する機会をうかがっていました。ハウルはハウルで王様に言ってほしいことをあれこれと思いつくものですから、マイケルを追い払ってばかりいました。

「マイケル、あとでね。それからソフィー、宮殿ですくみあがるといけないから、前もって慣らしておいた方がいいだろう。謁見の最中におかしな発作を起こされても困るからね。マイケル、あとあと。だから、明日、宮殿に行く前に、ぼくが昔教わったペンステモン先生をあんたが訪問する手はずにしておいた。あの人はすごい人物さ。

ある意味では王様よりずっと堂々としてる。だから、そのあとで宮殿に行くころには、えらい人に会っても驚かなくなってるだろう」

ソフィーは承諾したことを後悔しはじめていました。ハウルがようやくマイケルの方をむいたときには、心からほっとしたほどです。

「いいよ、マイケル。そっちの話を聞こう。なんだい？」

マイケルは例のつやのある紙を振りまわし、この呪文がどれほど難しいか、早口でまくしたてました。

ハウルはいささか驚いたようすで、「何がわからないって？」と、手渡された紙片を広げて、じっと見つめました。片方の眉が上がりました。

「謎々を解こうともしたし、書いてあるとおりにやってもみたんです」マイケルは説明しました。「でも、ソフィーさんもぼくも流れ星をつかまえそこねて……」

「ああ、なんてことだ！」ハウルが大声でさえぎり、ぷっと吹きだしました。でもすぐに、唇をかんで笑いを止めました。「マイケル、これはぼくがやっとけと言った呪文じゃないよ。どこで見つけたんだい？」

「作業台の上です。ソフィーさんが頭蓋骨のまわりに積みあげた物のあいだにありました」と、マイケル。「新しい呪文らしいのはこれだけでした。ですからぼくは……」

ハウルははじかれたように立ちあがると、台の上を調べはじめました。ハウルがかきまわすので、いろいろな物があちこちにすべり落ちます。「またやってくれたね、ソフィー！　あんたのやりそうなことだよ！　おや、本物の呪文は見つからないぞ」ハウルは、褐色をしたなめらかな頭蓋骨のてっぺんを、考えこみながらたたきました。「頭蓋骨くん、きみのしわざかい？　きみはむこうの世界から来たという気がするんだ。あのギターもそうさ。まったくソフィーときたら……」

「何さ？」

「せんさく好きの、手に負えないソフィー。あんたは扉のダイヤルを黒にしてその鼻をつっこんだんだ、そうだろう？」

「ほんのぽっちり」ソフィーはすまして答えました。

「とにかく、扉をあけたんだね。だからこの紙がこっちに来ちゃって、マイケルが呪文だと思いこんだんだ。二人とも、いつもの呪文らしくないとは思わなかったのかい？」

「呪文の中には変わったのもありますから」マイケルが答えました。「呪文じゃないんなら、なんなんですか？」

ハウルはまたぷっと吹きだしました。「『これについて解釈しなさい。続きを自分で書いてみよう！』だってさ」ハウルは階段に駆け寄り、「本を見せてあげるよ」と、上りながら二人に声をかけました。

「きのう湿原を駆けずりまわったのは時間のむだだったみたいね」ソフィーが言うと、マイケルも憂鬱そうにうなずきます。自分がまぬけみたいな気がするのでしょう。

「あたしのせいだ。ダイヤルを黒にして扉をあけたのはあたしだから」

「むこうはどんなでした？」マイケルが好奇心を起こして聞きました。

ちょうどそのとき、ハウルが猛烈な勢いで階段を駆けおりてきました。「この詩がのってる本は見つからなかった」ハウルは腹を立てているようです。「マイケル、さっき流れ星をつかまえにいったとか言わなかったか？」

「ええ。でも星のやつ、ひどくおびえちゃって。沼に落ちて溺死しました」

「そりゃ、よかった！」

「かわいそうだった」横からソフィーが口を出します。

「かわいそう？　星が？」ハウルはさっきよりもっと怒っているようです。「言いだしたのはあんただろう？　そうに決まってる！　マイケルのお尻をたたきながら湿原をとびまわってるのが目に浮かぶね。いいかい、マイケルはすごくおろかなことをしたんだ。もしも流れ星をつかまえてたりしたら、かわいそうどころじゃすまなかったんだ。それなのに、あんたは……」

煙突の中でカルシファーが眠たそうに炎をちらつかせると、言いました。「いったいなんの騒ぎだい？　そういうあんたも、昔、つかまえたじゃないか？」

「ああ、だからこそ……」ハウルは言いかけると、ビー玉のような瞳でカルシファーをにらみつけました。けれども気を変えたらしく、マイケルにむかって言いました。「約束してくれ。もう二度と流れ星をつかまえようなんて気を起こさないって」

「約束します」マイケルはすなおに返事しました。「でも、呪文でないとすると、あれはなんだったんですか?」

ハウルは手にした灰色の紙に視線を落としました。「これは『ソング』という題の詩だ。だから『歌』なんだろうな。でも、これは詩の最初の部分だ。続きがあるんだが、思いだせない」ハウルはじっと考えこむうちに、何か思いつき、そのせいで心配になったようすです。「次の部分が重要なんだと思う。詩の本をとってこよう……」

ハウルは扉のダイヤルを黒に動かし、ちょっとためらいました。マイケルとソフィーの方をふりむくと、思ったとおり二人ともダイヤルを見つめています。

「わかった。残れと言っても、ソフィーはどうにかしてもぐりこむに決まっている。それじゃあマイケルがかわいそうだ。さあ、二人とも来なさい。目の届くところに置いといた方が安心だ」

ハウルは何もない空間にむけて扉をあけ、一歩ふみだしました。あとを追いかけようとあせったマイケルが、椅子につまずきました。ソフィーも勢いよく立ちあがりましたが、その拍子に買い物の包みが暖炉の前にとびちりました。「火花を落とすんじゃないよ!」ソフィーはあわててカルシファーに声をかけました。

「むこうのようすを聞かせてくれるんならね。そういえば、さっきヒントがあっただろう?」とカルシファー。

「そう?」返事をしたものの、急いでいたソフィーは、あまりよく聞いていませんでした。

十一章　甥《おい》っ子の宿題

　あの何もない空間は、実はわずか一インチの厚みしかありませんでした。そのむこう側は、灰色に霧雨《きりさめ》がけむる夕方でした。舗装された小道が目の前から門に通じています。

　ハウルとマイケルは、門のところでソフィーが追いつくのを待っていました。門の外の平らで硬そうな道の両側には家々が並んでいます。霧雨にかすかに身震いしたソフィーがうしろをふり返ると、城は大きな窓のついた黄色い煉瓦《れんが》の家に変わっていました。通りのほかの家と同じように、四角い真新しい建物で、玄関の扉はでこぼこした硝子扉《ガラスとびら》になっています。通りに人影は見えません。霧雨のせいかもしれませんが、ソフィーは家の数こそ多くても、このあたりが町はずれだからだ、という気がしました。

「もうじゅうぶん、きょろきょろしただろう」ハウルが声をかけました。派手な灰色と真紅の服も雨の中でぼやけています。おかしな形の鍵の束を振りまわしていますが、家につりあった、平らで黄色い鍵ばかりに見えます。

ソフィーが小道から門へたどりつくと、ハウルが「服装をここに合わせないと」と言いました。そのとたんハウルの派手な服から色がなくなり、霧雨が集まって全身を包んだような感じがしました。もう一度ピントが合うと、服は灰色と真紅にもどりましたが、形が変わっていました。長い袖がなくなり、全体にだぶだぶのぼろい着古しに見えます。

マイケルの上着は、中綿入りの腰までの長さの服に変化しました。帆布でできた運動靴をはいた足を持ちあげたマイケルは、自分の脚を包みこんでいるきつい青いズボンを見つめました。「ひざがうまく曲がりませんよ」

「すぐに慣れるさ」と、ハウル。「さあ行くよ、ソフィー」

驚いたことにハウルは庭をとおって、今出てきた黄色い家にむかおうとしています。だぶだぶの背中には『ウェールズ・ラグビー』とかいう、奇妙な言葉が書いてありました。マイケルは歩きにくそうについていきます。ズボンがきついせいでしょう。ソフィーはといえば、不格好な靴をはいたやせこけた脚が、丈の短くなったスカートの下からいつもより多く出ているだけで、ほかはほとんど変わっていません。

ハウルは硝子戸を鍵のひとつであけました。戸の横には木製の表札が鎖でつるしてあります。ソフィーは、ハウルにちりひとつない玄関ホールへ押しこまれる前に、札に書いてあった『リヴェンデル』*という文字を読みとりました。

どうやら中に人がいるようです。そばの扉ごしに大きな声が聞こえてきます。ハウルがその扉をあけると、大きな四角い箱の中で、色つきの絵が動き、しゃべっているのが見えました。魔法でしょうか？

「ハウエルじゃないの！」部屋の中で編物をしていた女性が大きな声をあげ、少し迷惑そうに編物を下に置きました。

けれども女性が立ちあがる前に、組んだ両手の上にあごをのせて、熱心に魔法の絵を見ていた小さな女の子がとびあがり、「ハウエルおじちゃん！」と叫んで、ハウルにしっかりしがみつきました。

「マリ！」ハウルも叫び返します。「元気してた？　ばっちしかい？」

二人は早口で聞き慣れないなまりでまくしたてました。ソフィーの目にも、二人の仲のよさがわかります。でも、どこのなまりでしょう？　カルシファーの口ずさむフライパンの歌と同じような響きですが、確信は持てません。一気にまくしたてる合間に、ハウルはまるで腹話術師のように紹介をはさみました。

「こちらはぼくの姪《めい》のマリと姉のミーガン・パリー。姉さん、こちらの二人はマイケル・フィッシャーに、ソフィー、えーっと」

＊　トールキンの『指輪物語』に登場するエルロンドという人物の館の名前。

「ハッター」ソフィーが助け船を出しました。

ミーガンは興味なさそうな顔で二人と握手をかわしました。面長《おもなが》でやせた顔は弟のハウルそっくりです。ちがうのは目が青く、神経質そうなことと、髪の毛が褐色なことです。ミーガンが「マリ、静かにしなさい」と、にぎやかなおしゃべりに割って入りました。「ハウエル、ゆっくりしていくつもり？」

「ちょっと寄っただけさ」ハウルはマリを床に降ろしながら答えました。

「ガレスなら、まだよ」ミーガンが意味ありげに言いました。

「残念、ゆっくりできないんだ」ハウルはうわべだけの笑みを浮かべました。「この二人を引きあわせようと思っただけなんだ。それに、くだらないことだけど、聞きたいこともあったし。最近、ニールのやつ、詩の宿題をなくしたりしてない？」

「まあ、あんたがそんなこと言うなんて！」ミーガンが驚きの声をあげました。「あの子、あちこち探しまわってたのよ。たしか、先週の木曜日だった。新しい先生が、綴《つづ》り以外にもうるさい、厳しい人なんですって。宿題は期限どおりに提出するものです、さもないと怖いわよって、あの子も身にしみてるみたい。怠け者のニールにはいい薬。とにかく木曜日に家じゅう探しまわってたんだけど、見つかったのはなんだか古ぼけた紙きれだけで……」

「で、その紙をどうした？」ハウルが聞きます。

「アンゴリアン先生に渡したら、って言ってやったわよ。宿題をやろうとしたことだけでもわかってもらいなさいって」

「それで、あいつ、渡したの？」

「知るもんですか。ニールに聞きなさいよ。例の機械をかかえて自分の部屋にいるから。だけど、まともな話を聞こうとしても、無理よ」

「行こう」ハウルは、茶色とオレンジ色で統一されたきれいな部屋に見とれていたマイケルとソフィーに声をかけました。そしてマリの手をとると、いっしょに部屋から連れだし、階段を上っていきます。階段も絨毯敷きですが、絨毯はピンクと緑の二色でした。ハウルを先頭に、四人は音もたてずに二階へ上がると、青と黄色の絨毯の部屋に入りました。

　中では二人の少年が、窓際の大きなテーブルの上にのせた大小さまざまな魔法の箱の上にかがみこんでいました。たとえ吹奏楽隊に合わせて軍隊が入ってきても、顔を上げないと思われました。いちばん大きな魔法の箱は、階下の箱と同じように前面に硝子《ガラス》がついています。ただ、絵ではなくおもに文字や図形が出てくるようです。どの箱からも長くだらんとした白い茎のようなものがはえていて、根もとはすべて壁につながっています。

「ニール！」ハウルが呼びかけました。

「ニールの邪魔しちゃだめ」少年の一人が言いました。「死んじゃうから」

生死にかかわる事柄だと聞いて、ソフィーとマイケルは扉の方へあとずさりしました。けれどもハウルは、甥《おい》が死ぬと聞いても顔色も変えず、壁際へ行くと茎を根っこからひっこぬきました。箱の絵がぱっと消えたときの二人の少年の悪態ときたら、さしものマーサも顔負けだと、ソフィーは思いました。もう一人の少年がこちらをふりむき、「マリ、おまえだな。覚えてろ」とどなりました。

「あたしじゃありませんよーだ！」マリが言い返しました。

少年はやっとハウルに気づいて、非難するようににらみました。

「やあ、ニール」ハウルは愛想よく言いました。

「誰だい？」最初の少年がたずねています。

「困りもんの叔父さん」ニールは髪は黒いし眉も濃いので、にらむと迫力があります。

「なんの用？　早くプラグを戻してよ」

「なんていう歓迎のしかただい。聞きたいことがあるんだ。答えてくれたら、戻してやるよ」とハウル。

ニールはため息をつきました。「叔父さん、ぼくらコンピュータ・ゲームの最中なんだけど」

「新しいやつかい？」

少年たちは不満そうな顔をし、ニールが答えました。「ううん。クリスマスにもらったやつだよ。役に立たないもんに時間とお金をかけるなって、父さんたちがうるさいのは知ってるでしょ。誕生日までは新しいのはもらえないんだ」

「それなら話は簡単じゃないか」と、ハウル。「前にやったことのあるやつなら中断したっていいだろ。新しいゲームをあげるからさ……」

「本当？」二人は熱っぽく声をそろえます。ニールがつけ加えました。「前みたいに、誰も持ってないやつにしてくれる？」

「いいよ。だけど、その前にこれがなんだか教えてほしいんだ」ハウルはニールの顔の前につやのある灰色の紙をかざしました。

少年たちはそれを眺めました。ニールが「詩だ」と答えましたが、その口調は誰かが「死んだネズミだ」と言うときと同じ、うんざりした調子でした。

「アンゴリアン先生が先週の宿題に出したやつだね」もう一人の少年が言います。

「『風を見つけろ』とかいうところを覚えてるよ、帆船のことだろ」

ソフィーとマイケルがこの新説に驚き、どうして思いつかなかったのだろうと考えているあいだに、ニールが叫び声をあげました。「なんだ！　行方不明だった宿題じゃないか。どこにあったの？　あれ、そうすっと、あのへんな紙は叔父さんのだったんだ。アンゴリアン先生はとても興味深いってさ……おかげで助かったけど。だから、叔父さんの紙は先生が持ってったよ」

「そうかい。先生はどこに住んでるの？」

「フィリップスさんの喫茶店の上だよ。カーディフ通り。それで、新しいゲームはいつもらえるの？」とニール。

「この詩の残りを思いだしてくれたら」

「そんなのありかよう！」ニールが文句を言います。「ここに書いてあることだって覚えてなかったんだぞ。ぼくが子どもだと思ってなめてんじゃないの？」

ハウルは笑いだし、だぶだぶのポケットをさぐって、中から平らな包みをとりだしました。それを見たとたん、ニールは文句を言うのをやめ、「ありがと！」とうれしげに礼を言うなり、もう魔法の箱にとびついていました。ハウルはにやにやしながら根っこの束を壁に植えてやると、マイケルとソフィーを手招きして部屋から出ました。少年たちはあたふたと不思議な作業にとりかかり、どうにか二人のあいだに割りこんだマリも、親指をしゃぶりながら見まもっています。

ハウルは急ぎ足でピンクと緑の階段にむかいましたが、ソフィーとマイケルはまだ戸口でうろうろして、何をやっているのかとのぞきこんでいました。部屋の中ではニールが説明文を読みあげています。

「きみは四つの扉のある魔法の城にいる。扉ごとに、通じている次元がちがう。ひとつ目の次元では城はたえず動いており、常に危険にさらされ……」

　ソフィーは階段にむかいながら、なんとなく聞き覚えがあるなと思いました。階段の途中に、マイケルが困った顔をして立ち止まっているのが見えます。階段の下でハウルが姉さんと言い争っているのです。

「どういうことだよ、ぼくの本を全部売っぱらったってのは？　あん中にとても大事な本があったのに。姉さんに売る権利なんてないだろ」

「話の腰を折るんじゃないの！」ミーガンは低い声ではげしく言いました。「いい、聞きなさい。前にも言ったはずよ、うちをあんたの物置にしないでちょうだい。あんたときたら、ガレスとあたしのつら汚し。まともなスーツも着ずに、そんな服でうろつく。おまけにろくでなし連中とつきあっては、うちへ連れてくるんだから！　あたしたちまで、だらしなくなれって言うの？　あんなにいい教育を受けときながら、ちゃんとした仕事にもつかないなんて。大学に行ったのもむだ。ぶらぶらして、あんたのために犠牲を払った人間のことも考えないで、むだづかいばかりして……」

　ミーガンはおしゃべりにかけては、フェアファックス夫人の好敵手になりそうでした。えんえんと話が続きます。ハウルがのらりくらりかわす習慣を身につけたわけが、これでわかりました。ミーガンという人は、手近の扉からこっそり逃げだしたくなる類《たぐい》の相手なのです。あいにく、ハウルがあとずさりしたところは階段で、ソフィーとマイケルが道をふさいでいました。

「……全然まっとうに働かないし、一度も自慢できる仕事についてくれたためしがない。あたしやガレスに恥ばかりかかせて。来ればマリを甘やかして」ミーガンは情け容赦なく責めたてます。

ソフィーはマイケルを脇にどかせると、せいいっぱい堂々とした顔つきで階段を降り、「さあ、ハウル」とえらそうに言いました。「もうお暇《いとま》しなくては。ぐずぐずできませんよ、時は金《かね》なりですからね。召使たちが、金《きん》の皿を売り払ってるといけませんからね」ソフィーは階段を降りきるとミーガンに言いました。「お会いできてよかった。でももう帰りませんと。ハウルはひっぱりだこでしてね」

ミーガンはちょっと息をのみ、ソフィーを見つめました。ソフィーは尊大にうなずき返すと、ハウルを玄関の硝子戸の方へせきたてました。マイケルの顔はまっ赤になっています。ハウルはミーガンをふり返ってたずねました。「ぼくのぼろい車はまだ納屋かい？　それともあれも売っちゃったの？」

「キーはあんたしか持ってないじゃないの」ミーガンはむっつりと返事しました。

それがさよならがわりでした。玄関の戸がばたんとしめられます。ハウルは二人を平らな黒い道路のはずれにある、四角い白い建物へ案内しました。ミーガンのことは何も言いわけせず、その建物の大きな戸の鍵をはずしながら「そのおっかない先生なら、あの本を持ってるはずだから」と言っただけです。

その後のことは、ソフィーにとっては悪夢としか思えませんでした。三人は馬のない馬車に乗りこみ、それが恐ろしい速度で悪臭と騒音と振動とともに、見たこともないほど急な坂道を下っていったのです。両側の家々が下まですべり落ちないのが不思議なほど急な坂です。ソフィーはぎゅっと目をつぶり、めくれあがった座席のはじにしがみついていました。そして、一刻も早く終ることだけを願っていたのです。

幸い、悪夢はすぐ終りました。三人は両側に家が立てこんでいるまっ平らな通りの中の建物に着きました。白いカーテンのかかった大きな窓に『喫茶』『閉店』という札が下がっていました。札を無視してハウルが窓の隣にある小さな扉の呼鈴《よびりん》を押すと、アンゴリアン先生が扉をあけました。

三人は思わず見とれました。厳しい先生と聞いたわりには、驚くほど若くほっそりしたきれいな女性だったからです。小麦色のハート型の顔のまわりに、烏《からす》の濡羽色《ぬればいろ》の豊かな黒髪をたらし、大きな瞳は褐色でした。ただその大きな瞳で油断なくまっこうから一同を見すえ、値ぶみしているようすがわずかに厳しさをうかがわせました。

「あなた、ハウエル・ジェンキンスさんでしょ。すぐわかりましたわ」アンゴリアン先生が言いました。低い美しい声は、おもしろがっているようで、自信ありげでした。

ハウルは一瞬あっけにとられたようですが、ぱっとほほえみを浮かべました。これでレティーとフェアファックス夫人の楽しい夢もおしまいだと、ソフィーは思いました。というのも、アンゴリアン先生はハウルのような男性がひと目で恋に落ちる、まさしくそういうタイプの女性だったのです。いえ、ハウルだけではありません。マイケルもうっとりと見とれています。

あたりには一見、人影がありませんが、近所の家の人がハウルとアンゴリアン先生を知っており、このあとの展開を興味しんしんで見まもっていることを、ソフィーは疑いませんでした。カーテンの陰から見ている目が感じとれます。〈がやがや町〉でも同じでしたから。

「そして、あなたがアンゴリアン先生ですね」ハウルが答えます。「お邪魔して申しわけありません。先週うっかりミスをしまして、ある大事な書類と間違えて、甥の宿題を持ちだしてしまったんです。甥は、怠けてなかった証拠に、それをあなたにお渡ししたと思うのですが」

「ええ、確かに」先生が答えました。「どうぞ中にお入りになって。お返しします」

みんなでぞろぞろ中に入り、階段を上ってあっさりした小さい居間にむかいながら、ソフィーは近所のおせっかいたちが今や目を見ひらき、首をつきだしたのは確実だと思いました。

アンゴリアン先生は親切に、「お座りになりませんか」とソフィーに言いました。

ソフィーはさっきの馬のない乗り物のせいでまだ気分が悪かったので、二脚ある椅子のひとつに喜んで腰を下ろしました。でも座り心地のよくない椅子です。部屋は居間というよりは、書斎として作られていました。見慣れない物が多い中、壁一面の書物、机の上の書類の山、床に積み重ねられた紙ばさみはソフィーにもよくわかる物でした。座ったままソフィーは、マイケルがおずおずと先生を見つめ、ハウルが魅力をふりまきはじめたのを見ていました。

「どうしてぼくをご存じなんです？」ハウルは気を引くようにたずねました。

「この町ではずいぶん噂になっていらっしゃいますもの」机の上の書類をめくりながら、アンゴリアン先生が答えました。

「どんな噂ですか？」ハウルはきどって机のはじに寄りかかり、先生の視線をとらえようとしていました。

「たとえば、あなたが姿を消したと思うと、気まぐれにあらわれること」とアンゴリアン先生。

「ほかには？」ハウルがアンゴリアン先生の動作を追う表情を見て、ソフィーは悟りました。アンゴリアン先生の方でもこの場で恋をしてハウルを興ざめさせたりしないかぎり、ハウルはレティーのことを忘れるわね。

しかし、アンゴリアン先生はひと目ぼれをするような女性ではないようです。「ほかにもいろいろありますが、どれもあまりいい評判じゃないようですね」と言うと、先生はマイケルの方を見ました。マイケルは顔を赤くしました。それから先生はソフィーに顔をむけ、この人たちには聞かせられませんわという顔をしました。ようやくアンゴリアン先生は黄ばんではじがめくれた紙を探しだすと、きっぱり言いました。

「さあどうぞ。これがなんだか、ご存じ?」

「もちろんです」と、ハウル。

「では、教えてくださらない?」

ハウルは紙を受けとりました。ついでに先生の手も握ろうとしたため、もみあう感じになりました。さっと手をひっこめることに成功した先生は、両手を背中にまわしました。ハウルはとろけるような笑みを浮かべながら、マイケルに紙を渡しました。

「マイケル、教えてあげなさい」

恥ずかしがっていたマイケルの顔が、紙を見たとたんぱっと明るくなりました。

「あ、呪文です! これならできます——物を大きくするやつですね?」

「思ったとおり」アンゴリアン先生は非難するような口ぶりでした。「こんな物で何をなさるのか、知りたいものですわ」

「アンゴリアン先生、もしぼくの噂をすっかりお聞きでしたら、ぼくが魔術と呪文で学位論文を書いたこともご存じのはずです。黒魔術をやっているとお疑いみたいですね。でもぼくは一度も魔法なんて使ったことはありません」

ハウルがずうずうしく嘘をついたので、ソフィーは思わず鼻を鳴らしました。

「胸に手を置いて誓いますよ」ハウルは言いながら、いらだたしげにソフィーにしかめつらをしました。「この呪文は単なる研究用です。とても古くてめずらしい物です。だからこそ、とりもどしたかったんです」

「それなら、もうとりもどされたでしょ」アンゴリアン先生はてきぱきと言いました。「お帰りになる前に、宿題の紙の方もお返しくださいな。コピー代が助かりますから」

ハウルはすなおに灰色の紙をとりだしましたが、相手の届かないところにかざしました。「この詩ですけど、頭を悩ましていることがあって。ばかげた話ですが、続きが思いだせないんです。作者はウォルター・ローリー*でしたよね?」

アンゴリアン先生は氷のような目でハウルを見ると、言いました。「まさか。作者はジョン・ダンで、かなり有名な詩です。もし続きを知りたいなら、本がありますけど」

「それは、もうぜひ」とハウル。視線は壁際の書棚にむかう先生を追っています。その真剣なようすを見て、ソフィーはハウルが自分の家族が住んでいるこの奇妙な国へ

＊　サー・ウォルター・ローリー（一五五二?―一六一八）は、イギリスの貴族、政治家、詩人。

来た本当の目的は、詩の本だったと思いだしました。けれども、ハウルは平気で一石二鳥をねらうタイプです。「アンゴリアンさん」本に手を伸ばした先生の体の線に目を奪われながら、ハウルが訴えるように言いました。「今晩、ごいっしょに夕食でもいかがですか?」

アンゴリアン先生は重たい本をかかえたままふりむきました。さっきより怖い顔です。「あいにくですね、ジェンキンスさん。あたくしがどういう女だとお思いかは存じませんが、今もベン・サリヴァンの婚約者なんですよ」

「そんな人、知りませんね」と、ハウル。

「ベンは数年前に行方不明になりました。さあ、あたくしが詩を読んでさしあげましょうか?」

「読んでください。そのすてきな声が聞きたい」ハウルはこりたようすがありません。

「では、二連からにします。一連はそこにお持ちなんですから」

アンゴリアン先生は朗読が上手でした。音楽的だというだけでなく、第二連が第一連と同じ形式だとわかるような読み方だったのです。それを聞くまでソフィーは、第一連の形式はなっていないと思っていましたから。

「おまえさんが摩訶《まか》不思議なものや、

目に見えぬものを見る質《たち》なら、
万の昼夜を渡ってきたらいいじゃないか、
歳月がおまえさんの頭を白くするまで。
帰ってきたら、おれに語ってくれるだろうさ、
じかに見てきた不思議なことどもを、
　そして誓うさ
　　どこに行っても
誠実な美女はいなかったと。

そんな美女が見つかったら……」

　ハウルの顔がふいにまっ青になり、大粒のひや汗が浮かびました。「どうもありがとう。もうけっこうです。あとは読んでいただくにおよびません。最後まで読むと、善良な女性でさえ誠実ではないって話でしたね。思いだしました。ぼくもまぬけですね、もちろんジョン・ダンです」アンゴリアン先生は本を下に下ろし、ハウルを見つめました。ハウルはこわばった微笑を浮かべます。「これでお暇《いとま》します。夕食の件ですが、気が変わりませんか？」

「おことわりします」アンゴリアン先生が答えます。「あら、ジェンキンスさん、お加減が悪いのでは？」

「ぴんぴんしてます」そう答えると、ハウルはマイケルとソフィーを押しだすようにして階段を降り、馬なしの乗り物へ戻りました。カーテンの陰の見物人たちは、きっとアンゴリアン先生がサーベルでも振りまわしたと思ったにちがいありません。それほどハウルは二人をせかして、その場を離れたのです。

「どうかしたんですか？」乗り物がゴウゴウとうなりをたてて丘を登りだすと、マイケルがたずねました。ソフィーはといえば、必死で座席のはじにしがみついていました。ハウルは聞こえなかったふりをします。そこでマイケルは、ハウルが乗り物をしまって納屋に鍵をかけてから、もう一度たずねました。

「なんでもないよ」『リヴェンデル』と呼ばれているらしい黄色い家の方に先頭に立って戻りながら、ハウルがうわの空で答えます。「荒地《あれち》の魔女に、呪《のろ》いを送りつけられた、それだけのことだ。遅かれ早かれ、こうなっただろうが」門をあけながらも、何やら暗算しています。「一万日」とつぶやくのが聞こえました。「ちょうど夏至《げし》になる」

「夏至がなんですって？」ソフィーは聞いてみました。

「その日はぼくが生まれてから一万日目なんだよ、おせっかいさん」ハウルは『リヴエンデル』の庭へせかせかと入りながら、続けました、「ぼくが荒地の魔女のもとへ戻る運命の日ってこと」

ソフィーとマイケルは、『ウェールズ・ラグビー』という不思議な文字をしょったハウルの背中を見つめながら、小道でぐずぐずしていました。

「もし、人魚に近づかないで」ハウルのひとり言が聞こえます。「マンダラゲの根っこにも触らなければ……」

マイケルが声をかけました。「この家に戻らないとだめですか？」

ソフィーも聞きます。「魔女のところに戻ると、どうされるわけ？」

「考えたくもないね、ソフィー。この家に戻るわけじゃないよ、マイケル」

ハウルが硝子扉をあけると、今度はなじみ深い城でした。眠そうなカルシファーの炎が薄暗い部屋をほのかな青緑色に照らしています。ハウルは長い袖をまくりあげ、すぐにまきをくべました。

「おい、青い顔の親分。あの詩は魔女が送りつけた呪いだった」

「わかってる」カルシファーが答えました。「おいらもそんな気がしてたよ」

十二章　王様に会うまえに

荒地《あれち》の魔女に呪いを送りつけられた以上、今さらソフィーが王様にハウルの悪口を言ってもむだでしょう。ところがハウルは、ますます重要になったと言うのです。
「魔女から逃れるだけでも、手持ちの札が残らず必要なんだ。そのうえ王様にまで、やいやい言われたくないよ」

そこで翌日の午後、盛装したソフィーは、マイケルが自分の支度をし、ハウルが浴室でおめかしを終えるのを待っていました。ちょっと緊張していましたが、いい気分です。待っているあいだに、約束どおりハウルの家族が住んでいる不思議な国のことをカルシファーに話して聞かせました。おかげで王様のことを考えずにすみます。

カルシファーはおもしろがりました。「ハウルが外国から来たのは知ってた。でも、あんたの話だと外国なんてもんじゃない、別世界みたいだね。そんなところから呪いを持ってくるなんて、たいした魔女だ。ほんと、どう考えてもみごとだな。おいらが感心してるのは魔法の技だよ。だってそうだろ、出来合いの詩をうまいぐあいに呪いとして使っちまったんだぜ。おいらもね、あやしいなと思ってたよ。あんたとマイケルがあれを読むのを聞いててね。まぬけなハウルのことだ、荒地の魔女に身の上をしゃべりすぎたのさ」

ソフィーはカルシファーのやせた青い顔を見つめました。カルシファーが呪いをほめるのは別に意外ではありません。ハウルをまぬけ呼ばわりすることだって。しょっちゅう悪口を言っているのですから。けれども心底憎んでいるのかとなると、未《いま》だに謎です。なにせカルシファーはもともと悪者づらなので、判断できないのです。

カルシファーはオレンジ色の目でソフィーの目をのぞきこむと言いました。「おいらも怖いのさ。だってもしハウルがつかまったら、おいらも苦しむんだから。あんたが早いとこ契約を破ってくれないと、おいらだって結局、あんたを助けてやれない」

ソフィーがもっと聞きだそうとしたとき、とびきりめかしたハウルが大急ぎで浴室から出てきました。部屋じゅうに薔薇《ばら》の香りをふりまき、マイケルを呼びたてます。ソフィーも立ちあがって、新品の青いビロードの服を着こんだマイケルが階段を駆けおりてきました。頼りになる杖を手にしました。出かける時間です。

「ソフィーさん、金持ちの立派なご婦人に見えますよ」マイケルがほめました。

「ああ、ぼくの評判をさぞ上げてくれるだろうよ」とハウル。「おんぼろのその杖でぶちこわしだけどさ」

「世の中には、勝手なことを言う人もいるもんだ。この杖は持っていくよ。心の支えなんだから」と、ソフィー。

ハウルはやれやれというように天をあおぎましたが、何も言いませんでした。もちろん、ソフィーはふり返ってみました。

三人はキングズベリーの通りへ優雅にくりだしました。ソフィーはふり返ってみました。ここでは城がどう見えるのか、確かめたかったのです。すると、小さな黒い扉を大きなアーチ型の門構えが取り囲んでいました。あとは、二軒の彫刻のある石造りの家のあいだにしっくい壁が広がっているだけです。

「聞かれる前に言っておくけど」とハウル。「扉をつけたのは空家になってた馬屋だ。さあ、こっちへ」

通りを歩く三人は、首都を歩くお上品な人たちにもひけをとりません。もっとも人通りは多くありませんでした。インガリーの中でもかなり南寄りにあるキングズベリーは、焼けつくような猛暑でした。歩道に陽炎《かげろう》が立っています。ソフィーはまたひとつ、歳をとることの不便さを発見しました。こんなに暑いと気分がおかしくなるのです。おしゃれな建物がゆらいで見えます。目をこらしても、金色の円屋根と建物の大きさがぼんやりわかるだけです。

「ところで、あんたはたぶんペンドラゴン夫人と呼ばれるよ。ぼくがここではその名前でとおっているんでね」ハウルが言います。

「なんのために？」ソフィーが聞きます。

「身もとを隠すためだよ。それにペンドラゴンの方が、ジェンキンスなんていうよりすてきじゃないか」

「あたしは、平凡な名前の方がぴったりくるね」心地よくひんやりした狭い通りへ入りながら、ソフィーは答えました。

「みんながみんなハッター*になるわけにはいかないだろ」と、ハウル。

　優雅で大きなペンステモン夫人の家は、細い通りのはじ近くにありました。立派な玄関の両側には、鉢植えのオレンジの木が二本置いてあります。玄関をあけたのは黒のビロードのお仕着《しきせ》を着た年配の従僕で、三人を黒白の大理石が市松模様になった涼しい玄関の間へ案内してくれました。マイケルはこっそり額の汗をぬぐいました。ハウルの方はいつものように涼しげで、従僕に旧友のように冗談を言っています。

　ソフィーたちは従僕から赤いビロードのお仕着の小姓に引きわたされました。しゃちほこばった小姓の先導で磨きこまれた階段を上っていくと、なるほど王様に会うよい予行演習だという気がします。宮殿にいるも同然、小姓に薄暗い応接間へ案内されたときには、宮殿だってこれほど優雅なはずはないという気がしました。部屋全体が青と白と金色で統一され、小ぶりで優雅な調度品ばかり。中でもとびぬけて優雅なの

＊　ルイス・キャロル作『不思議の国のアリス』に出てくるおかしな帽子屋。

がペンステモン夫人でした。

夫人は、背が高くやせていて、青と金で刺繍《ししゅう》した椅子に背すじを伸ばして座り、ひじまである金レースの手袋をはめ、握りが金でできている杖を手にしていました。衣装は金褐色の絹ですが、デザインは堅苦しいし流行遅れです。仕上げは王冠にも似た金褐色の帽子で、いかめしい、やせたあごの下で金褐色のリボンで蝶結びにしてありました。ソフィーが今まで会ったこともないほど、立派で怖そうな女性です。

「これはこれは、ハウエルではありませんか」片手をさしだしながら夫人が声をかけました。

ハウルはひざを折り、おそらくそれが作法なのでしょう、手袋にキスしました。せっかくの優雅なしぐさも、片手でマイケルに下がれと必死で合図しているため、うしろから見るとだいなしでした。マイケルもようよう、小姓と並んで戸口に控えているべきだと気がつき、大あわてであとずさりました。ペンステモン夫人から遠ざかれるのでうれしそうです。

「ペンステモン先生、これにおりますのは、わたくしの母でございます」ハウルはソフィーをさしました。ぼーっとしている点ではソフィーもマイケルといい勝負だったので、ハウルはソフィーにも手でしきりに合図するはめになりました。

「お目にかかれて幸い。ご機嫌よう」ソフィーの方へも手袋をはめた手がさしだされました。ソフィーは自分もキスするべきなのか、よくわかりませんでした。でもそこまでする気になれなかったので、手袋と握手だけしました。年老いた冷たい、爪を思わせる手でした。夫人が生きていることの方が驚きでした。

「ペンドラゴンの奥様、立ちあがらなくてごめんあそばせ」夫人が言いました。「健康がすぐれませんので。三年前に教えるのをやめたのもそのせいでした。どうかお二人ともおかけください」

緊張のあまりぶるぶる震えそうになりながら、ソフィーはせいぜいきどって夫人のむかいの刺繍をした椅子に腰を下ろしました。負けずに上品に見せようと、杖に寄りかかります。その隣の椅子にハウルが優雅に腰を下ろしました。いかにもくつろいだようすなのが、うらやましいかぎりです。

「あたくしは八十六歳です」とペンステモン夫人。「奥様はおいくつですの？」

「九十歳」夫人より上にしようと思ったら、とっさに出た数字でした。

「まあ、そんなに？」かすかにうらやむような響きがありました。「そのお歳でそれほどお動きになれるとは、うらやましいこと」

「ええ、びっくりするほど動くもので、止めきれない場合もあるんです」とハウル。

ペンステモン夫人がそのときハウルにむけた視線は、かつてはアンゴリアン先生に劣らず厳しい教師であったことをうかがわせるものでした。「今は母上とお話ししているのですよ。たぶん母上もあたくしと同じように、あなたが自慢の種なのでしょう。あたくしたちは、あなたを育てるのにあずかった二人の老人というわけです。そうね、あなたは二人の共作かもしれません」

「では当事者のぼくは、何もしていないとおっしゃるんですか？」ハウルがたずねました。「持ち味を多少とも加えていないと？」

「多少はね。ですがあたくしは、必ずしもあなたの持ち味とやらが気に入っているわけではないのですよ」と夫人。「でもあなただってここに座って、自分のことをとやかく言われるのを聞いていたいとは思わないでしょう。さあ、テラスにでも降りてらっしゃい。あの従僕も連れてね。ハンチに冷たい飲み物を出させますから。もうお行き」

もしソフィーがこれほど緊張していなければ、ハウルの表情には笑いだしていたでしょう。どうやらこういう展開をまったく予想していなかったらしいのです。肩を軽くすくめて立ちあがったハウルは、ソフィーには警告するような視線を送ると、マイケルを追い立てて、部屋を出ていきました。ペンステモン夫人はかすかに体を横にむけ、二人を見送りました。それから小姓にうなずいてみせると、小姓も急ぎ足で部屋を出ていきました。

夫人がまたこちらにむきなおったので、ソフィーはさっきよりも落ち着かない気持ちになりました。

「あたくしは黒い髪の方があの子に合うと思います」夫人は言いました。「あの子は悪人になることでしょう」

「誰のこと？　マイケルですか？」ソフィーはまごついて聞き返しました。

「従僕ではありません。従僕の方は心配してやるほどりこう者ではありませんから。いいえ、ペンドラゴンさん、ハウエルのことです」

「はあ」ソフィーはなぜ夫人が「なることでしょう」なんて言ったんだろう、といぶかしく思いました。とうの昔に悪人になっているではありませんか。

「たとえば外見ですが」夫人は、ソフィーの思惑《おもわく》は気にもとめずに続けました。「あの子の服をごらんなさい」

「いつだって見てくれには気を配っていますね」ソフィーも認めました。もっともこんなふうに控えめな言い方をするつもりはなかったのですが。

「あたくしが教えていたころもそうでした。あたくしも身だしなみにはうるさい方です。そのこと自体は悪いことではありません。でも、魔法のかかった服で歩きまわる必要がどこにあるというのです？　あれは人を幻惑する魔法、それもご婦人方向けの魔法です。

出来ばえがみごとなことは認めましょう。あたくしのような専門家でも、ほとんどわからないくらいでした。魔法が深く縫いこんであるからでしょうね。ですから、あの服を着ていれば女性たちはハウエルの思いのまま。これが黒魔術に堕落するきざしでなくてなんでしょう。あなたも母親としてご心配ですわね、ペンドラゴンさん？」

ソフィーはあの灰色と真紅の服のことを思い返してみて、落ち着かない気持ちになりました。繕《つくろ》っているとき、とりたてて特別な服だとは気づきませんでした。けれどもなんといっても相手は魔法の専門家ですし、ソフィーの方は服の専門家でしかありません。

ペンステモン夫人は金の手袋をはめた両手を杖のてっぺんに重ね、こわばった体を前に傾け、経験豊富な鋭い目でソフィーの目を見つめました。ソフィーはさっきより不安で落ち着かなくなりました。

「あたくしはもう長くありません。このところ、死がしのび寄ってくるのが感じられるのです」と夫人はきっぱりと言いました。

「あら、まだまだですよ」ソフィーはなだめるように言いました。でも、こんなふうに見つめられていては難しいことでした。

「いいえ、そうなんです。ですからなおさら、あなたにお目にかかりたかった。ご存じのようにハウエルはあたくしにとっては最後の弟子、そしてずばぬけて優れた弟子です。あの子が異国からあらわれたとき、あたくしは引退の時期が迫っていました。

ベンジャミン・サリヴァンをしこんだときに、もう役目は終ったと思っていました。サリヴァンは王室づき魔法使いにしてやることができましたし。魔法使いサリマンという名前でご存じでしょうね。今は行方不明ですわ。魂よ安かれ！　奇妙な偶然の一致ですが、サリヴァンもハウエルと同じ国の出身でした。

ハウエルがあらわれたとき、ひと目で想像力も能力もサリヴァンの倍はあるし、性格に欠点がありこそすれ、善の側の人間だとわかりました。いいですか、ペンドラゴンさん、善ですよ。それが今ではどうでしょう？」

「ほんとにねえ」

「何かが起きたのです」あいかわらず、鋭い目でソフィーを見つめながら、夫人が言いました。「あたくしは死ぬ前に、それをただしておきたい」

「何があったとお思いですか？」ソフィーは不安を押しかくしてたずねました。

「あなたの方がご存じなのでは？　あたくしの思うに、ハウエルは荒地《あれち》の魔女と同じ道を歩んでいます。魔女だって、昔から悪者だったわけではないという話です。もっとも、確かなことは言えないのですが……。なにせあたくしたちよりも歳をとっていて、魔法で若さを保っているのですからね。

ハウエルも、あの女と同じくらい優れた力を持っています。でも優れた能力を持つ者は、慢心して危険な知恵に手を出しやすいようですね。その結果、道をふみはずし、悪の道へ堕落していくのです。何か手がかりになりそうなことをご存じでは？」

ソフィーの耳もとに、カルシファーの声が聞こえてきました。「長い目で見たら、この契約はハウルにもおいらにもためにならないんだ」日よけを下ろしたすてきな部屋に、あけはなした窓から日ざかりの熱風が吹きこんでいるのに、ソフィーは背すじが一瞬ひやっとしました。

「確かに。ハウルは火の悪魔と契約を結んでいるようなんです」

杖にのせたペンステモン夫人の両手が少しゆらぎました。「それです。ペンドラゴンさん、あなたが契約を破ってやらなくては」

「やり方さえわかれば、いたしますが」

「あなたの母親としての愛情と、強い魔力をもってすれば、やり方はおわかりになるはずです。ペンドラゴンさん、あなたを拝見させていただいておりました。お気づきではなかったでしょうが」

「いいえ、気づいていました」

「……あたくしはあなたの魔力が好きですわ」夫人が続けます。「物に命を吹きこむ力ですね。ほら、その杖もあなたに話しかけられたおかげで、世間で言う魔法の杖になっていますもの。あなたなら、契約を破るのだってたいして難しくはないはずです」

「でも、契約の性質がわかりませんと。ハウルからあたくしが魔女だとお聞きになったのでしょうか。もしそうなら、それは……」

「いいえ、ハウエルからは聞いていません。それに弱気になる必要はありません。こうしたことにかけては、あたくしの経験を信頼してくださらなくては」

ここで夫人が目をとじたので、ソフィーはほっとしました。強い照明が消えたような感じです。

「あたくしはそういう契約のことは知らないし、知りたいとも思わない」夫人がまた言いました。コショウをうっかりかんだように、きゅっと口もとがしまり、杖がゆれます。「でも、これで魔女がどうして悪くなったかも見当がつきます。きっと火の悪魔と契約をかわし、長年におよぶにつれ、悪魔に支配されたのでしょう。悪魔は善悪など考えません。人間だけが持つ何か貴重なものをさしだせば、悪魔と契約することはできます。そうすると、両方とも長生きできますし、人間の方は自分の力に加えて悪魔の力も利用できるのです」

ペンステモン夫人はまた目をあけて、続けました。「これ以上は申しあげられません。助言できるとしたら、悪魔の得た代償を見つけてごらんなさい、ということです。さあ、お別れです。あたくしはしばらく休まなくては」

まるで魔法のように、いいえ、きっと魔法なのでしょう、扉があくと小姓が登場してソフィーを部屋の外へ案内しました。ああ助かった。まごつきどおしで、いたたまれなかったわ。扉がしまるとき、夫人のいかめしい姿をふり返りながらソフィーは思いました。あたしが本当にハウルの母親だったとしても、これほど居心地の悪い思いを味わわされていたのかしら。でもきっと同じね。

「一日でもあんな人の弟子になるなんて、ハウルに帽子《シャッポ》を脱ぐわね」ソフィーはひとり言を言いました。

「奥様、何か？」小姓は自分が話しかけられたと思ったようです。

「ああ、もっと階段をゆっくり降りておくれ、追いつけない、と言ったのさ」本当にひざががくがくです。「あんたたち、若いもんときたら」

小姓は親切にソフィーの手をとり、ぴかぴかの階段をゆっくり降ろしてくれました。途中まで降りたころにはソフィーもペンステモン夫人の支配力から解き放たれ、言われた言葉を思い返せるようになっていました。

あたしも魔女なんだって？　おかしなことに、ソフィーはすんなりそれを受け入れていました。これでいくつかの帽子だけに人気があった謎も解けたわ。ジェーン・ファリアとなんとか伯爵《はくしゃく》が駆け落ちしたわけも、説明がつくし。荒地の魔女に目をつけられたのも、このせいかしら。考えてみると、前からうすうすわかっていた気もする。でもあたしは長女だから、魔力が授かるはずがないと思いこんでいたんだわ。次女でも魔法を習うことにしたレティーの方が、ずっと自分に正直だったのね。

　そのとき、灰色と真紅の服のことを思いだしたソフィーは、うろたえたあまり階段からころげ落ちそうになりました。じゃあ、あの服にまじないをかけたのはあたしなんだ。あのとき確か、「女の子を夢中にさせる服だね？」と服に話しかけたんだ。だから、そういう服になって、あの日果樹園でレティーをたぶらかしたのね。きのうだって、形が変わってても、アンゴリアン先生をたぶらかしかけたじゃない。ああ、どうしよう！　あたしのせいで、ハウルに胸を焦がす娘が増えたんだ。なんとかしてあの服を脱がせなくちゃ！

　その服を着た当《とう》のハウルは、マイケルといっしょに市松模様のひんやりした玄関の間で待っていました。小姓のうしろからゆっくり降りてくるソフィーを見て、マイケルは心配そうにハウルをつっつきました。ハウルも顔を曇らせて言いました。

「あんた、へばっているじゃないか。王様に会うのはやめるしかないね。母はうかがえないと伝えにいって、自分で自分の評判を下げてくるさ。ぼくの腹黒さのせいで母が病気になったと言おう。だって、あんたのようすから見て、あたっているもんね」

　確かにソフィーも、王様に会いたいとは思いませんでした。でも、カルシファーの言葉を思いだしたのです。もし王様がハウルを荒地へやり、ハウルが魔女につかまったら、ソフィーがもとどおり若くなれるただひとつの機会もなくなるのです。

ソフィーは首を横に振りました。「ペンステモン夫人のあとなら、インガリー国の王様だって、ただの人さ」

十三章　帰り道がわからない！

宮殿に着くと、ソフィーの気分はまたもやひどく悪くなりました。無数の金色の円屋根がまぶしく光り、正面の入口にむかう大階段には、六段ごとに警護の兵士が赤い制服を着て立っています。この暑さじゃ、フーッ、かわいそうに、兵隊さんたちも、ヒーィ、気絶寸前だろうて……。ソフィーは兵士の前を息を切らしてとおりすぎながら、くらくらする頭で思っていました。

階段を上がりきると、今度は天井がアーチになった回廊や、広間、廊下、控えの間などがどこまでも続き、しまいには何がなんだかわからなくなってきました。ひとつひとつの部屋の出入口のアーチの下には、この暑さの中でもなぜかまっ白な手袋をした立派な服装の男性が必ず立っていました。ひと部屋ごとに用向きを聞いては、次の部屋まで案内してくれるのです。

そのたびに次の広間に声が響きわたります。「ペンドラゴン夫人が国王陛下にご面会！」

途中でハウルだけがここで待つようにと、丁重に申しわたされ、マイケルとソフィーは召使から召使へ受けわたされていきます。二階へ上がると、今度は赤服ではなく青色のお仕着《しきせ》の、堂々とした召使に順ぐりに引きわたされ、ようやく謁見の控えの間に着きました。壁は色とりどりの寄木《よせぎ》細工です。マイケルはここでソフィーが戻るのを待つことになりました。

このころになるとソフィーには自分が夢を見ているのやら何やら、はっきりしなくなっていました。大きな両開きの扉をとおりぬけると、よく響く声が告げました。

「陛下、こちらはペンドラゴン夫人でございます」

大きな部屋のほぼ中央に、正式の玉座ではなく、小さな金色の葉の飾りだけがついた角ばった椅子があり、さっきの家来たちよりはるかに地味な服で座っていたのが、ほかならぬ王様その人でした。平民のように、おつきなしです。もっとも片足をいかにもえらそうにつきだしていましたし、大柄でかっぷくがよく、目鼻立ちもまあまあです。まだ若いし、王であることを鼻にかけているようです。あの程度の顔のわりには自信がありすぎるみたい。

「さてさて、魔法使いハウルの母御《ははご》は何用あってかな?」

そのとたん、ソフィーは今、王様と対面しているのだと思いだし、緊張で押しつぶされそうになりました。偉大な王様のことをただの男の人みたいにじろじろ見ていたと気づいて、くらくらしてきました。ハウルに教えこまれたせっかくの微妙な口上《こうじょう》は、きれいさっぱり頭から抜け落ちてしまいました。でも何か言わなくてはなりません。

「ハウルは弟殿下の捜索には行かないと申しました」ソフィーは言い、つけ加えました。「陛下」

ソフィーが王様を見つめると、王様もソフィーを見つめ返しました。出だしから、目もあてられないありさまです。

「確かかな？」王様が口をひらきました。「わしが話したときには、やる気があると見えたが」

ハウルの悪口を言いにはるばる来たことだけは覚えていたソフィーは、言いました。

「嘘をついたんです。とりあえず陛下を怒らせたくなかったんです。ウナギみたいな子なんです。ほら、ぬるぬる逃げる……陛下」

「ではハウルは、わが弟ジャスティンの捜索からも逃げたいというのだな。わかったぞ。それはそうと、座られてはいかがかな、お若くはないのだし。そして、魔法使い殿の言いぶんを詳しく聞かせてくれ」

王様からかなり離れた場所に質素な椅子が一脚ありました。ソフィーは関節をきしませながらその椅子に沈みこむと、ペンステモン夫人のように両手で杖にもたれかかりました。これで少しはましな気分になるかと思ったのですが、あいかわらずひどくあがっていて、頭はまっ白のまま。かろうじて口にできたのはこれだけ。「老いた母に自分の身代わりをさせ、お願いさせるような卑怯者です。それだけでも、どういう人物かおわかりでしょう……陛下」

「確かに、あまりほめられたことではないな」王様は重々しい口調で言いました。

「しかし、わしは引き受けてくれれば悪いようにはせん、と言ったはずだが」

「あら、金銭に不服があるのではないんです。ですが、あのハウルも荒地《あれち》の魔女にはすっかりおびえておりまして。魔女にかけられた呪《のろ》いが動きだしたもので」

「それならおびえるのも当然じゃな」王様はかすかに身震いしながらうなずきました。

「魔法使い殿のことを、もう少し聞かせてはくれぬか?」

ハウルのことをもっと? ソフィーは必死で考えました。あいつの評判を落とさなくちゃ! でも頭の中ががらっぽで、ほんの一瞬ですが、ハウルには欠点などなかった気さえしてきました。そんなばかな!

「そうですねえ、移り気で不注意で、わがままでヒステリーですね。自分さえよければ、誰がどうなろうと気にしていないと思うこともしばしばですし。ところが、よその人にはひどく親切だったりするんです。きっと気がむいたときだけ親切なんですわね。貧乏人には料金をまけてやりますし。陛下、ハウルはごちゃまぜです」

「わしの印象では、ハウル殿は道義心のないあてにならぬ悪者で、口達者《くちだっしゃ》なりこう者だ。そうは思わぬか？」

「まあ、そのとおりです」ソフィーは心から賛成しました。「でも、うぬぼれのひどさが抜けています、それに……」ソフィーは言葉を切って、絨毯のむこうはじの王様を疑わしそうに見ました。なんだか王様の方こそハウルの評判を落とそうと、手ぐすね引いて待っていたような気がしたのです。

王様はほほえんでいます。でも、王様らしい笑みというよりは、頼りない人柄に似合った笑みでした。「ありがとう、ペンドラゴンさん。率直な言葉を聞いて胸のつかえが下りた思いだ。魔法使い殿がすんなり弟探しを承諾したので、正直、人選を誤ったかと案じておった。見栄をはったか、さもなければ金のために引き受けたか、とな。だが、おかげでまさに適任だとわかった」

「いまいましいこった！　むいてないと伝えにきたはずなのに」

「いや、伝えてくれたとも」王様は椅子をわずかにソフィーの方へ動かしました。

「わしも腹を割って話すが、ペンドラゴンさん、わしはぜひ弟に戻ってもらいたい。といっても、弟が好きだからとか、口論したことを後悔しているからとかだけが理由ではない。一部の者たちが、わしが弟を殺したなどと噂しているせいでもない。それはありえんということは、わしと弟を知っている者にはわかりきったことじゃ。いやいや、ペンドラゴンさん、ジャスティンは優れた将軍でな、敵国高地《ハイ》ノーランドおよびストランジアが今にもわが方《ほう》に宣戦布告しようとしている情勢では、あれにいてほしいのだよ。

何度調べさせても、ジャスティンが荒地に行ったことまでは確かだという。魔女めは、わしがいちばん必要とするときに弟をとらえておくつもりらしい。魔法使いサリマンは、ジャスティンをおびき寄せるおとりにされたんだろう。知っとるだろうが、あの魔女はわしをも脅迫しておる。そこで、わしとしては、弟をとりもどすために、とびきり賢くて根性悪《こんじょうわる》の魔法使いが必要なのだ」

「ハウルはさっさと逃げだすことでしょうよ」

「いや、そんなことはするまい。あなたをここへよこしたことが何よりの証拠だ。自分は体面など気にしないほど魔女が怖い、とわしに思わせたいものだから、あなたを送りこんだ、ちがうかね、ペンドラゴンさん?」

ソフィーはうなずきました。ハウルの微妙な言いまわしがすっかり思いだせるといいのに。あたしにはわからなくても、王様にならちゃんと伝わるでしょうよ。

「うぬぼれの強い人間なら、普通そんなことはせん」と王様。「誰だってせっぱつまらないかぎり、しないことだ。してみると、魔法使いハウル殿にこの作戦が失敗だったとはっきりわからせてやれば、わしの言うことを聞く、そういうことだな」

「その、えーと、わたくしの伝言を、陛下がひょっとしてとりちがえておられるのではないでしょうか」

「いや、そうは思わんね」王様はにっこりしました。考えていたとおりだと、自信を持ったようでした。ぼんやりした顔つきが急に鋭くなり、何事かを決断したようです。「ペンドラゴンさん、魔法使い殿にこう申されよ。ただ今よりハウル殿を王室づき魔法使いに任命いたす。そして今年じゅうに、生死にかかわらずジャスティン殿下を見つけだすことが勅命《ちょくめい》じゃ。さあ、そなたは退出するがいい」

王様は別れの挨拶としてペンステモン夫人のようにソフィーに手をさしだしましたが、夫人ほど上品ではありませんでした。ソフィーは椅子から身を起こしたものの、王様の手にキスをしたものかどうか、迷いました。でも、本当は杖を持ちあげて頭をぴしゃりとぶってやりたい気分でしたので、キスはやめて握手をし、かすかに腰をかがめてお辞儀をしました。それでよかったようです。ソフィーがよろよろと両開きの扉にむかうのを、王様はなごやかな笑顔で見送ってくれたからです。

「ああ、こんちくしょう」ソフィーはひとり言を言いました。最悪の展開になってしまったじゃない。きっとハウルは本当に、空中の城を千マイルも移動させてしまい、レティーもマーサもマイケルも、みじめな思いをするんだわ。そのうえ、緑のねばねばが滝のように流れることでしょうよ。「それもこれもあたしが長女だからよ」重たい扉を乱暴に押しながら、ソフィーはつぶやいていました。「何をやってもうまくいかないんだ」

うまくいかないことはほかにもありました。心配事をかかえ、気落ちしていたせいでしょうが、出る扉を間違えたらしいのです。ソフィーは四方が鏡になった控えの間に出てしまったことに気づきました。鏡には上等の灰色のドレスに包まれ、やや前かがみになったよぼよぼの自分の姿と、青い宮廷服を着たたくさんの人たちと、ハウルと同じように立派な身なりの人が何人か映っていますが、マイケルは見あたりません。マイケルのいるのは、壁が寄木《よせぎ》細工になった控えの間のはずです。

「いまいましいこった!」

廷臣の一人が急いで近寄ってきてお辞儀をしました。「魔法使いのマダムじゃありませんか! 何かお困りでしょうか?」

廷臣は小柄な若者で、目を赤くしています。ソフィーは若者をじっくり見て言いました。「おやまあ、あの決闘のまじないがうまくいったのね?」

「ええ、みごとなもんでした」ややうらみがましく廷臣が答えます。「むこうがくしゃみしているあいだに、武器をとりあげてやりました。そのせいで告訴されてます。でも、大事なのは……」ここで若者は急に、にこにこした顔になりました。「いとしいジェーンがぼくのもとに戻ったことなんです! さあ、何をしてさしあげましょうか。あなたには借りがありますからね」

「なんだかあたしの方が借りがある気がするよ。まさかと思うけど、おたくがキャトラック伯爵《はくしゃく》？」

「いかにも。なんなりとお申しつけください」お辞儀をしながら、小柄な若者が返事しました。

おやまあ、ジェーン・ファリアの方が一フィートは背が高いじゃないの。これも、あたしが帽子に話しかけたせいだわ。「ええ、頼まれてくれたら大助かり」ソフィーはマイケルのところへ行きたいのだと説明しました。

キャトラック伯爵は「それでは誰かにマイケルさんを呼びにいかせ、入口の広間であなたと落ちあえるようにとりはからいます、お安いご用です」とうけあいました。そのあと、にこやかに何度もお辞儀をし、手袋をはめた召使にソフィーを引きわたしました。ソフィーは来たときと同様、次から次へ召使に引きつがれ、まもなく兵士が守っている階段の上まで来ました。

けれどもマイケルの姿は見えません。ハウルも見あたりませんが、それにはちょっとほっとしました。キャトラック伯爵なんてあてにならないと、覚悟しておくべきでした！　あの若者は、見るからに何ひとつまともにできそうもないんだし、それはあたしも同類。出口がわかっただけでめっけものね。くたびれちゃったし、暑いし、気分は最低。マイケルを待ってなんかいられないわ。ああ早く、暖炉の脇の椅子に座って、カルシファーにへまの数々をうちあけたいわ。

ソフィーは足を引きずりながらきらびやかな階段を降り、立派な大通りを進み、塔や輝く屋根が目もくらむほどびっしり立ち並んでいる別の通りに入って、とぼとぼ歩いていきました。そのとき、もっと困ったことに気づいたのです。

ソフィーは道に迷っていました。馬屋にあるハウルの城への入口をどうすれば見つけられるのか、見当もつかないのです。でたらめに別の通りへと曲がってみましたが、ここにも見覚えはありません。宮殿に引き返す道すら、もうわかりません。とおりかかる人に魔法使いペンドラゴンの家を聞いてみましたが、たいていの人はソフィー同様、暑くてくたびれています。返ってくる答えは「ペンドラゴンって何者さ?」だけ。

ソフィーはあてもなくとぼとぼ歩きつづけました。このぶんでは帰れそうにない、そばの戸口に腰を下ろして夜明しか、と思ったとき、たまたまペンステモンさんのお屋敷があった路地にさしかかりました。ああ、そうだ! あそこの従僕に聞きにいこう。あの従僕はハウルと親しそうだったから、ハウルの住まいを知っているだろう。

そう思って路地に足をふみ入れたとき——

荒地の魔女が、こちらへむかって歩いてくるのが見えました。

どうして魔女だとわかったのかは、うまく説明できそうにありません。前とはちがう顔でした。栗色で上品にカールしていた髪の毛もふさふさした腰まで届きそうな赤毛に変わり、赤褐色と淡黄色のふわっとした生地のひらひらしたドレスを着ています。とてもスマートで美しく見えました。だけどソフィーにはひと目で魔女だとわかりました。あやうく立ち止まりそうになったものの、なんとかそしらぬ顔をしてやりすごそうとしました。

だってむこうが覚えているとはかぎらないし。むこうにしてみればあたしは、魔法をかけた何百人のうちの一人にすぎないんだから。そこでソフィーは杖で敷石をどすんどすんつきながら歩きつづけ、この杖が魔法をおびていると言ったペンステモン夫人の言葉がほんとでありますようにと願いました。

ところが、考えが甘かったのです。魔女は顔に笑みを浮かべ、オレンジ色のビロードのお仕着《しきせ》を着たぶっちょうづらの小姓を二人従えて、日傘をくるくるまわしながら狭い道を軽やかに進んでくると、ソフィーの真横で立ち止まりました。極上の香水がつんと匂います。

「おや！　ハッターさんじゃないの！」魔女は笑い声をたてました。「あたくしは人の顔は見忘れないたちなの。ことに自分で手を加えた顔はね！　そんなにめかしこんで、いったいどこへ行く気？　もし、あそこのペンステモンに会うつもりなら、わざわざ行くまでもないわよ。あの老いぼればあさんなら死んだから」

「死んだ？」ソフィーは思わず聞き返しました。もうちょっとで、「だって一時間前は生きていたのに！」とつけ加えそうになりました。でもやめておいたのは、死とはそういうもの、つまり死ぬまでは、生きているものだと気づいたからです。

「ええ、死んだの」と、魔女。「あたくしがある人物の居場所を教わろうとしたら、ことわられた。あのばあさん、『たとえ死のうとも、ぜったいだめ』と言ったから、そのとおり死なせてやった」

ハウルを探しているんだ！　さあ、どうやってきりぬけよう？　こんなにひどく暑く、疲れていなかったら、ソフィーはきっと、ペンステモン夫人を殺せるほどの魔女なら、杖があろうがなかろうがソフィーをやっつけるなど朝飯前のはずだと気づいて、怖くてたまらなくなったでしょう。万が一ハウルの居場所を知っているなんて疑われたら、一巻の終りです。城の入口がどこにあるのか思いだせなくて、ちょうどよかったのです。

「おたくが殺したとかいう人が誰だか知りませんが、おたくもこれで凶悪な人殺しということね」と、ソフィーは言いました。

魔女は何かあやしいとにらんでいるようです。その証拠に「ペンステモンに会いにいくところだったって、言ったわよね？」と聞いたのです。

「いいえ。そう言ったのはおたく。殺された相手を知らなくたって、あんたを凶悪な人殺しと呼ぶにはさしつかえないでしょうが」

「それならどこへ行くところ？」

ソフィーは「あんたの知ったことかい」と言いたい衝動に駆られました。でも、それでは喧嘩を売るようなものです。そこで、ほかに思いつかなかったので「王様に会いに」と答えました。

魔女は信じられないというように笑いとばしました。「だって、王の方であんたに会うと思う？」

「もちろんだいじょうぶ」ソフィーは怖いのと腹が立ったのとで体を震わせながらも、はっきり言いきりました。「面会の約束があるんだから。あたしは……帽子屋の待遇改善を陳情するんだ。おたくにあんなことされたって、なんとかやってるんだから」

「それなら、なんで逆方向に行くの？」魔女が聞きます。「宮殿はあんたの来た方角よ」

「へえ、そうなの？」ソフィーの驚きは見せかけではありませんでした。「それじゃ、どこかで逆に曲がったんでしょ。あんたにこんな目にあわされてから、方角があやしくなってね」

魔女は心底愉快そうに笑いましたが、ひと言も信じたようすはありません。「それならあたくしといっしょに来なさい。宮殿まで案内してあげます」

方向転換し、魔女の隣をとぼとぼ歩くしかなさそうでした。うしろからは小姓たちがふてくされてついてきます。ソフィーは怒りと絶望に襲われました。優雅に歩く魔女を横目で眺め、ペンステモン夫人が、魔女は本当はすごい年寄りだと言っていたことを思いだしました。なのにこんなに若く見えるとは、なんて不公平なんでしょう！でも手も足も出ません。

「なんであたしをこんな目にあわせたのよ？」ソフィーは道の先に噴水の見える立派な大通りを進みながら聞いてみました。

「あたくしが知りたかったことを教えなかったからよ」と、魔女。「もちろん、最後にはつきとめたけれどね」ソフィーは狐につままれた気分でした。何かの間違いではないか、と言ってみたらどうなるだろう……。そのとき魔女が「もっとも、きっとあんたには何のことかわからないだろうねえ」と、いかにもおかしそうに笑いました。

「ところでウェールズという国のことを聞いたことがある？」

「全然。海の底にでもある国？」とソフィー。

魔女にはその返事がもっとおかしかったようです。「今のところはちがうわ。でも魔法使いのハウルがこっちへ来る前にいたところよ。ハウルは知ってるでしょうね？」

とたんにソフィーは嘘をつきました。「噂だけは。娘っこを食うとか。あんたと同じぐらいよこしまだってね」ソフィーは言いながらぞくっとしました。噴水の横をとおりすぎたせいだけとは思えません。

　噴水のむこう、ピンク色の大理石を敷いた広場の先に、宮殿の大階段がありました。

「ほら、着いた。あれが宮殿よ。階段をちゃんと上がれる？」と魔女。

「あんたのおかげでこのていたらく。もとどおりにしてくれたら、この暑さでも駆けあがってみせるけど」

「そんなことしたら、ちっともおもしろくないじゃないの。さあ、お行き。もしほんとに王に面会できたら、あいつのじいさんがあたくしを荒地に追い払ったから、今でもうらみがあるんだと、忘れずに言いなさい」

　ソフィーは、長い階段を困りきって眺めました。幸い今のところ、階段にいるのは兵士だけです。でも今日のような不運続きだと、いつなんどきマイケルとハウルが降りてきても不思議はないでしょう。魔女はソフィーが上るまで見届けるつもりらしく、動きません。ソフィーも階段を上がっていくしかありませんでした。

　とぼとぼと、汗をかいている兵士の横をとおり、またもや宮殿の入口まで上がっていくあいだ、一段上るごとに魔女への憎しみがどんどん増していきます。階段を上がりきったところで息を弾ませ、ふりむいてみると、赤っぽい姿がまだじっと立っていました。小柄なオレンジ色の服を着たおとも二人を従え、ソフィーが宮殿からほうりだされるのを見ようと待ちかまえています。

ソフィーの不運はまだ続いています。「いまいましい！」ソフィーはアーチの下に立っている召使に近づき、しかたなく「王様に言い忘れたことがあってね」と告げました。見渡すかぎりどこにもマイケルとハウルはいません。

みんなはソフィーを見覚えていて、中へとおすと白い手袋の召使に引きわたしました。ソフィーはあれよあれよというまに、さっきと同じように召使から召使へと引きつがれ、両開きの扉の前にやってきました。青いお仕着の召使が告げます。「ペンドラゴン夫人が再度ご面会でございます、陛下」

まるで悪夢だわ、さっき見たばかりの大きな部屋に足をふみ入れながらソフィーは思いました。もう一度ハウルの悪口を言うしか、方法はないようです。やっかいなのは、ここまでのごたごたのうえに、また王様とかけひきをすると思うとあがってしまい、さっき以上に頭が働かないことでした。

王様は今回は片すみにある大きな机の前で、地図の上に刺した小旗を気づかわしげに動かしていましたが、顔を上げて、愛想よく言いました。「何か言い忘れたことがあるそうだね」

「ええ。ハウルは、王女様と結婚させると約束してくださらなければ、ジャスティン殿下の捜索は引き受けないそうです」どこからこんな考えがとびだしてきたのやら？

きっと、王様はハウルとあたしを死刑にするわ！

王様は心配そうな顔でソフィーを見ました。「ペンドラゴンさん、そいつが話にもならんことはわかっとるはずだぞ。そんな嘘を持ちだすほど息子が心配だというのはわかるがな。でもあんただって、いつまでもエプロンのひもに息子をつないでおくわけにいかんだろうが？　わしはさっき決めたとおりにする。さあ、こちらの椅子にかけなさい。あんたは、ひどくくたびれているようだぞ」

ソフィーは王様が指さした低い椅子に、よろよろ座りこみました。内心ではすぐに兵士があらわれ、逮捕されるものと覚悟していました。

でも王様はぼんやり、あたりを見まわしています。「たった今、その王女がここにおったんだが」ソフィーはあっけにとられました。王様が体をかがめて机の下をのぞきこんだのです。「ヴァレリアや。ヴァリー、出ておいで。こっちへ、そう、いい子だ」

衣《きぬ》ずれの音がして、すぐにヴァレリア王女が机の下からはいでてきてお座りをし、うれしそうに笑いました。歯は四本はえていますが、まだ髪の毛はしっかりはえそろっておらず、耳の上のあたりに、かぼそい淡い金髪の渦巻があるだけでした。ソフィーを見ると、王女はいっそううれしそうに笑って、今までしゃぶっていた手でソフィーの絹のスカートにつかみかかりました。王女が立ちあがろうとして強くひっぱったところに、よだれがつきました。ソフィーの顔を見あげながら、ヴァレリア王女は親しげなつぶやきをもらしましたが、どうやらほかの人には通じない赤ちゃん語のようでした。

「まあ」ソフィーはばかなことを言ってしまったと気づきました。

「親の気持ちはよくわかるつもりだよ、ペンドラゴンさん」と、王様が言いました。

十四章　風邪を引いた魔法使い

ソフィーは、ハウルの住まいの入口まで、四頭立ての馬車で送ってもらいました。いっしょに御者《ぎょしゃ》、馬丁、従僕が乗り、警護のために馬で下士官が一人と近衛兵が六人ついてきました。ほかでもないヴァレリア王女のためです。

王女はソフィーのひざに座っていました。馬車ががたがたと石畳を下る短い道のりのあいだにも、ソフィーのドレスには王女のご寵愛《ちょうあい》の印のよだれのあとがさらに増えていきます。ソフィーはちょっとほほえみました。子どもをほしがるマーサの気持ちがわかったような気がしました。もっともヴァレリアみたいな子が十人となれば、いささか多すぎる気がしますが。

ヴァレリアにまといつかれながらソフィーは、魔女がこの王女を殺すと王様におどしをかけているという噂を思いだし、思わず王女にこう話しかけていました。「魔女になんか指一本触れさせるもんですか、あたしがそんなこと許さない！」

王様は王女への脅迫のことは何も言いませんでした。ただソフィーのために王室の馬車を用意させただけです。

一行がやかましい音をたて、馬屋の前に停まると、マイケルがとびだしてきて、ソフィーが降りるのに手を貸していた従僕の邪魔をしました。「どこへ行ってたんです？　そりゃあ心配したんですよ。それに、ハウルさんは別のことでとりみだしてます……」

「でしょうね」ソフィーは心配そうにあいづちをうちました。

「ペンステモンさんが亡くなられたんです」とマイケル。

ハウルも戸口まで出てきました。顔色が悪く、ほんとにうちひしがれたようすです。腕にかけているのは、赤と青の王家の封印がついた巻物でした。それを見てソフィーは自分のしくじりを思いだし、気がとがめました。ハウルは下士官に金貨のチップを渡し、馬車の一行が音高く立ちさるまで黙っていました。それからおもむろに口をひらいて言いました。「あんた一人をやっかいばらいするのに、四頭立て馬車とおともを十人もつけるとは、いったいぜんたい王様に何をしたんだい？」

ソフィーは二人のあとから城の中に入りながら、きっと部屋じゅうが緑色のねばねばでおおわれていると覚悟していました。けれどもそんなようすはありません。暖炉ではカルシファーが紫色の顔ににやにや笑いを浮かべ、勢いよく燃えていました。ソフィーは椅子にへたりこみました。

「なにせ二度も行ったもんだから、王様はあんたの悪口を聞くのにいや気がさしたんだろうね」と、ソフィーは説明しはじめました。「何もかもしくじったの。そのうえ魔女がペンステモンさんを殺してきたところにばったり出会っちゃうし。ひどい一日だった！」

ソフィーが出来事のあらましを話すあいだ、ハウルは炉棚にもたれ、カルシファーにくべようかとでもいうように、巻物をひらひらさせていました。「新王室づき魔法使いをごらんあれ！　悪口をちゃんと言ってくれた結果がこれだ」そう言うなりハウルが笑いだしたので、ソフィーとマイケルはびっくりしました。「おまけにこのおばさんがぼくの留守に、キャトラック伯爵《はくしゃく》に何を売りつけたと思う？」ハウルは笑います。「ソフィーなんか、王様に近づけるべきじゃなかったよ」

「ちゃんと評判に泥を塗ってきてあげたんじゃない」ソフィーは抗議しました。

「わかってる。こっちが読みちがえただけさ。さてと、どうすれば魔女に気づかれずにペンステモン先生の葬式に出られるだろう？　カルシファー、いい知恵はないかい？」

ハウルにはほかの何よりも、ペンステモン夫人の死がこたえているようです。

でも、マイケルの方は魔女のことを心配していたようでした。次の朝、魔女が一度に城のすべての入口から侵入してきた夢を見て、ひと晩じゅううなされたとうちあけ、

「ハウルさんはどこですか？」と、心配そうにたずねました。

ハウルは早朝から外出していました。浴室にはいつものように香りが立ちこめていました。ギターは持って出ていませんが、扉のダイヤルは緑色、〈がやがや町〉です。カルシファーですら、それ以上のことは知りませんでした。

「誰が来たって扉はあけちゃだめだよ。ポートへイヴン以外の出入口は全部魔女にばれているんだから」とカルシファーが言いました。

マイケルはそれを聞いてたいそうおびえ、裏庭から板を持ってきて扉にはすかいに打ちつけたほどです。そのあとでようやく、アンゴリアン先生からとりもどした呪文の勉強をはじめました。

半時間後、扉のダイヤルが急に回転し、黒い面が下になったと思うと、扉ががたがたゆれはじめました。マイケルはソフィーにしがみつきながらも、震える声で言いました。

「怖がらないで。守ってあげますから」

しばらくのあいだ、扉は前後にゆれていましたが、そのうち動かなくなりました。ほっとしたマイケルがソフィーから手を離したとたん、はげしい爆発が起きました。打ちつけてあった板がばたんと床に倒れ、カルシファーは炉床《ろどこ》の底にもぐりこみ、マイケルは物置にとびこんだので、扉をあけてハウルが勢いよく入ってきたとき、そこにつっ立っていたのはソフィーだけでした。

「あんまりだよ、ソフィー。ここはぼくのうちなのに」ハウルはずぶ濡れでした。灰色と真紅の服が黒と茶色に見えるほどです。袖からも髪の先からも水がしたたり落ちています。

ダイヤルの黒い面が下になっているんだから、アンゴリアン先生に会ってきたんだ。例の魔法を縫いこんだ服で。「どこへ行ってたの？」とソフィー。

ハウルはくしゃみをし、しゃがれ声で言いました。「雨の中にしめだされたんだ。あんたにゃ関係ないね。あの板はなんのつもりだい？」

「ぼくがやったんです」マイケルが物置からそろそろと頭を出しました。「あの魔女を……」

「ぼくは素人《しろうと》じゃないんだ」ハウルはいらだたしげに言いました。「道順がわからなくなるまじないをたっぷりとかけてあるから、たいていのやつにはここが見つからなくなってる。魔女だって三日はかかるさ。カルシファー、熱い飲み物を頼む」

まきの上に顔を出したカルシファーは、ハウルが暖炉に近づいたとたん、また奥へもぐってしまい、「こっちへ来ないでよ！　あんた、ずぶ濡れじゃないか！」と、シュウシュウ非難しました。

「ねえ、ソフィー」ハウルは頼みこむように声をかけます。

ソフィーは腕組をしたまま、言いました。「レティーのことはどうする気?」

「体の芯まで濡れてるんだ。熱い物を飲まないと」

「あたしが聞いてるのは、レティーはどうなってるかよ」

「そうか、もう頼まないよ!」ハウルが体をぶるっと震わせると、水滴が床の上にきれいな円を作りました。その円から足をふみだしたときには髪の毛は乾いてつやつや光り、服も、どこにも湿ったところのない灰色と真紅に戻っていました。ハウルは鍋を手にとって言いました。「世界は冷酷な女性でいっぱいだ、マイケル。ぼくなんかすぐに、三人は名前を言えるぜ」

「その一人がアンゴリアン先生なんじゃない?」とソフィー。

ハウルは返事をしませんでした。そのあとも午前中いっぱい、マイケルやカルシファーとは城の移動について相談していましたが、ソフィーのことはわざとらしく無視していました。ハウルは本気で逃げるつもりなのね。言わんこっちゃない、王様に言ってやったとおりじゃない。ソフィーは青と銀色の上着の穴に、三角のはぎれをせっせと縫いつけながら思いました。なるべく早くあの灰色と真紅の服を脱がせなくちゃ。

「ポートヘイヴンの出入口は動かさなくてすみそうだ」ハウルは言いながら、空中からハンカチをとりだし、大きな音をたてて鼻をかみました。カルシファーは不安げに炎をゆらめかせました。「だけど、空中の城は今までに行ったことないぐらい遠くへ動かしたいし、キングズベリーの出入口はなくしたい」

　そのとき誰かが扉をノックしました。ハウルはとびあがり、マイケル同様神経質そうにあたりを見まわしました。ハウルもマイケルも扉に出ようとしません。おくびょう者どもめ！　なんであれほどまでしてきのう、ハウルのために骨折ってやったのかしら。「あたしの頭がおかしかったんだ！」ソフィーは縫いかけの青と銀の上着につぶやきかけました。

「黒の出入口はどうします？」外でノックをしていた人物が立ちさると、マイケルが口をひらきました。

「そのままにする」ハウルは手品師のように指をぱちんと鳴らし、もう一枚ハンカチを宙からとりだしました。

　そうだろうともさ、とソフィーは思いました。あそこの町はずれにはアンゴリアン先生がいるんだから。レティーもかわいそうに！

　お昼前になると、ハウルは一度に二枚、三枚のハンカチを出さなくてはなりませんでした。でも本当は布ではなく、ぺらっとした四角い紙のようでした。ハウルはひっきりなしにくしゃみをし、声もかすれる一方でした。まもなくとりだす紙のハンカチが一度に半ダースになり、使用ずみの燃えかすがカルシファーのまわりにうずたかくたまっていきます。

「いったいどうして、ウェールズへ行くたびに風邪を引いちまうんだろなあ！」ハウルはかすれ声でこぼすと、どさっとひと山薄い紙をとりだしました。

ソフィーはフンと、鼻を鳴らしました。

「何か言った？」かすれ声でハウルが聞きます。

「何も。ただ、逃げてばかりいる人間は風邪を引いても当然だと思ってね。とりわけ、王様から仕事を言いつかってるのに、それをほったらかして雨の中、女性をくどきにいくような人間なら当然じゃないの」

「頭の固いマダムはなんでも知ってるつもりらしいけど、ちがうよ」ハウルが言い返しました。「今度出かけるときは、詳しい報告書を書いてほしいかい？　ジャスティン王子のことだって探したんだぞ。外出すると必ずデートだと思うんだからなあ」

「いったいいつ、探したの？」とソフィー。

「ほら、耳と鼻が、知りたくてぴくぴくしてるぜ。もちろん最初に行方不明になったときに決まってるじゃないか。サリマンが行方不明になったのは荒地《あれち》だと誰でも知ってたのに、王子はどうして丘陵地帯へ来たのか、調べたくなったんだ。思うに、まず誰かが王子ににせの『捜索用の呪文』を売りつけたんだろうな。だから王子はまっしぐらに〈上折れ谷《かみおだに》〉へむかい、別の呪文をフェアファックスさんから買ったのさ。そのあと王子は当然、丘陵地帯へ来て、動く城の入口に立ち寄り、ぼくがいなかったもんだから、マイケルからさらに別の『捜索用の呪文』と、変装用のまじないを……」

　マイケルはぎょっとして思わず口を押さえました。「あの緑色の軍服の人が、ジャスティン殿下だったんですか？」

「ああ。今までは内緒にしてたけど。だって王様に、ぼくも機転をきかせてにせの呪文を売るべきだったとうらまれるのがいやだったんだ。だからこの件じゃ、良心がとがめていたんだ。良心だよ、おせっかい夫人、ちゃんと聞こえたかい。ぼくにも良心があるんだ」ハウルはまたもとりだした大量のハンカチごしにソフィーをにらみつけました。今や熱で目のふちが赤くうるんでいます。ハウルは立ちあがると、断言しました。

「気分がよくない。ベッドに入る。きっとそのまま死ぬんだ」そしていかにもあわれっぽくよろよろ階段にむかい、上りながら、かすれた声でつけ加えました。「そしたらペンステモン先生の隣に埋葬してくれ」

　ソフィーは今まで以上に縫物に身を入れました。今こそハウルからあの服をとりあげる絶好の機会だわ。早くしないとアンゴリアン先生が恋に落ちて、また犠牲者が増える。だけどハウルが服を着たまま寝ていればとりあげるのは無理。ハウルならやりかねないわ。

　それじゃあハウルは王子のあとを追って〈上折れ谷〉へ出かけ、あそこでレティーに出会ったのね。レティーもかわいそうに……。五十七番目の青い三角形を細かな針目で飛ぶように縫いながら、ソフィーは思いました。残っている穴は、あと四十かそこいらです。

まもなく弱々しいハウルの声が聞こえてきました。「助けて。誰にも世話してもらえないで、死ぬんだ！」

ソフィーは鼻を鳴らしただけでした。マイケルがやりかけの新しい呪文をほうりだし、階段を何度も上り降りしはじめました。なんて落ち着かないんでしょう。ソフィーが青い三角形を十個縫いつけるあいだにマイケルが持ってあがったのは、蜂蜜入りレモンジュース、なんとかいう書物、咳止め調合薬、その薬を飲むさじ、鼻づまり用ドロップ、のどの錠剤、うがい薬、ペン、紙、書物がほかに三冊、そして柳の樹皮の煎じ薬でした。戸口をノックしていく人も多く、そのたびにソフィーはとびあがり、カルシファーは不安そうにまたたくのでした。誰も返事をしないので、中には怒って五分間も扉をたたきつづける人もいました。

そのころになると、ソフィーは青と銀色の服のことが心配になってきました。服の大きさがどんどん縮んでいるようなのです。三角形のはぎれを縫いつけるたびに、少しずつ縫いしろをとらなければならなかったからです。ハウルが昼食にベーコンサンドイッチを食べたがっていると言って、マイケルが階段を駆けおりてきたとき、ソフィーは声をかけました。「ねえマイケル、小さくなった服を大きくする呪文って、あるかしら？」

「ええ、あります。今やりかけの新しい呪文がそうです……あとで、時間ができたら完成させます。ハウルさんはサンドイッチにベーコンを六切れはさんでほしいそうで。カルシファーに頼んでもらえますか？」

ソフィーとカルシファーは、やれやれというようにめくばせをかわしました。

「死にかけているなんて、とんでもないね」カルシファーが言いました。

「もし頭を下げてくれたら、ベーコンのはじを食べさせてあげる」ソフィーは縫物を下に置いて言いました。カルシファーはおどしつけるより、買収した方が簡単だからです。

ソフィーたちもベーコンサンドイッチの昼食をとっていると、またマイケルが呼ばれて、食べかけのまま階段を駆けあがっていきました。まもなく下へ降りてきたマイケルは、ハウルに頼まれて外出する、と言いました。城を動かすのに必要な品物を〈がやがや町〉で買ってくるのだそうです。

「でも、魔女が……だいじょうぶかしら？」ソフィーが聞きました。

マイケルは指についたベーコンの脂をぺろりとなめると、物置へ駆けこみました。出てきたときには埃《ほこり》だらけのビロードのマントをはおっていました。というか、マントをはおって出てきたのは、赤ひげの体格のよい男性でした。この男性は指をなめながらマイケルの声で言いました。「ハウルさんがこうすればだいじょうぶだろうって。変装用と方角を狂わせるまじないなんです。レティーはぼくだとわかってくれるかなあ」がっしりした男性は扉のダイヤルをまわして緑色の面を下にむけ、ゆっくりと下を動いている丘陵地帯へとびおりました。

ようやく静かになりました。カルシファーはくつろぎ、炎は気持ちのいい音をたてています。どうやらハウルも、ソフィーが自分のために走りまわることはないとわかっているようで、二階も静かになりました。ソフィーは立ちあがり、そろそろと物置に近づきました。妹のレティーに会いにいくなら今です。あたしが果樹園で見かけたあの日以来、ハウルはレティーに会いにいってないに決まってる。あの子は今ごろきっとみじめな思いをしてるわ。ハウルを好きになったのは魔法の服のせいなんだと教えてやれば、あの子も少しは慰められるでしょ。ともかく、あたしには教えてやる義務があるわ。

ところが七リーグ靴が見あたりませんでした。そんなはずはないと、物置の物を全部ひっくり返してみましたが、出てきたのは、本物のバケツ、ほうき、そしてビロードのマントがもう一枚だけです。「あんちくしょう!」ソフィーは吐きだすように言いました。ハウルが、二度とあとをつけられないように隠してしまったのです。

品物を戻していると、扉をノックする音がしました。ソフィーはまたもやとびあがり、今度も立ちさって、と祈りました。けれども今までの誰よりも強い意志を持っている人物なのでしょう。ノックはやみません——それとも体あたりでもしているのでしょうか。というのは、ドンドンいう音から、何かがドスンとぶつかる音になってきたからです。五分たっても音はやみません。

ソフィーは不安げな緑色のまたたきを見ました。カルシファーで見えているのは炎の先だけです。「ねえ、魔女なの？」

「ちがう」カルシファーはまきのあいだからくぐもった声で答えました。「動く城の扉だけど、誰かが城といっしょに走ってるにちがいないよ。おいらたちはかなり速くまわってるから」

「あのかかし？」ソフィーは聞きました。そう思っただけで身震いが出ます。

「血と肉を備えているよ」カルシファーが答え、青い顔を煙突につっこむと、不思議そうに言いました。「正体はよくわからないけれど、ひどく中に入りたがっている。悪意があるようには思えないけど」

ドスンドスンという音がさらに続き、さし迫った感じに落ち着かなくなったソフィーは、扉をあけてやめさせようと決心しました。それに、正体を知りたい気持ちもあったので、さっき見つけたまま手に持っていたマントを肩にひっかけ、扉をあけにいきました。カルシファーがびっくりして見つめ、パチパチと笑い声をあげました。自分から頭を下げ、下向きの緑色の巻毛の頭を見せたのははじめてです。マントでどんな姿に変わったのかと思いながら、ソフィーは扉をあけました。

大きくてひょろ長いグレイハウンドが丘からとびあがり、がたがた動く城の入口をとびこえて、部屋のまん中に着地しました。ソフィーはマントをとり落とし、あわてうしろへ下がりました。いつだって犬は苦手でした。ましてグレイハウンドというのは、見るからに恐ろしそうな犬なのです。犬は扉の内側でソフィーの目の前に立ちはだかり、じろじろこちらを見つめています。ソフィーは遠ざかる岩山やヒースの原をうらめしげに見て、ハウルに助けてと叫んだものかしら、と考えていました。

犬はもともと曲がっていた背中をさらに曲げたあと、体を起こし、どうにかうしろ足だけで立ちあがりました。こうするとソフィーとほとんど同じ高さです。前足をぎこちなく前につきだし、さらに背すじを伸ばしました。そして、ソフィーが助けを呼ぼうと口をあけたとき、この生き物は明らかに、せいいっぱい力をふりしぼり、しわくちゃの茶色の服を着た男性の姿になりました。髪は赤毛、顔は青白く不幸せそうです。

「上折《かみお》れ、から、来た！」犬人間は、あえぎながら言いました。「レテー、いとしい……レテー、言う、ここへ行け……レテー、泣いた。とても……不幸せ……あなた、ここ、いる……わたし、いっしょにいる……」犬人間の体が折れ曲がりだし、最後まで言わないうちに小さくなっていきます。犬人間は絶望といらだちからひと声吠え、「魔法使いに、話す、だめ！」と、かん高く鳴いたと思うと、赤い巻毛の男からふたたび犬に戻ってしまいました。でもさっきとはちがう犬です。今度は赤毛のセッターみたいで、ふさふさした尻尾を振ると、うるんだあわれっぽい目でソフィーを熱心に見つめました。

「おやまあ」ソフィーは扉をしめながらつぶやきました。「あんた、あのときフェアファックスさんの庭にいたコリーなのね？　ようやくフェアファックスさんの話していたことがわかった。レティーの恋人が問題をかかえてるって言ってたっけ。まったくあの魔女は、八つ裂きにしてやらなきゃ！　でもレティーはどうしてあんたをここへ来させたの？　ハウルに話してほしくないと言うんなら……」

ソフィーがハウルの名前を口にしたとたん、犬はかすかにうなりました。それからまた尻尾を振り、すがるような目をします。

「わかった。言わない」ソフィーは約束しました。犬は安心したらしく、ちょこちょこと暖炉へ近寄り、カルシファーを警戒するようにちらと見てから、やせた赤い体を炉格子の前に横たえました。「カルシファー、どう思う？」

「呪《のろ》いをかけられた人間だね」カルシファーはわかりきったことを言います。

「それはわかってる。で、あんたは呪いを解けないの?」レティーも、ハウルのところに新しい魔女がいると聞いたのね。ハウルが起きてきて、この犬人間を見つける前に、ぜひとももとの人間に戻して〈上折れ谷〉へ送り返してやらなくちゃ。

「おいらにゃできない。ハウルと組まないかぎり、無理さ」とカルシファー。

「それなら一人でやってみるよ」とソフィー。

かわいそうなレティー! ハウルに失恋し、もう一人の恋人は四六時中犬にされてるなんて! ソフィーは犬の柔らかい頭のてっぺんに手をのせ、「人間に戻りなさい」と話しかけました。何度も呼びかけたのですが、犬に生じた変化は眠りが深くなったことだけです。今や犬はいびきをかいています。眠りながら体をぴくぴくさせると、ソフィーの脚にそれが伝わりました。

そのあいだにも、かなり大きなうめき声とうなり声が二階からもれてきました。ソフィーは犬にせっせと話しかけ、うめき声の方は無視しました。大きな乾いた咳《せき》がひとしきり続き、うめき声で終りましたが、それも無視。咳のあとはやかましいくしゃみが続き、そのたびに窓ガラスや扉ががたがた。これを無視するのはちょっと骨《ほね》でしたが、でも、無視してのけます。ブオー! トンネルの中で低音の木管楽器バスーンを吹いたみたいに、鼻をかむ音。また咳がはじまり、うめき声がまじり、さらにくしゃみも加わります。ついには、ハウルが咳、うめき、鼻をかむ、くしゃみをする、わめく……というのを同時にやっているかのようなやかましさになり、扉ががたがた鳴り、天井の梁《はり》が震えだし、暖炉のまきがごろんと一本ころがりでました。

「はいはい。わかりましたよ」ソフィーはまきを暖炉の中に投げもどしました。「来ないと、次は緑のねばねばだってことね。カルシファー、犬がどこにも行かないように見ててね」ソフィーは階段を上がりながら、聞こえよがしにひとり言を言いました。「まったく、魔法使いなんてもんは！　あんたって、まるで風邪を引いたのは自分がはじめてみたいにふるまうんだから！　さあ、なんの用？」ソフィーは汚れた絨毯の寝室に入りながら問いつめました。

「退屈で死にそうだ」ハウルはあわれっぽい声を出します。「さもなきゃ、ただ死にかけているのかも」

薄汚れた灰色の枕に寄りかかったハウルは、本当に調子が悪そうに見えました。ベッドカバーはパッチワークのキルトらしいのですが、汚れで色の区別がつきません。ハウルのお気に入りらしいクモが数匹、ベッドの天蓋の上にせっせと巣を作っています。

ソフィーはハウルの額に触り、「少し熱があるみたい」と認めました。

「ぼく、もうだめだ。目の前を点々がはいまわる」

「あれはクモでしょ。どうしてまじないで風邪を治さないの？」

「風邪を治せるまじないなんてないんだよ」ハウルは悲しそうに言いました。「頭の中で物がぐるぐるまわってる――それとも、物の中でぼくの頭がまわっているのかな。魔女の呪いの言葉をずっと考えてたんだよ。あんなふうにぼくのことをいろいろ知られてるなんて、思ってもみなかったんだ。あばかれるのはいやなもんだ。これまでのところ、あばかれたのはぼくのやったことだけだがね。あとは呪いの残りが実現するのを待つしかないのさ」

ソフィーは謎めいた詩のことを思い返してみました。「どんなところ？『おれに話してくれ、過去の歳月の居場所を』のとこ？」

「ああ、あれはもうわかってるよ。ぼくのでも、誰のでもね、過去ってのはみんな、そのままのところにあるんだ。ぼくはやろうと思えば、自分の洗礼式に舞いもどって悪い妖精の役を自分で演じることもできる。たぶん似たようなことをやっちゃって、それで困ってるのかな。

いや、実現してないのはあと三つ、人魚の歌とマンダラゲの根っこと、正直者に役立つ風だ。『頭が白く』なろうとなるまいと、結局呪いは解けないとわかるだけさ。呪いがすべて実現するまであと三週間ぐらいだろうな。実現したらすぐ、魔女はぼくをつかまえてしまうだろう。でもラグビー・クラブの同窓会は夏至《げし》の前の晩だから、少なくともそれには出られるな。その三つ以外のことは、もうずっと昔に起こったことなのさ」

「それはつまり流れ星とか、誠実な美女をけっして見つけられないってこと？　だけどあんたのやり方なら、それも当然だよ。ペンステモンさんがあんたが悪人になるだろうっておっしゃったのは、正しかったわけね」

「槍《やり》が降ろうがどうしようが、あの人の葬式には行かなくちゃ」ハウルは悲しげに答えました。「ペンステモン先生はいつもぼくのことを高く評価してくださってた。ぼくが魔法をかけて先生の判断力を曇らせてたんだけどね」

ハウルの目からしずくが流れ落ちました。ソフィーにはハウルが本当に泣いているのか、判断がつきませんでした。風邪のせいかも。ただ、ハウルがまたもやウナギのように自分の質問からすりぬけたことはわかっていました。

「あたしの言ってるのは、相手を恋に誘いこんだとたん、ご婦人をふるあんたのやり方のこと。どうしてそんなこと、するのさ？」

ハウルは震える手でベッドの天蓋をさし示しました。「だからぼくはクモが好きなんだ。『もし最初は成功しなくても、何度でもためせ、ためせ』＊ぼくもクモも何度でもためしてる」ハウルはとても悲しそうです。「自業自得だな。何年も前に取引をし

＊　十四世紀はじめ、逆境にあったロバート・ブルースという男が、六回巣をかけるのに失敗したクモが七回目に成功したことに励まされた故事《こじ》をさす。

たせいだ。だから、今じゃ誰もまともに愛せないんだろう」

ハウルの目から流れ落ちているのが涙であることはもう間違いありません。ソフィーは心配になりました。「ほら、泣かないで……」

そのとき部屋の外でパタパタと音がしました。ソフィーがふり返ると犬人間が扉を抜け、今しも体半分入りこんできたところでした。ソフィーは手を伸ばし、赤い毛をつかみました。きっとハウルをかみにきたと思ったからです。でも犬はただ、ソフィーの脚に寄りかかっただけでした。犬に寄りかかられたせいで、ソフィーはペンキのはげた壁によろよろ倒れかかりました。

「なんだいそれ？」とハウル。

「あたしの新しいペット」ソフィーはカールした犬の毛をひっぱりながら答えました。壁に背中をつけて立っていると、寝室の窓の外を見ることができました。城の裏庭が見えるはずなのに、見えたのは小ぎれいな四角い庭と、そのまん中にある子ども用のブランコでした。夕陽がブランコについている水滴を青や赤に染めています。ソフィーがじっと見つめていると、ハウルの姪《めい》のマリが濡れた芝生を走っていきました。ハウルの姉、ミーガンがマリのあとを追っていきます。きっと、濡れたブランコに座らないようにと叫んでいるのでしょう。けれども音はまったく聞こえてきません。

「あれは、ウェールズとかいうところよね？」

ハウルは笑いだし、ベッドカバーをこぶしでたたきました。埃《ほこり》が雲のように舞いあがりました。「この犬のちくしょうめ！」ハウルはしゃがれ声で言いました。「あんたがこの部屋にいるあいだ、窓の外をのぞかせないですむと思ってたのに！」

「そう、そういうつもりだったの」ソフィーは言うと、犬を放してやりました。ハウルをかめばいいのに。けれども犬はソフィーにもたれかかり、今度は部屋から押しだそうとします。「それじゃ、さっきからうわ言みたいに言ってたのは、みんな窓の外を見させないための嘘だったのね？」ソフィーは聞きました。「気がつかなかったなんて！」

ハウルは灰色の枕にぐったりともたれ、ひどく傷ついたようすで、責めるように言いました。「ときどき、あんたはミーガンそっくりの口をきく」

「ときどき」ソフィーは応じながら、犬を先に部屋から追いだしました。「あたしはどうしてミーガンがあんたを責めるのか、わかる気がする」

そしてバンと音をたて、クモや埃、ウェールズの庭を、扉のむこうにとじこめました。

十五章　お葬式に行った犬

ソフィーが縫物に戻ると、犬人間がどさりと足の上に横になりました。そばにいさえすれば、呪いを解いてもらえるとでも思っているのでしょう。

しばらくすると赤いひげをはやした大柄な男が箱をかかえ、勢いよく入ってきました。ビロードのマントを脱ぐと、男はマイケルに戻りました。犬人間が起きあがって尻尾を振ると、マイケルは箱をかかえたまま犬の頭をなで、耳のうしろをかいてやりました。

「この犬、居ついてくれるといいですね。ずっと犬を飼いたいと思ってたんですよ」

ハウルはマイケルの声を聞きつけたらしく、薄汚れたベッドカバーのキルトを巻きつけて二階から降りてきました。ソフィーは縫物の手を休め、用心深く犬を押さえましたが、犬はお行儀よくしています。ハウルがキルトのあいだから腕だけ出して頭をなでたときも、いやがりませんでした。

「どうだった？」しわがれ声のハウルは薄い紙を空中からとりだし、いっしょに埃をまきちらします。

「ええ、全部そろいました。それからすごいつきに恵まれたんですよ。ハウルさん、〈がやがや町〉にあいてる店があったんです。以前は帽子屋だったそうです。あのう、そこへ移ったらどうでしょう?」

ハウルが高い腰かけに座って考えているところは、長衣《トーガ》をまとったローマ時代の元老院議員のようです。「店の値段しだいだけどね。ポートヘイヴンからそこに引越してもいいなあ。でもそうすると、カルシファーを今いるポートヘイヴンから動かさないとね。手強《てごわ》そうだ。カルシファー、今の話、どう思う?」

「おいらを動かすのかい? うーんと慎重にやっとくれ」考えただけでカルシファーの顔からさっと色が引きました。「おいらはこのままの方がいいけど」

ファニーは店を売っちゃう気らしいわ。ハウルがマイケルたちと引越の話に熱中している横で、ソフィーはもの思いに沈みました。王様からも逃げる気らしいけど、ハウルが自分にはあると豪語していた良心は、どうなったのよ? だけど、それより気になるのは、犬の行動がよくわからないことだわ。どんなにあたしには呪《のろ》いを解く力がないんだ、と言い聞かせても、城を出ていこうとしないし。かといってハウルをかじる気配も見せないし。

犬はその晩も次の朝もマイケルに連れられて、ポートヘイヴンの湿原を散歩しました。犬のねらいはこの城の一員になることのようでした。

「あたしがあんたの立場なら、〈上折れ谷《かみおだに》〉に残って、ハウルに失恋したレティーを今のうちに射とめちゃうんだけどね」ソフィーは犬に言ってやりました。

次の日、ハウルは寝たり起きたりしていました。ハウルが寝ていると、マイケルはまた駆けあがったり駆けおりたりして用を足しました。ハウルが起きると、マイケルはいっしょに城の寸法を測り、すみというすみに補強用の金具をとりつけるために、やっぱり駆けずりまわっていました。

ハウルはガウンがわりの埃《ほこり》だらけのキルトをまとい、あれこれたずねたり、ソフィーには何かと文句をつけていました。

「ねえソフィー、しっくいを塗って、動く城をこしらえたときの目印を全部消しちゃったのはあんたなんだ。だから、マイケルの部屋にあった目印の場所を思いだしてくれよ」

ソフィーは七十番目の青い三角形を縫いつけながら答えました。「まるで思いだせないね」

ハウルは悲しそうにくしゃみをし、すごすごと退却しましたが、またすぐに顔を出します。

「ねえソフィー、もしあの店を買ったら、何を売ればいいだろうね?」

ソフィーはふと、もう帽子は見るのもうんざりだと思いました。「帽子はいや。店を買っても商売まで買うわけじゃないし。そうでしょ？」

「あんたの、魔女のようにひねくれた頭を少し使って、考えてみなよ。もし考えるなんて芸当ができるならさ」捨てぜりふを吐くと、ハウルは二階へ上がっていきました。

五分後、ハウルがまた降りてきました。「ねえソフィー、出口をつなげる場所に注文はあるかい？　それに、どんな家に住みたい？」

そのときソフィーの心に浮かんだのは、フェアファックス夫人の家でした。

「花がたくさんあるすてきな家」

「わかった」しゃがれ声を残し、ハウルは立ちさりました。

次にまたあらわれたときには、ハウルは服に着替えていました。今日はこれで三度目だったので、ソフィーは気にもとめませんでした。でもハウルは服の上にマイケルの使ったマントをはおり、青ざめて、咳《せき》をしている赤ひげの男に変身しました。大きな赤いハンカチを鼻に押しあてています。ソフィーはようやくハウルが外出するつもりだと気づきました。「風邪がひどくなるよ」

「ぼくが死ねば、あんたたちもさぞ悲しんでくれるだろう」赤ひげは扉のダイヤルを緑色に合わせると、出かけていきました。

それから一時間ほどは、マイケルは呪文を勉強し、ソフィーは八十四番目の青い三角形の布までやっつけることができました。そこへ赤ひげが戻ってきました。ビロードのマントを脱ぐと、ハウルは咳が外出前よりひどくなり、前よりさらにあわれっぽい顔つきです。

「店を買ったよ」ハウルがマイケルに言いました。「奥に使えそうな小屋があるし、横に住まいがある。だから全部買うことにした。金が足りればいいけど」

「ジャスティン殿下を見つけて王様からごほうびをもらったらどうですか?」マイケルがたずねました。

「お忘れのようだけど」とかすれ声でハウル。「この作戦全体の目的は、ジャスティン王子を探さないですませることだったじゃないか。ぼくたち、雲隠れするんだ」ハウルはたてつづけに咳をしながら二階へ引きとりました。まもなく梁《はり》がゆれるほどのくしゃみが聞こえ、お呼びだとわかりました。

マイケルは呪文をやりかけで二階へ駆けあがっていきました。ソフィーが行ってもよかったのですが、あいにく犬人間に邪魔されたのです。これもまた犬のへんなところでした。犬はソフィーがハウルに何かしてやるのに反対というわけです。反対する気持ちもわかるわ、と思いながら、ソフィーは八十五番目の三角形にとりかかりました。

マイケルは陽気な顔で降りてくると、また呪文にとりくみはじめました。いかにも幸せそうに、カルシファーがフライパンの歌を歌うのに合わせて歌ったり、ソフィーのまねをして頭蓋骨に話しかけさえしました。「ぼくらは〈がやがや町〉に住むんだ。毎日レティーに会えるぞ」

「それがねらいだったの、ハウルに店のことを教えたのは?」ソフィーは針に糸をとおしながら聞きました。今縫っているのは八十九番目の布です。

「ええ」マイケルはうれしそうです。「どうすればもっと会えるだろうかって話しあっていたとき、レティーが教えてくれたんです。だからぼくはレティーに……」

そのときキルトを引きずったハウルがあらわれ、マイケルをさえぎりました。「今日はこれきり、顔を見せないよ。言うのを忘れてたけど、明日、ポートヘイヴンの近くのペンステモン先生の領地で葬式がある。で、この服をきれいにしておいてほしいんだ」

ハウルはキルトの下から灰色と真紅の服をとりだして、ソフィーのひざの上にのせました。「あんたが精だして縫ってるのじゃなくて、こっちを着ていきたいのに、ぼくには今、きれいにする力がない」

「葬式に行く必要はないんでしょう?」心配そうにマイケルが聞きました。

「家で寝てるつもりはないぞ。ペンステモン先生はぼくを魔法使いにしてくれた恩人だ。ぜったいお別れに行かなきゃ」

「でも、風邪がそんなにひどいんじゃ」と、マイケル。

「自業自得だね。そんなふうに起きたり、歩きまわったりしてるんだから」と、ソフィー。

ハウルはたちまち、いかにもあわれっぽい表情を浮かべました。「潮風に吹かれなきゃ、まあ平気だろう。だけど、ペンステモン領は風のきつい場所でね。木は横に曲がっているし、何マイルも風をさえぎる物がないんだよなあ」

ハウルが同情を引いていることぐらいお見とおしのソフィーは、フンと鼻を鳴らしました。

「でも、魔女はどうするんです?」マイケルが聞きます。

ハウルはあわれっぽく咳をし、すそを引きずり、階段の方へ戻りかけながら言いました。「変装して行くのさ。ほかの死体のふりでもしようかな」

「それならあんたにいるのはこの服じゃなくて、死人の着る服だろうが」

ソフィーの言葉を無視してハウルは階段を上っていきましたが、ソフィーは追い討ちをかける気はありませんでした。例の魔法のかかった服がむこうから舞いこんできたのです。見逃すにはあまりに惜しい機会でした。ソフィーははさみをとりあげ、灰色と真紅の服をぎざぎざの七枚の布にばらしてしまいました。これならハウルも着るのを思いとどまるでしょう。それから青と銀色の服の穴をふさぎにかかりました。もう残っているのは、首のまわりの小さな穴だけです。でも服はかなり縮んでしまっています。このぶんだと、ペンステモン夫人の小柄な小姓にも小さすぎるかもしれません。

「マイケル、物を大きくする呪文はまだ？　大至急よ」

「あと少しですよ」

半時間後、まじないの項目を点検し終えたマイケルが、用意ができた、とソフィーにさしだしたのは、小さな椀の底にほんの少し入った緑色の粉でした。「どっちの服に使うんですか？」

「これよ」ソフィーは最後の縫糸をぱちっと切ると、寝ている犬人間を脇にどけ、子ども服サイズに縮んだ青と銀色の服をそっと床に広げました。マイケルもとても注意深く、お椀の中味を服全体にまぶしました。

それから二人でかたずをのんで待ちました。

一分ほどたち、マイケルはほっと息を吐きました。服がゆっくりと広がってきたのです。やがて二人が見ている前で服はどんどん大きくなり、服のへりが犬人間の方にぶつかったので、ソフィーは犬を脇にどかして場所をあけてやりました。

五分後、服がハウルのサイズに戻ると、マイケルが服をつかみ、よぶんな粉を暖炉に念入りに払い落としました。カルシファーが炎を上げてうなり、犬人間が眠ったままとびあがりました。

「気をつけろ！　この粉は強力だぜ」カルシファーが叫びます。

ソフィーは服を置きに、足音をしのばせて二階へ上がりました。ハウルは薄汚れた枕に頭をのせ、眠っていました。ベッドのまわりではクモたちがせっせと新しい巣を作っている最中でした。

眠っているハウルは、気高く悲しげに見えます。ソフィーは窓際の古ぼけた小型のタンスの上に持ってきた服をのせました。さっきからずっと服が大きくなりつづけているなんて気のせいよ、と自分に言い聞かせます。「それに、この服のせいであんたが葬式に行きそこなったって、ちっともかまわない」ソフィーはつぶやきながら、窓の外をちらと眺めました。

小ぎれいな庭のむこうで夕陽が沈もうとしていました。黒髪の大柄な男性が庭で、ハウルの甥《おい》のニール相手に楽しそうに赤い玉を投げているところでした。ニールの方はあきらめの表情を浮かべ、しんぼう強く棒を持って立っています。男性はニールの父親のようです。

「またのぞき見かい」ハウルにいきなり声をかけられ、ソフィーはうしろめたい気持ちでふり返りました。ハウルは寝ぼけているのか、きのうの話の続きをしているようです。「『嫉妬のとげより身を守るにはどうする』……みんな昔の話さ。ぼくはウェールズが好きだ。でも、ウェールズの連中はぼくを好きじゃないからさ」ミーガンはとげとげしい。なぜって自分はまともなのに、ぼくがそうじゃないからさ」

そこでハウルは少し頭がはっきりしたらしく、たずねました。「なんの用だい？」

「服を置きにきただけ」ソフィーは急いで部屋を出ました。

そのまま夜になっても姿を見なかったところをみると、ハウルはまた眠ったにちがいありません。そして翌朝ソフィーとマイケルが起きたときも、ハウルが起きだす気配はありませんでした。

二人はハウルを起こさないように気をつかいました。葬式に参列するのが賢いことだとは、どうしても思えなかったからです。マイケルはこっそり犬人間を丘まで散歩に連れだしました。物音をたてないように朝食の支度をしていたソフィーも、ハウルが朝寝坊することを願っていました。

マイケルが戻ってきたときも、ハウルはまだ姿を見せていませんでした。ソフィーとマイケルが腹をすかせた犬人間に何かやる物はないかと戸棚を探していると、ハウルがゆっくり降りてくる足音がしました。

「まったく、ソフィーは」ハウルの声にはとがめるような響きがありました。

ハウルが扉を押さえて戸口に立っていました。巨大な青と銀色の服の袖が大きすぎて、手の先まですっぽり隠れています。足もとを見ると、巨大な上着の中にすっかり隠れています。もう片方の腕も反対側の袖のどこからも出ていません。ただ、ばかでかい襟飾りの下でこぶしを振りあげているらしいことは、生地が盛りあがっているのでそれと見当がつきます。ハウルのうしろでは服のすそが階段を埋めつくし、寝室まで続いていました。

「ありゃあ！」マイケルが声をあげました。「ハウルさん、ぼくのせいなんです……」

「おまえの？　ばかな！　ソフィーのしわざだってことぐらい、一マイル離れていてもかぎつけられるさ。どうでもいいけど、この服は数マイルの長さがあるぜ。ソフィーおばさん、さあ、もう一着の服はどこだい？」

ソフィーは急いで、物置に隠しておいた灰色と真紅の服のなれの果てをとりだしてきました。

ハウルはばらばらの布をじろじろ見ると言いました。「予想よりましだ。縮めて見えなくしたかと思ってたからね。そのまま全部こっちへ渡しなさい」

ソフィーは布をひとまとめにしてさしだしました。ハウルは幾重《いくえ》にも折り重なった袖の中でひとしきりもがいた末、巨大化した針目のあいだからどうにか腕を外へつきだし、布を受けとりました。「ぼくはこれから葬式に行く支度をする。頼むから、二人ともそのあいだはおとなしくしてるように。ソフィーは今、絶好調だろ、よくわかるよ。帰ってみたら部屋の大きさが変わってたなんて、ぜったいごめんだからね」

ハウルは青と銀色の服の海を従えて堂々と浴室にむかいました。あとから服の残りの部分が階段を一段ずつ降りてきては、床の上を衣《きぬ》ずれの音をたてておりすぎていきます。ハウルが浴室に入った時点で上着の大部分は一階に降りていましたが、ズボンはようやく階段の上にあらわれたところでした。ハウルは浴室の扉を半開きにして、服をぐんぐん中へひっぱりこんでいるようです。

ソフィー、マイケル、犬人間はつっ立ったまま、青と銀色の服地が何ヤードも床の上を横ぎって移動していくさまを見まもりました。ところどころに石臼ほども大きな銀色のボタンや、太いロープのような糸の規則正しい縫目が見えます。服地は優《ゆう》に一マイルの長さがあったでしょう。

「ぼく、まじないをやりそこなったみたいですね」最後にばかでかい波形のふちどりが浴室の中に消えると、マイケルが言いました。

「だけど、ハウルもあんなふうにそれを見せつけなくたっていいのにさ。まきを一本足しておくれ」とカルシファー。

マイケルはカルシファーにまきを食べさせ、ソフィーは犬人間に餌を食べさせました。けれども二人とも蜂蜜を塗ったパンを立ったまま食べて朝ごはんがわりにしたほかは、ハウルが浴室から姿を見せるまで、あえて何をする気もしませんでした。

ハウルがバーベナの香りの湯気といっしょに浴室から出てきたのは二時間後でした。

何から何まで黒ずくめでした。服もブーツも黒で、髪さえアンゴリアン先生と同じ、烏《からす》の濡羽色《ぬればいろ》になっていました。細長い黒玉の耳飾りをたらしています。黒い髪はペンステモン先生の死を悼《いた》むというだけの意図なのかしら、ソフィーは思いました。ハウルには黒い髪が似合うと、生前ペンステモンさんも言ってたけど、ほんとね。緑色のガラス玉みたいな瞳に黒い髪がとても映《は》えてる。でも、この黒い服の正体は、どっちかしら？

ハウルは紙をとりだすと鼻をかみました。紙まで黒です。窓ガラスががたがた鳴ります。それから蜂蜜を塗ったパンをひと切れ作業台からとると、犬人間を手招きしました。犬人間は疑わしげな表情を浮かべました。「もっとよく見える場所に来てほしいだけだよ」ハウルはあいかわらずしゃがれた風邪声で言いました。「さあ、おいで、ワン公」犬がしぶしぶ部屋のまん中にはってくると、ハウルはこうつけ加えました。「浴室を探しても、もう一着の服は見つからないよ、のぞき屋おばさん。二度とぼくの服に触らせるつもりはないからね」

しのび足で浴室へ行きかけていたソフィーは、立ち止まりました。そしてハウルが蜂蜜パンをかじったり、鼻をかんだりしながら、犬のまわりを歩きまわるのを眺めました。

「変装として、犬なんてどうだろう？」ハウルは言うと、黒い鼻紙をカルシファー目がけてはじきとばし、よつんばいになりました。そのとたん、ハウルの姿は消え、次の瞬間には犬人間とそっくりの赤い巻毛のセッターがあらわれていました。

びっくりした犬人間は、本能のままに首のまわりの毛を逆立て、耳をふせたと思うとうなりはじめました。ハウルもそのまねをしました。あるいは、こちらも本能のまま動いているのかもしれません。二匹のうりふたつの犬はにらみあったままぐるぐる歩きまわり、うなり声をあげ、背中の毛を逆立てて闘う体勢をとりました。

ソフィーは犬人間だと思った方の尻尾を、マイケルはハウルだと思ったもう一匹をつかみます。ハウルはちょっとじたばたすると、もとに戻りました。気がつくと、長身の黒ずくめの人間が前に立っていたので、ソフィーはあわててハウルの上着のすそから手を離しました。犬人間はマイケルの足もとに座りこみ、悲しそうな顔をしています。

「いいぞ」ハウルが言いました。「もし犬でさえだませるのなら、誰だってだまされるということだ。葬式に来た連中だって、墓石におしっこをかける野良犬には目をとめないさ」ハウルは扉に歩み寄ると、ダイヤルの青い面を下にまわしました。

「ちょっと待ってよ」ソフィーが声をかけます。「もし葬式に赤毛のセッターになっていくのなら、なんでわざわざ黒い服を着たりしたの？」

ハウルはあごをつんとそびやかし、扉をあけながらきどった声で言いました。「そりゃ、ペンステモン先生に敬意を払うためだよ。あの人は細かいところまできちんとしてるのがお好みだったからね」ハウルはポートへイヴンの通りにふみだしていきました。

十六章　七変化《しちへんげ》魔法合戦

　数時間が経過し、犬人間はまたもや腹をすかせ、マイケルとソフィーも昼ごはんにすることにしました。ソフィーはフライパンを持ち、カルシファーに近寄ります。

「たまにはパンとチーズだけにしたらどう？」カルシファーはこぼしながらも、頭を下げてくれました。ソフィーがてっぺんの緑色の炎の上にフライパンをのせたとき、どこからともなくハウルの声が響いてきました。

「カルシファー、やばいぞ。あいつに見つかった！」

　カルシファーが急に頭を上げたので、フライパンがソフィーのひざにぶつかりました。

「あんた一人じゃ無理だよ！」カルシファーは大声をあげ、煙突の中に目もくらむような大きな炎を上げました。カルシファーの姿がぼやけ、はげしくゆさぶられているように、一ダースかそこいらの青い顔に分かれ、大きく音をたてて燃えはじめました。

「戦いがはじまったんですね」マイケルがひそひそ声で言いました。

ソフィーは軽いやけどをした指先をなめ、もう片方の手でスカートにくっついたベーコンをつまみあげましたが、目はずっとカルシファーに注いでいました。カルシファーは暖炉のはじからはじへ動きまわり、ぼやけた顔の色が刻一刻、群青色《ぐんじょういろ》から空の青色、そして白っぽい色へと変わっていきます。あるときはそこらじゅうオレンジ色の目だらけ、次には星のような銀色の目がずらっと並びます。まったく度胆《どぎも》を抜かれる光景でした。

何かがさっと頭上をとおった気配がして、爆発音と轟音《ごうおん》が響き、部屋じゅうの物ががたがたゆれました。また何かが頭上をとおり、長くかん高い叫び声がしました。カルシファーは青黒くなってふくらんだり縮んだりしているし、ソフィーの皮膚は魔法の爆発を感じたせいかちりちりします。

マイケルが窓のそばに駆け寄って叫びました。「すごく近くです!」

ソフィーも、よろよろしながら急いで窓に近寄りました。魔法の嵐の影響は、室内のさまざまな物におよんでいます。頭蓋骨はあごをがくがくさせ、ごろごろ動きはじめました。棚の包みはとびはね、瓶《びん》の粉もしゅうしゅう煮えたぎっています。棚から書物が一冊どさっと落ちたと思うと、風もないのにばらばらとページがあおられていきます。香りのついた湯気が浴室からもれ、部屋の反対側ではハウルのギターが調子はずれの音を響かせ、カルシファーの動きがますますはげしくなります。

マイケルは、ゆれている頭蓋骨が床に落ちないように流しへ移動させると、窓をあけて首をつきだしました。上空で何が起きているのでしょう。腹立たしいことに、ここからはまったく見えません。通りのむかい側ではポートへイヴンの人々が扉や窓のそばに鈴なりになり、上空の何かを指さしています。

ソフィーとマイケルは物置に走り、ビロードのマントをそれぞれはおりました。ソフィーのマントは赤ひげの男に変わるほうでした。ソフィーは前にもう一枚のマントをはおったとき、カルシファーに笑われたわけがようやくわかりました。そのマントを着たマイケルが、馬になったからです。でも今は笑うどころではありません。

扉を引っぱってあけると、ソフィーは通りへとびだしました。さっきから驚くほど静かにしていた犬人間が、あとを追ってきました。さらにうしろから、にせもののひづめの音を響かせ、マイケルが小走りに追いかけてきます。あとに残されたカルシファーの色は、青から白に変わっていました。

通りは、空を見あげている人でいっぱいでした。家の中から走りでた馬にさえ、注意を払う人はいません。空を見あげたソフィーとマイケルの目に入ったのは、ハウルの家の煙突の真上ではげしく沸き立ち、ねじれている大きなまっ黒な雲でした。稲光のような閃光がその暗黒を貫いています。

ソフィーたちの目の前で、魔法の雲のかたまりはぼやけた二匹の蛇が争う形に変わりました。二匹の蛇が、巨大な猫が喧嘩しているような声をたてて離れたと思うと、片方が悲しげに鳴いて屋根を越え、海の方へ逃げ去り、もう片方が金切り声をたて、追いかけていきます。

ばらばらと家に戻る人が出はじめましたが、二人は、戦いの行方を見届けようと港へ急ぐ人々に加わりました。港では湾曲した堤防の内側に、見物人が大勢集まっていました。ソフィーも堤防を目ざして足を引きずっていましたが、そこまで行かなくても、倉庫の陰を離れればじゅうぶんよく見えました。

空はおだやかに晴れていましたが、雲がふたつ、堤防のむこうはじのやや外海寄りに浮かんでいるのがはっきり見えました。ふたつの雲のあいだで黒い嵐が荒れ狂い、大きな波がしぶきを上げているのまで、はっきり見えます。運の悪い船が一隻、この嵐に巻きこまれていました。船のマストが前後にゆさぶられ、四方八方から船べりに波がぶつかっています。乗組員たちは帆をたたもうと必死ですが、帆の一枚はすでに風にぼろぼろに引きちぎられていました。

「あの魔法使いども、船がどうなってもいいのかよ！」誰かが憤慨《ふんがい》して叫びました。

そのとき暴風と荒波が、堤防にぶつかりました。波しぶきが打ちつけ、堤防に登っていた大胆な連中が、いっせいに引き返してきました。港では、もやってある船が上下にゆれ、きしんでいます。こうした喧騒に輪をかけて、かん高い歌うような叫び声が響いてきました。

　ソフィーは倉庫の陰から、声がする方へ風の中に顔をつきだしてみました。荒れ狂う魔法の影響をもろに受けているのは、海やあわれな船だけではなかったようです。ずぶ濡れで肌を光らせた女性たちが、堤防によじのぼり、緑がかった茶色の髪を風になびかせ、波間でゆれている仲間の女性たちにむかって叫んだり、濡れた長い腕をつきだしたりしていたのです。その女性たちには全員、足のかわりにうろこのついた尾がありました。

　ソフィーは叫びました。「ああ、なんてこった！　あの呪《のろ》いに出てきた人魚だよ！」つまり、あの呪いでまだ実現していないのはあとふたつになったのです。

　ソフィーはふたつの雲を見あげました。雲は思っていたより大きく、思いのほか近くでした。左手の雲の上では、まだ喪服のままのハウルがひざをついています。美人に弱いハウルらしく、肩ごしにふり返って騒ぎたてる人魚たちを見つめているではありませんか。どうやら人魚が呪いの一部だということは、頭からそっくり抜け落ちているようです。

「魔女から注意をそらさないで」ソフィーの隣にいた馬がわめきました。

　右手の雲の上には赤いドレスをたなびかせ、赤い髪を振り乱した魔女が突然姿をあらわし、さらに魔法をかけるべく両腕を振りあげていました。ハウルがむきなおったとたん、魔女は腕を振りおろしました。ハウルの雲がバラ色の炎を吹きあげて爆発し、その熱気が港をどーっと吹きぬけ、堤防の石から水蒸気が立ちのぼりました。

「ハウルさんはだいじょうぶ」馬があえぎながら言いました。

ハウルは、波にもまれてほとんど沈没寸前の船の上に落ちたようです。がくがくゆれるメインマストに小さな黒い人影がもたれているのが見えます。大胆にも魔女に手を振り、命中しなかったと、知らせているようです。ハウルが手を振ったとたん、魔女はハウルを見つけました。雲が魔女もろとも赤い鳥になったかと思うと、船を目がけて容赦なく急降下しました。

そのとたん船がぱっと消えました。人魚たちが痛ましげな悲鳴をあげます。船があった場所では波が不機嫌そうに上下しているだけです。けれども鳥は止まるに止まれず、波しぶきを高く上げて、海中につっこんでしまいました。

見物人がいっせいに歓声をあげました。

「本物の船じゃないことは、わかってたんだ！」ソフィーの背後で誰かの声がしました。

「ええ、目くらましだったにちがいありません。小さすぎましたから」馬がえらそうに言います。

船の幻が見かけの位置よりは近くにあったことを証明するように、マイケルの言葉が終らないうちに、赤い鳥の起こした大波がもう、打ち寄せてきました。二十フィートの高さの緑色の山のような波が、海面にふくれあがり、泣き叫ぶ人魚たちをなぎ払い、堤防を越え、もやってあった船という船にはげしい横ゆれを起こします。倉庫が渦の中にのみこまれました。馬の腹から腕が伸びてきて、ソフィーを引きもどそうとしましたが、ソフィーはひざまでの灰色の海水に足をとられ、よろめき、息をのみました。かたわらでは耳の先までずぶ濡れの犬人間がとびはねています。

ソフィーたちがあとずさりし、港内の船がいっせいに上下したと同時に、ふたつ目の大波が堤防を越えました。と、波の中から怪物があらわれました。爪の尖った黒い猫とアシカの中間のような細長い怪物が、堤防をのりこえて走ってきます。波が打ち寄せると、同じように細長く、もっとうろこだらけの怪物があらわれ、一匹目のあとを追いました。

戦いがまだ終っていないことにはっと気づいた人々は、水しぶきを上げながら、港付近の納屋や家の陰にあわてて身を隠しました。ソフィーは積んであったロープや、どこかの家のふみ段につまずきましたが、そのたびに馬から腕が伸び、二匹の怪物が塩水をはねちらしてあいついでとおりすぎるあいだ、ソフィーを支えてくれました。

またもや波が堤防を越え、さらに怪物が二匹出てきました。それぞれ最初の二匹によく似ていますが、うろこの怪物が猫の怪物に似てきました。さらに次の波からも、いっそう互いに似かよった怪物が二匹出てきました。

「いったいどうなってるの?」ソフィーは三組目の怪物が堤防の石をゆらしながら駆けさると、しわがれ声をはりあげました。

「目くらましです」馬がマイケルの声で答えました。「本物はそれぞれ一匹です。互いに間違った相手を追わせようとだましあってるんです」

「どっちがどっちなの?」

「ぼくにもさっぱり」と、馬。

見物人の中には、気味悪い怪物にいや気がさして、家に帰った人がかなりいました。残った者の中にも、船を守ろうとゆれる船にとびのった人もいます。でもソフィーとマイケルは怪物のあとを追いかける血気《けっき》さかんな連中に合流し、ポートへイヴンの通りを抜けていきました。みんなで海水が川のように通りを流れる中を追いかけ、次に乾いた通りに出ると大きな濡れた足あとを追い、最後には敷石に怪物の爪がつけたくぼみやひっかき傷をたどりました。その先には、ソフィーとマイケルが流れ星を追いまわした町の裏手の湿原が広がっていました。

このころには六匹とも、湿原のずっとむこうへと黒い点と化して、はねながら遠ざかっていくところでした。見物の衆は三々五々、土手に陣取り、期待半分怖さ半分でじっと見つめていました。しばらくすると、湿原には怪物の姿は見えなくなりました。

何も起きません。たいていの人が引き返そうとうしろをむいたとき、まだ湿原を見つめていた人たちが口々に叫んだのです。「ほらあそこ！」

遠くで白っぽい火の玉がゆっくりと回転していました。とほうもない大きさにちがいありません。火の玉が爆発し、高く煙を上げ、しばらくしてやっと爆発音が届いてきました。ぽかんと見ていた見物人は、耳をつんざく音に思わず身をすくめました。見るまに煙がどんどん広がり、湿原をおおいはじめた霧にまじります。でもそのあとはいくら目をこらしても、音もなく静まり返るばかり。湿原の草が風に吹かれてさわさわ鳴り、小鳥たちがさえずりはじめました。

「どっちもやられたにちがいねえぜ」人垣が壊れ、みんなはそれぞれやりかけの仕事に戻ろうと急ぎ足で帰っていきました。

ソフィーとマイケルは、もう終りだとはっきりするまでねばっていましたが、やがてのろのろポートへイヴンの町へ引き返していきました。二人は口をきく元気もないのに、犬人間は幸せそうです。横ではしゃいでいるのを見れば、ハウルがやられたと決めこんでいることが伝わってきます。浮かれた犬人間は、角を曲がって家にむかう路地にさしかかったところで、目の前を横ぎった野良猫をうれしそうに吠えながら、勢いよく追いかけはじめました。追われた猫は一目散《いちもくさん》に家の入口まで走ると、そこでむきなおり、犬をにらみつけて鳴きました。

「あっち行け。そんなことしていいと思ってんのか」

犬は恥ずかしそうにあとずさりしました。

マイケルは足音も荒く入口に駆け寄ると、「ハウルさん!」と叫びました。

猫は、子猫程度の大きさに縮み、あわれっぽく言いました。「二人とも、ばかみたいな格好してないで! 扉をあけてよ。こっちはくたくたなんだ」

ソフィーが扉をあけると猫は中に入り、カルシファーがかすかに青くまたたいている暖炉に近寄ると、たいぎそうに前足を椅子の上にかけました。猫の体がじょじょに大きくなり、体をふたつ折りにして手を椅子についたハウルの姿になりました。

「魔女を殺したんですか?」マントを脱いで馬でなくなったマイケルが、熱心にたずねました。

「いや」ハウルは返事すると、体の向きを変え、どさっと椅子に倒れこみました。本当にくたびれきったようすで、声がしわがれています。「風邪だけでもひどいのにさ! ソフィー、後生だからその恐ろしい赤ひげをはずして、戸棚にあるブランデーの瓶《びん》を探してよ。それともあんたがとっくに飲んじゃった? テレビン油に変えたかい?」

ソフィーはマントを脱ぎ、ブランデーとグラスを探しだしました。ハウルはまるで水でも飲むように一杯目のブランデーを飲みほしました。それからグラスにもう一杯注ぐと、カルシファーに少しずつたらしてやりました。カルシファーの炎がはっきりし、音が大きくなり、元気が出てきたようです。ハウルは三杯目のブランデーをグラスに入れ、椅子にくつろぎ、少しずつ飲みながら言いました。

「そんなふうにつっ立って、にらみつけるなよ！　ぼくにも勝ったか負けたかわからないんだ。あの魔女はおっそろしく手強《てごわ》いんだから。自分の火の悪魔をうまく盾に使って、自分はやけどしないように立ちまわってる。でも、ぼくらでゆさぶりをかけたよな、カルシファー？」

「あっちの悪魔はすごい年寄りだね」カルシファーがまきの下からかすかな声で返事しました。「おいらの方が力は強いけど、おいらよりかずっと、いろいろ知ってるんだ。なんせ何百年も魔女と組んでるし。おいら、半殺しの目にあった」カルシファーは弱々しくシューッと音をたてると、まきの上に少し顔を出して文句を言いました。

「なんであんなやつだって教えといてくれなかったのさ！」

「嘘つけ、教えたろ」ハウルはくたびれきった声で答えました。「それに、ぼくの知ってることとならなんでもわかるんじゃないか」

ハウルがブランデーを味わっているあいだに、マイケルがパンとソーセージを見つけてきました。食事をとるとみんな生き返った心地がしましたが、おそらく犬人間だけは別だったのでしょう。ハウルが無事戻ったとなると、すっかりおとなしくなってしまったからです。カルシファーは炎を上げて燃えだし、いつもの青い顔に戻っています。

「このままじゃすむまい！」と言うと、ハウルはよろよろ立ちあがりました。「マイケル、よく見はってるんだよ。こっちが本当はポートヘイヴンにいるってことが、もう魔女にばれちゃったんだから。こうなったら空中の城を移動させたり、キングズベリーの出入口をしめるだけじゃだめだな。あの帽子店の隣の住まいに、カルシファーを移さなきゃ」

「おいらを移すって？」カルシファーがパチパチいい、心配のあまりまっ青になりました。

「そうだよ」とハウル。「〈がやがや町〉か、さもなきゃ魔女の、ふたつにひとつ。だからぐずぐず言うなよ」

「ああ、やんなっちゃう」カルシファーは嘆くと、炉格子の底に姿を消しました。

十七章　お城の引越

ハウルはすぐさま、まるで一週間休養をとったあとのように、元気よく働きはじめました。もしこの目で見ていなければ、一時間前に消耗のはげしい魔法合戦があったばかりとは、ソフィーにも信じられなかったでしょう。

ハウルとマイケルは城の中を走りまわり、お互いにあちこちの寸法を読みあげては、すでに補強用の金具をとりつけてあった場所に、白墨《はくぼく》で不思議な形の印をつけてまわりました。すみからすみまで、裏庭にも忘れずに白墨で印をつけたようです。二人は、天井が丸みをおびている階段下のソフィーのねぐらと、浴室のいびつな天井にはいささか手こずっていました。ソフィーと犬人間は、二人が印をつけるたびに邪魔だと追い払われ、マイケルが腹ばいになって円を描き、さらにまん中に五芒星《ごぼうせい》を描くあいだ、場所をあけなければなりませんでした。

マイケルが星を描き終り、埃《ほこり》と白墨の粉をひざから払い落としていると、黒い服一面にしっくいのかけらをつけたハウルが駆けこんできました。今度はハウルが星と円の中およびその周辺に印をつけるため腹ばいになり、ソフィーと犬はまたもや追いたてられ、階段に腰を下ろすはめになりました。犬人間は震えています。この魔法が好きではないようです。

ハウルがマイケルと裏庭へ走っていったかと思うと、一人だけあわてて引き返してきて叫びました。「ちょっと、ソフィー！　あの店で何を売ればいい？」

「花よ」ソフィーは、フェアファックス夫人の庭をまた思いだしながら答えました。

「そりゃいい」ハウルはペンキの入った壺《つぼ》と小さな刷毛《はけ》を手にして扉にせかせかと近寄り、刷毛を壺につっこむと、四角いダイヤルの青い面を注意深く黄色に塗りかえました。次に刷毛を壺に浸したとき、ペンキは紫色になっていて、それで緑色の面が塗りかえられました。三回目、ペンキの色はオレンジ色で、赤い面が塗りつぶされました。でも、黒い面はそのままです。体の向きを変えた拍子に、袖の先が刷毛といっしょに壺につかってしまいました。「やっかいせんばん！」袖をひっぱりだしながらハウルはつぶやきます。長い袖のすそが虹色に染まっていましたが、ハウルが振ると、また黒に戻りました。

「本当はそれ、青と銀の服なの、灰色と真紅の服なの？」ソフィーはたずねました。

「忘れたよ。邪魔しないで。これからが難しいとこなんだから」ハウルは急いでペンキの壺を作業台に戻し、粉の入った小瓶《こびん》をとりあげました。「マイケル！　銀のシャベルはどこ?」

マイケルが大きなぴかぴかのシャベルを持って裏庭から駆けこんできました。把手は木製ですが、刃は純銀製のようです。「全部そろいました」

ハウルは片方のひざにシャベルの先をのせ、把手と刃に印をつけ、瓶の赤い粉をぱらぱら振りかけました。それから指先で粉をつまみ、床に描いた五芒星の五つの先端にも同じ量ずつのせ、中央に残った粉を全部あけました。「マイケル、離れていなさい。みんなもだ。カルシファー、覚悟はいいね?」

カルシファーはまきのあいだから糸のように細長い炎を上げました。「覚悟だけはね、ちゃんとしてるよ。おいら、くたばるかも。そのこと、わかってるんだろ?」

「そんなに思いつめるなよ。殺《や》られるのはぼくの方かもしれないから。がんばれよ。一、二の三」と言いながら、ハウルはシャベルを暖炉の中にゆっくりと深く水平につきさしました。シャベルが炉の底にぴったりくっつくと、ハウルは一瞬のうちにシャベルをそっとカルシファーの真下に入れ、ゆっくりと、でも危なげなく持ちあげました。マイケルが息を止めているのがソフィーにもわかりました。

「うまくいった!」とハウル。暖炉の中のまきが何本かころがりましたが、どれにも火はついていません。ハウルはシャベルにカルシファーをのせたまま立ちあがり、むきなおりました。

部屋じゅうに煙が立ちこめました。犬人間は震えながらクンクン鳴いています。ハウルは咳《せ》きこみ、やっとのことでシャベルを平らに保ちました。

カルシファーはといえば、長く尖った青い顔が、かすかに輝く黒いかたまりの上にのっているだけです。黒いかたまりは中央が少しくぼんでいて、ちょっと見ると、カルシファーが脚を折り曲げ、ひざをそろえているように見えます。けれども黒いかたまりが少しゆれると、かたまりの下側が丸くなっているのが見えました。

涙がぼろぼろ出るせいで、はっきり見えるわけではありませんが、前に自分で言っていたとおり、やっぱりカルシファーには脚がないようです。カルシファーはひどく怖がっているようでした。オレンジ色の目が恐怖で見ひらかれ、つかまれるはずもないのに、かぼそい腕の形をした炎をシャベルの両側に吹きだしているのです。

「もうすぐだから」励まそうと声をかけたとたん、ハウルがむせました。でもすぐに口をしっかりとじ、立ち止まって咳を抑えました。シャベルがぐらついたので、カルシファーがよけいにおびえた顔になります。

ハウルは息を整え、注意深く大股で一歩、白墨で描いた円の中へふみこみ、次に、もう片足を五芒星の中央に置きました。それからシャベルを平らに持ったまま、ゆっくりと五芒星の上で一回転しました。カルシファーがまっ青な顔でおびえて目を大きくあけたまま、いっしょにまわります。

なんだか部屋全体が回転したような感じでした。犬人間はソフィーのそばにうずくまり、マイケルも体をふらつかせています。まわりじゅうの物がばらばらになって、ゆれながら円のまわりをはげしく踊っているような感じで、ソフィーは気持ち悪くなりました。カルシファーがあんなふうにおびえているのもうなずけます。

ハウルが注意深く、さっきと同じようにして円の外に出てきたときも、まだ何もかもが、ぐらぐらゆれていました。ハウルは暖炉の脇にひざをつき、細心の注意を払ってカルシファーを炉の中にすべりこませ、そのまわりにまきを積みあげてやりました。カルシファーは緑色の炎をぱっと上まで吹きあげました。ハウルはシャベルにもたれかかり、咳をしました。

部屋がもう一度大きくゆれ、ようやくおさまりました。まだ煙があちこちに立ちこめている中、一瞬、ソフィーは自分の生家のなつかしい居間を目にして、びっくりしました。床には絨毯がなく、壁に絵がかかっていなくても、ここがどこかぐらいわかります。しだいに、ハウルの家のここがわずかに縮まり、そこが引きのばされ、天井が梁《はり》の高さに合い……というように、なんとか居間の中にうまく収まったようです。その結果、ふたつの建物が今ではひとつにまじりあい、また城の居間になっています。前の居間にくらべて、天井が高く、全体が正方形に近づきました。

「カルシファー、完了かな？」ハウルが咳きこみながら言いました。

「まあね」カルシファーは煙突に高く炎を上げました。シャベルにのってもなんともなかったようです。「でも、うまく引越せたか、一応確かめておくれ」

ハウルはシャベルを杖がわりに体を起こすと、扉のダイヤルの黄色い面を下にして扉をあけました。外はソフィーの生まれ育った〈がやがや町〉の街並《まちなみ》でした。顔見知りの人たちが夕食前のそぞろ歩きを楽しんでいますが、これはおなじみの夏の光景です。ハウルはカルシファーにうなずいて見せると、いったん扉をしめ、今度はダイヤルをオレンジ色に合わせてまた扉をあけました。

扉のすぐ外には雑草だらけの車寄せがぐるっと続いています。低い夕陽がななめから木立を美しく照らし、まるで一幅《いっぷく》の絵のようです。遠くに、上に彫像のある立派な石造りの門が見えます。

「ここはどこなんだい？」とハウル。

「〈折《お》れ谷《だに》〉のはずれにある空家になってる屋敷だよ」カルシファーが弁解するように答えました。「おいらに立派な家を探せと言ったろ？　ここは立派だぜ」

「そうだろうとも。本当の持ち主が文句をつけないことを願うだけだな」ハウルは扉をしめ、紫色にダイヤルを回転させると、「次が動く城の出口だよ」と言いながら扉をあけました。

外は夕暮でした。さまざまな香りをふくんだ温かな風が吹きこんできました。ところどころに大きな紫色の花をつけた黒っぽい茂みが流れすぎていくのが見えました。次にゆっくりと見えてきたのはほの白い百合の群落で、そのむこうの水面に夕陽が映っています。あまりにかぐわしい香りなので、ソフィーはいつのまにか部屋を半分横ぎって扉に引き寄せられていました。

「明日までは外に出てかぎまわっちゃ、だめ」ハウルはソフィーの鼻先で扉をぴしゃりとしめました。「こっちは荒地《あれち》のはずれなんだ。カルシファー、おみごとだよ。すばらしい。注文どおり、立派な家とたくさんの花！」そう言ったと思うとハウルはシャベルをほうりだし、寝にいってしまいました。その晩はうめき声ひとつ、叫び声ひとつ、いえ、咳もほとんど聞こえてこなかったところを見ると、さぞ疲れきっていたのでしょう。

ソフィーとマイケルもくたびれていました。マイケルは椅子にどさりと腰を下ろし、何か考えこみながら犬人間をなではじめました。背もたれのない腰かけに座ったソフィーは、不思議な感覚にとらわれていました。今日引越をしたわよね。一見何も変わっていないようだけど、ややっこしいことに、ちがう場所にいるのよね。それにしてもどうして動く城の出口を荒地のはずれにしたのかしら？　魔女がハウルを呪《のろ》いでひっぱっているせいかしら。ハウルはあまり呪いから逃れようともがいたせいで、ひねくれた性質が裏返って正直になり、呪いに逆《さか》らえなくなったのかしら。

ソフィーはマイケルがどう思うか知りたくなりました。でもあいにくマイケルはもう眠りこんでいます。犬人間まで。そこでカルシファーの方を見ると、オレンジ色の目はとじる寸前で、バラ色の熾《おき》のあいだで眠そうな炎がちらちら燃えていました。ソフィーはさっき白っぽい顔になって目さえも白く震えていた姿や、シャベルがゆれるたびにおびえてじっと見つめていた姿を思いだしました。前に何か似た物を見たけれど、あれはなんだったかしら？

「カルシファー。あんたって、もと流れ星だったんじゃない？」

カルシファーのオレンジ色の目が片方だけあきました。「そうさ。あんたが気づいてくれたからには、おいらも話せるよ。契約で自分からは話せないことになってるからね」

「で、ハウルにつかまったのね？」

「五年前、ポートヘイヴンの湿原でね。ちょうどハウルがあそこで魔術師ジェンキンとして開業したばかりのころさ。七《しち》リーグ靴《ぐつ》をはいたハウルに追いまわされて、怖かった。どっちへころがっても怖かったんだけど。だって、空から落ちたときに、もう死ぬってわかってたし。死ぬぐらいなら、なんでもする気になった。だからハウルが、おいらを人間みたいにして生きのびさせてやろうか、と言ってくれたとき、契約をもちかけたんだ、おいらの方からね。

あのときは二人とも、そんな契約をしたらどうなっちまうか、わかってなかった。おいらは助けてもらったお礼がしたかったし、ハウルの方はおいらが気の毒だと思ってくれただけだもん」

「マイケルがしようとしたのと同じね」ソフィーが言いました。

「なんのことです?」マイケルが目をさまして言いました。「ソフィーさん、荒地のはずれなんかに出口がなきゃよかったと思いませんか。こうなるとは知りませんでした。安全だという気がしないんですよ」

「魔法使いの家にいて安全なやつはいないぜ」カルシファーがしみじみと言いました。

次の朝、扉のダイヤルは黒になっていました。おまけに腹立たしいことに、ソフィーが動かそうとしても、扉はどうやってもあかないようになっていました。魔女がいようがいまいが、あの花が見たくてたまらなかったのに。そこでむしゃくしゃした気分をぶちまけようと、バケツに水をはり、床に残った白墨のあとをこすりにかかりました。

ハウルが戻ってきたのはその最中でした。

「仕事、仕事、仕事」ハウルは床をこすっているソフィーをまたぎながら言いました。ハウルの外見が少し変わって、髪が金髪に戻っています。あいかわらず服は黒なので、髪がほとんど白に近い薄い色に見えます。ハウルをちらと見たソフィーはあの呪いの、『歳月が頭を白くする』という一節を思いだしました。ハウルも同じことを考えていたのかもしれません。流しにどけられていた頭蓋骨をつかみ、片手にのせて、憂鬱そうにこう言ったからです。

「あわれ、*ヨーリックよ！　ソフィーは人魚の声を聞いた。となると、デンマークでは何かが腐っていることになる。ぼくはとわに続く風邪につかまった。幸いにして、ぼくって不正直きわまりないやつだろ、だからあの呪いの『正直者の風』という一行だけは実現しそうにない。それだけが頼みの綱だな」ハウルはあわれっぽく咳をしました。けれども、風邪はもうよくなっていて、咳はあまり深刻には聞こえませんでした。

ソフィーは、座りこんでこっちを見つめていた犬人間にめくばせしました。犬人間もハウルと同じくらい憂鬱そうに見えたので、ソフィーは犬人間には、「あんた、レティーのところに戻った方がいいよ」と小声で言い、ハウルにむかっては、「どうかしたの？」と聞きました。「アンゴリアン先生がなびいてくれないとか？」

「そのとおり。リリー・アンゴリアンときたら、固ゆでの石みたいに固い心臓の持ち主なんだ」ハウルは頭蓋骨を流しに戻し、マイケルに大声で言いつけました。「食事だ！　働け！」

朝食後、ハウルとマイケルは物置の品物をそっくり外に出しました。次に中の壁に穴をあけはじめたので、埃《ほこり》がとびだし、ドスンドスンという音がしばらく続きました。まもなくソフィーを呼ぶ声がしました。ソフィーがあてつけるようにほうきを持っていくと、物置の中から天井がアーチになった通路ができていて、かつて店と住まいをつないでいた階段に通じていました。

ハウルはソフィーに店をのぞくように手招きしました。店はからっぽで、音がうつろに響きます。床にはペンステモン屋敷の玄関の間のように、四角いタイルが市松模様に敷きつめてありました。そしてかつては帽子がのっていた棚のひとつには造花の薔薇《ばら》をさした花瓶が、その上の棚にはビロード製の小さなキバナノクリンザクラの花束が置いてありました。ハウルはほめてもらいたいようでしたが、ソフィーはだんまりを決めこみました。

「奥にあった作業場であの花を見つけたもんでね」ハウルが説明しました。「さあ、店の外側も見においでよ」

ハウルは通りに面した扉をひらきました。すると、ソフィーがもの心ついて以来聞き慣れたあの扉のベルがチリンチリンと鳴りました。ソフィーは人どおりのない早朝

＊　シェイクスピアの戯曲『ハムレット』の中で、デンマークの王子ハムレットが、ヨーリックという男の頭蓋骨に語りかける場面を下敷きにしている。

の通りへふみだしました。店の正面は新しく緑と黄色で塗られ、窓には飾り文字で『産地直送　H・ジェンキンス生花店』と書いてありました。

「あんたも、とうとう平凡な名前のよさがわかったみたいね」ソフィーは言いました。

「正体を隠す必要があるだけだよ。本当はペンドラゴンの方が好きなんだけど」とハウル。

「それにしても、生花はどこから来るの？　看板にそう書いておいて、まさか帽子用のロウ細工の薔薇を売るわけにはいかないよ」

「まあ待ってなさい、今にわかるから」ハウルは先に立って店内に引き返していきました。

二人は、ソフィーが赤ん坊のときから見知っている中庭へ出ました。もとの城にあったハウルの裏庭が半分まざりこんでいるため、もとの庭の面積の半分しかありません。ソフィーはハウルの裏庭の煉瓦塀《れんがべい》ごしに自分の実家を眺めました。ハウルの寝室にあたる窓が新しくくっついたせいで、見慣れない感じです。そのうえ、あの窓から見えるのがここの景色じゃないなんて、ますますへんな感じ。店の上に見える窓は、あたしの昔の寝室の窓よね。なのに、そこへ行く方法がないなんて、もっともっとへんな感じ。

ハウルのあとを追って屋内に入り、物置に続く階段を上りながら、ソフィーはハウルにぶっきらぼうにしすぎたと反省しました。思いがけず実家を見たせいで、怖いような気分になっていたせいでしょう。

「いい感じじゃない」

「そう？」ハウルは気分を害していたらしく、ひややかに返事しました。ほめられるのが大好きだものねと、ソフィーはため息をつきました。ハウルは扉に近寄り、ダイヤルをまわして紫色の面を下にしました。

そういえばあたしは今まで一度もハウルをほめた覚えがないわ。その点ではカルシファーといい勝負。でも今さらそれを改める必要があるかしら？

扉があくと、花ざかりの大きな茂みがゆっくりと近づいてきて、目の前で止まり、ソフィーは花のまん中に降りることができました。茂みと茂みのあいだには、あざやかな緑色の芝草がはえた小道が四方に延びています。ハウルとソフィーが小道を歩きはじめると、花びらをなぎ払いながら城がついてきます。尖塔からかぼそい煙を吹きあげている城は、大きく黒く不格好なのに、ここでは不思議とあまり場ちがいに見えません。きっとここが魔法の作用している場所だからでしょう。城はこの風景に溶けこんで見えます。

外は暖かく、もやがかかり、何千という花の香りがします。ソフィーはハウルが出てきたあとの浴室みたいだと言いそうになり、あやういところで口をつぐみました。

本当になんてすばらしい眺めでしょう。両側に広がる茂みには紫、赤、白の花が咲き、濡れた芝草の中にも、さまざまな花が咲いています。花弁が三枚しかないピンクの花、大きなパンジー、野生のフロックス、ありとあらゆる色のルピナス、オレンジ色の百合、丈の高い純白の百合、アイリス、そのほか数えきれないほどの種類の花がありました。そのまま帽子になりそうな大きな花を咲かせたつるもあれば、ヤグルマギク、ケシ、そして形といい葉の色といい見たことのない植物もありました。フェアファックス夫人のすてきな庭そっくりでないにしても、すばらしいものです。ソフィーはさっきまでの不機嫌もどこへやら、うれしくなりました。

「ほら、わかっただろ?」ハウルはそう言うと腕をつきだして景色をさしました。その拍子に黒い袖がはためき、黄色い薔薇の茂みで蜜を吸っていたたくさんの青い蝶が、いっせいに飛び立ちました。「毎朝花をたっぷり切りとって、みずみずしいうちに〈がやがや町〉で売るんだ」

緑の小道のはずれで草地はぬかるみになっていました。下草の中に大きなランが咲いています。ハウルとソフィーはふいに、睡蓮《すいれん》が密集しているもやのかかった水辺に来ていました。城はこの池を避けて横手にまわり、別の花が両側にずらっと並んでいる小道沿いに動いていきます。

「一人でこっちへ来るときは、杖で足もとを確かめたほうがいいな。泉とか沼があちこめる霧の中で太陽がぼーっと白く光る、南東を指さしました。「あっちが例の荒地《あれち》だよ――とっても暑くて、荒れてて、魔女の力の強い場所さ」

「こんな荒地の近くに花を咲かせたのは誰？」

「魔法使いサリマン。一年ほど前だよ」ハウルは城の方へ戻りながら答えました。「荒地に花を咲かせ、魔女の力を奪うというアイディアだったんだろうね。地面の表層に温泉を引いて、花を咲かせたんだ。魔女につかまるまでは上手にやっていたよ」

「ペンステモンさんがサリマンの別の名前を言ってたけど、あの人も、あなたと同じ場所の出身なんでしょ？」

「まあ、そんなとこだね。もっとも一度も会ったことがないんだ。ぼくはサリマンがいなくなって数カ月後に、花の世話を引きついだのさ。いい考えだと思ったもんでね。魔女と出会ったのはそのときさ。魔女は花が気にくわなかったんだよ」

「どうして？」

　城が二人を待っています。

「あの魔女は自分こそ花だと思っているのさ」ハウルは扉をあけながら答えます。「荒地に咲く孤高のランってわけさ。くだらないね」

　ソフィーはハウルのうしろから城に入る前に、もう一度花でいっぱいの景色をふり返りました。何千という薔薇があります。「魔女にここにいることがばれない？」

「灯台下暗《もとくら》しだよ」とハウル。

「で、ジャスティン王子の捜索にとりかかるの？」ソフィーは聞きました。

けれども、ハウルは答えるかわりに、物置を駆けぬけ、マイケルを呼びながら走っていってしまい、いつものようにするりと質問をかわしました。

十八章　ふたたびかかしが……

次の日、『産地直送　H・ジェンキンス生花店』が開業しました。ハウルの言うとおり、簡単といえばこれほど簡単なことはありません。なにしろ毎日、明け方、扉のダイヤルを紫色に合わせて外に出て、緑のもやでかすんだ花畑で花を集めてくるだけでいいのですから。

すぐにそれが毎日の仕事となり、ソフィーははさみを持ち、杖に話しかけながらゆっくり湿原を歩きまわるようになりました。杖はぬかっている地面のようすを確かめたり、とりわけきれいな薔薇《ばら》が咲いている上の方の枝を引きおろしたりするのに役立ちました。一方マイケルはご自慢の発明品を持ちだしてきました。水の入った大きな錫《すず》の桶で、マイケルが草むらを歩くと、宙に浮いてどこへでもついてくるのです。犬人間もついてきて、蝶々や花の蜜を吸いにきたあざやかな色の小鳥たちを追いまわして、緑の小道を駆けまわり、すばらしいひとときをすごすのです。

そのあいだに、ソフィーはひとかかえの茎の長いアイリスや百合、シダ状のオレンジ色の花や青いハイビスカスの枝を切りとり、マイケルの方はラン、薔薇、星のような小さな白い花、あざやかな朱色の花、つまり興味を引かれた花を手あたりしだい、宙を飛ぶ桶に入れます。みんな、こうやってすごすのがとても気に入っていました。

蒸し暑くなってくる前にその日のぶんの花を店に持ち帰り、あちこちからかき集めた水差やハウルが裏庭のがらくたから掘りだしてきたバケツのたぐいに入れます。実はバケツのたぐいの中に、あの七リーグ靴もまじっていました。ソフィーが七リーグ靴を使おうがどうしようが、ハウルはもういっさい気にしないようです。ハウルがレティーにすっかり興味をなくしているのがこれでよくわかるわね、グラジオラスの束をその中に生けながら、ソフィーは思いました。

ハウルはソフィーたちが花を集めているあいだ、たいてい姿を消していました。扉のダイヤルは黒です。そしてみんなが遅い朝食をとるころになって、あいかわらず黒い服のまま、夢見るような表情で戻ってくるのです。ハウルはまだどちらの服を着ているのか、白状しようとせず、言いはるのです。「ペンステモン先生のために喪《も》に服しているんだ」そして、ソフィーやマイケルが、毎朝その時間に出かける理由をたずねたわけでもないのに、憤慨《ふんがい》した表情で「学校の教師と話そうと思ったら、授業の前をねらうしかないじゃないか」と言うのです。そのあとハウルは二時間ほど浴室にとじこもってしまいます。

一方ソフィーとマイケルはいい服に着替え、店をあけます。ハウルがいい服はお客を引きつけると主張したのです。それでソフィーは、汚さないように全員エプロン着用のこと、と決めました。

最初の数日こそ〈がやがや町〉の人たちは飾り窓から中のようすをうかがうだけで、店内に入ってきませんでしたが、そのあと店は繁盛しはじめました。〈ジェンキンス〉の店にはめずらしい花がある、という噂がまたたくまに広まったのです。ソフィーがよく知っている人たちがやってきては、花を買っていきます。でも誰もソフィーだと気づかないのが、もの足りない感じでした。みんなソフィーのことをハウルの母親だと思っているのです。でもソフィーは、ハウルの歳とった母親の役にはうんざりしていました。「伯母です」ソフィーが〈チェザーリ〉のおかみさんに言ったので、それからは「ジェンキンスの伯母さん」と呼ばれることになりました。

ハウルが黒い服に合わせた黒いエプロンをかけて店にあらわれるころは、店はたいていかき入れどきでした。ハウルがあらわれると、さらに繁盛しました。あの黒い服の正体は、魔法のかかった灰色と真紅の服の方だと、ソフィーはひそかに確信しました。ハウルが相手をすると、女性客がみな、最初に言っていたより倍も多く花を買って帰るのです。それどころか、十倍もの量を買ってしまう人も少なくありません。

まもなくソフィーは女性客が店内をのぞきこみ、ハウルがいると中に入ってこなくなったのに気づきました。お客の気持ちはよくわかります。ほしいのはボタン穴にさす薔薇《ばら》一輪だけというときに、知らぬまに三ダースのランを買わされてしまいたくありませんものね。ハウルが店に出ず、中庭をはさんだ昔の作業場で長い時間をすごすようになっても、ソフィーはほっておきました。

「どうせ知りたがるんだろ。魔女に対する守りを固めているのさ」とハウル。「これが完成したら、魔女が入ってこられなくなる」

ときどき花が売れ残ってしまうのには困りました。ソフィーは翌朝になってしおれた花を見るのがいやでした。花に話しかけると保《も》ちがよくなると気づいたソフィーは、なるべく話しかけるようにし、マイケルには植物用の栄養剤を調合してもらい、流しに置いたバケツや、以前帽子の仕上げをした壁のくぼみに置いた桶の花でためしてみました。すると、数日長持ちする花も出てきました。

そこでソフィーはさらに実験を続け、裏庭からとってきた煤《すす》だらけの土に、話しかけながらあれこれ植えてみたのです。青い薔薇のような物が育ち、ソフィーは気をよくしました。つぼみはまっ黒でしたが、花がひらくと、どんどん青くなって、とうとうカルシファーと同じような青色になったのです。ソフィーはうれしくなって、梁《はり》につるしてあった袋からありとあらゆる球根をとりだし、同じように植えてみました。こうしていると今まででいちばん幸せだわと、自分に言い聞かせました。

でも、それは本当ではありませんでした。まだ何か足りない物があるのです。けれども、なんなのか思いあたりません。もしかしたら、〈がやがや町〉の人たちに自分だと気づいてもらえないことでしょうか。わかってもらえないのが怖くて、マーサも訪ねていません。七リーグ靴から花をほうりだして、レティーに会いにいかないのも同じ理由です。妹たちにこんな年寄りだと知られるのが耐えられないのです。

マイケルはとてもほがらかで、売れ残った花束を持ってマーサに会いによく出かけていきました。一人店に置いてきぼりになる回数が増えたせいで、気が晴れないのでしょうか。いえ、そのせいだとは言いきれません。ソフィーは一人で花を売ることを楽しんでいたのですから。

ときには、カルシファーが悩みの種だという気もします。カルシファーはひとりぼっちで退屈していました。仕事といえば湿原の草の小道沿いに、城をゆっくり漂わせ、大小の水たまりや池をよけながら、毎朝きちんと花の咲いている場所に移動しているように気を配るだけだったからです。ソフィーとマイケルがその日の花をかかえて入ってくるたびに、カルシファーは熱心に炉格子の中から青い顔をのぞかせました。

「外がどんな感じか、おいらも見てみたいよ」と言われたソフィーは、せめていい香りのする葉っぱをカルシファーにくべてやりました。その結果、城じゅうに浴室並みに強い香りが漂いました。カルシファーは、「今では話し相手がいないのが、いちばんいやなんだよ」と言うのです。確かに、みんなが一日じゅう店へ出払うと、カルシファーはひとりぼっちでした。

そこでソフィーは、毎朝少なくとも一時間はマイケルに一人で店番をしてもらい、その時間をカルシファーとのおしゃべりにあてることにしました。ほかにも謎々を編みだし、店が忙しい時間帯にはカルシファーにそれを解かせるようにしました。カルシファーはそれでもまだ不満げに、「いったいいつになったら、おいらとハウルの契約を破ってくれるんだい？」とひんぱんに口にするようになってきました。

そのたびにソフィーは「今やっているとこ、もうじきよ」と言い逃れました。けれどもそれは嘘でした。ソフィーはこの件を考えるのをやめてしまっていました。ペンステモンさんから聞いたことに、ハウルやカルシファーの言葉をあれこれ重ねあわせると、契約の性質はかなりはっきり恐ろしいものだ、という気がしたからです。契約を破ると、きっとハウルとカルシファーは二人とも死んでしまうんだわ。ハウルには自業自得だとしても、カルシファーはかわいそうよ。ハウルは今、魔女の呪《のろ》いの残りからすりぬけることに力を注いでいるみたいじゃない。あたしは下手に手を出さない方がいいわ。

ときには自分は犬人間にうんざりしているだけなんだ、という気もします。犬人間ときたら、いつも悲しげで、楽しそうなのは毎朝草むらの小道を走りまわっているときだけです。あとは一日じゅう、深いため息をつきながらソフィーのあとを陰気にとぼとぼついてくるのです。ソフィーの力では何もしてやれない以上、夏至に近づき毎日暑くなるにつれて、犬人間が裏庭のわずかな日陰に横たわってはあはあいってばかりいるようになってきたことに、ほっとしました。

一方、ソフィーが植えた根っこはどれも順調に成長していました。タマネギからは小さなヤシが育ち、タマネギの香りのする小さな実をつけています。別の根っこはピンク色のヒマワリのような物になりました。たったひとつ、なかなか芽が出ない根っこがあったのですが、とうとうそれにも丸い緑色の双葉が出ました。どんな植物に成長するのか、早く知りたくて待ちきれないほどです。翌日にはランのような感じがしてきました。先の尖った葉に紫色の斑点があらわれ、まん中に伸びてきた長い茎に大きなつぼみがついたのです。その次の日、ソフィーは摘んできた花を錫のバケツに入れるとすぐ、育ちぐあいを見に、鉢を置いた壁のくぼみに駆けつけました。

つぼみがひらき、ランに似たピンクの花が咲いていました。ただし全体にひらべったく、めん棒で延ばしたような感じです。花は、茎の先端のすぐ下についていて、中心のピンク色の部分のまわりに四枚の花弁がつきでています。そのうちの二枚は下をむき、残りの二枚はまん中あたりから横に出ていました。ソフィーがそれを見つめていると、ふいに春の花の香りが強く漂って、ハウルが外から戻ってうしろに立っているのがわかりました。

「それはなんだい？　もしとびきり濃い紫のスミレか、燃える赤のゼラニウムを作るつもりだったなら、失敗したみたいだね、科学者のおばさん？」

「ぼくには、赤ん坊をぺしゃんこにしたみたいに見えます」様子を見にきたマイケルが言いました。

確かにそう見えました。ハウルははっとしたようにマイケルを見ると、植物を鉢ごと持ちあげ、そっと抜きとると、白いひげ根をかきわけ、煤、肥やしのまじないなどの残骸《ざんがい》を注意深く払い落とし、ソフィーが植えた先の分かれた茶色の根をむきだしにしました。

「ひと目でわかりそうなもんだった。これはマンダラゲの根っこだ。ソフィー、またやってくれたね。あんたならではの手際だ、ほんとさ」ハウルは注意深く植物を鉢に植えなおし、ソフィーに手渡すと、少し青ざめた顔で立ちさりました。

つまり、あの呪いがほとんど実現しちゃったってことじゃないの……店の飾り窓に新鮮な花を並べにむかいながら、ソフィーは考えていました。マンダラゲの根っこに子どもができたってわけか。そうなると、実現していないのは、『風が正直者に役立つ』という一節だけ。でもそれがハウルの心が正直になるという意味なら、呪いが実現しない見こみだってまだあるじゃないの。アンゴリアン先生に魔法の服で毎朝求愛しにいくようなハウルなんだから、どっちにしろ当然の報《むく》いのはずよ……。ソフィーは自分に言い聞かせましたが、それでも不安で、うしろめたい気がしました。七リーグ靴に純白の百合の束を入れ、店の飾り窓に置こうとゆっくり近寄ったときでした。コツン、コツン、という規則正しい音が通りから聞こえてきたのです。馬のひづめの音ではありません。棒が敷石をたたく音でした。

勇気を出して窓の外を見る前に、ソフィーの心臓の鼓動は、もうおかしくなっていました。そうです、間違いありません。こちらへやってくるのはあのかかしでした。ゆっくり着々と、通りの中央をとびはねてきます。横に広げた腕からたれているぼろは前より少なく、色もあせていますが、しなびたカブの顔には決意がみなぎっています。まるでハウルに空高くほうり投げられてからずっとぴょんぴょんとびはねて、とうとうここまでやってきた、そんな感じでした。

おびえていたのはソフィーだけではありません。こんな早朝に出歩いている人はわずかでしたが、みんなかかしから遠ざかろうと必死で逃げていきます。けれどもかかしはそれにはかまわず、ひたすらジェンキンス生花店目ざしてとんできます。

ソフィーはかかしから顔をそむけ、強い口調でささやきました。「あたしたちはここにはいない！　ここにいることをあんたは知らないの。見つけられないんだってば。さあ、もっと早くとびはねて行っちまえ！」

棒がコツンコツンととびはねる速度は、かかしが店に近づくにつれてのろくなりました。ソフィーは大声でハウルを呼びたいと思いましたが、ただひたすら「あたしたちはここにいない。早く行っちまえ！」とくり返しつぶやくのがせいいっぱい。ソフィーが命じたとおりに、とびはねる速度が速くなりました。かかしは店の前をすぎ、〈がやがや町〉の通りを抜けていきます。ソフィーはくらくらしました。息をつめていたせいでしょう。深呼吸をすると、安心したとたんに、身震いが出ました。もしかかしが引き返してきても、もう一度追い払えばいいのです。

ソフィーが城の中に戻ると、ハウルは外出したあとでした。

「ハウルさん、まださっきのこと気にしてましたよ」マイケルが教えてくれましたが、扉のダイヤルは黒でした。くどきにいけるんだから、たいしたことないわよ！

マイケルもけさは〈チェザーリ〉へ出かけていきました。店にはソフィー一人。暑い日でした。栄養剤を入れたにもかかわらず花はしおれ、買いたがる客もわずかでした。そのうえマンダラゲの根っこの件とかかしの件がありました。ソフィーはみじめそのもので、わっと泣きだしたい気分でした。

「呪いの残りがハウルをつかまえようとして、ここらを漂ってるのかもしれない」ソフィーはため息をつき、花に話しかけました。「うまくいかないのは、あたしが長女だからよね。あたしときたら！　運だめしをしに家を出たのに、結局、出発点に舞いもどってるんだから。おまけにうんと歳をとって！」

このとき犬人間が裏庭から赤くつやのある鼻先をつっこみ、あわれっぽく鳴きました。ソフィーはため息をつきました。ソフィーの居場所をしょっちゅう確認しないと気がすまないのです。「はいはい、ここにいるわよ。ほかにどこへ行くっていうの？」

犬は店内に入ってくると、ぺたんと腰を下ろし前足をぎこちなく伸ばしました。見ると、また人間に戻ろうとしています。かわいそうに。なにせあたし以上にひどい目にあっているんだし、優しくしてあげようとは思うんだけど。

「もっとがんばれ。気合を入れなさいよ。その気になれば、人間に戻れるんだから」ソフィーは励ましました。

犬はうしろ足を伸ばし、力を入れて背中をまっすぐにし、さらに力を入れました。だめね、あきらめるしかない、さもないとあおむけにひっくり返るわ、とソフィーが思ったとき、犬はどうにかうしろ足で立ちあがり、上半身をよっこらしょと起こすと、とりみだしたようすの赤毛の男に戻ることに成功し、口をひらきました。

「うらやましい……ハウル。簡単に……犬、なれる。わたし……生垣の犬……あなた、助けた。レテーに言った……わたし、あなた知ってる……見まもる。わたし……前、この店、来た……」犬人間はまた犬に戻りはじめ、いらだたしげに吠え、「魔女、いっしょ！」とむせび泣くように言い終えました。両手をついて前に倒れると同時に、体じゅうに白黒の毛がたっぷりとはえて、別の犬になりました。ソフィーは大きな毛むくじゃらの犬を見つめました。「あんた、魔女といっしょだったって！」そう、思いだしました。魔女がこの店に来たとき、赤毛の心配そうな顔をした若者がおともしていましたっけ。呪いをかけられたソフィーをおびえたように見つめていました。「それならあたしが誰だかも、呪いをかけられているのも知ってるのね。で、レティーもそのことを知ってんの？」

大きなむく犬は首を縦に振りました。

「魔女はあんたをギャストンと呼んでいた」ソフィーは記憶をたどりました。「おやまあ、あの魔女のやつ、あんたをなんていう目にあわせたの！　こんないい陽気に、毛皮を着こませるなんて！　ほら、もっと涼しいところへ行ったら」

犬はまたうなずくと、よたよた不幸せそうに裏庭へ歩いていきました。

「でも、いったいどういうわけでレティーは、ギャストンをここへ送りこんだのかしら？」ソフィーは不思議に思いました。この意外な話に頭が痛くなったので、店の階段を上り、物置をとおってカルシファーと話をしにいきました。

カルシファーは頼りになりませんでした。「あんたが呪いにかかっていると知っている人間がどれほどいたって、そんなのなんの役にも立たないぜ。犬の方だって知ってても何もいいことなかっただろ」

「そりゃあね。だけど……」ソフィーが言い返そうとしたそのとき、城の扉がかちゃりとあきました。ソフィーとカルシファーはふりむきました。扉のダイヤルは黒に合わせたままなので、ハウルが帰ってきたと思ったのです。ですから、扉からするりと入ってきたのがアンゴリアン先生だとわかったとき、二人とも、ものすごく驚きました。

アンゴリアン先生も、同じように驚いていました。「あら、ごめんあそばせ！　ジェンキンスさんがいらっしゃると思ったもので」

「外出中です」ソフィーは堅苦しく答え、アンゴリアン先生を訪ねたんじゃないなら、いったいハウルはどこへ行ったんだろうと首をひねりました。

アンゴリアン先生は驚いてしがみついていた扉から手を離し、あの何もない『ウェールズ』への扉をあけはなしたまま、何か言いたげにソフィーの方へやってきました。ソフィーは思わず立ちあがり、そちらへむかいました。アンゴリアン先生の行く手をふさごうというように。

「どうか、ここへ来たことはジェンキンスさんにはおっしゃらないで」とアンゴリアン先生。「正直に申しあげますと、あたくしがジェンキンスさんに気をもたせたのは、婚約者の――ベン・サリヴァンはご存じでしょう――手がかりでも得られないかと思ってでした。きっとベンも、ジェンキンスさんと同じ場所へ行ってしまったんだと思って。ただ、ベンは戻ってこなかったけれど」

「サリヴァンなんて、ここにはいませんよ」とソフィー。ベン・サリヴァンというのは魔法使いサリマンの本名だっけ。でも、サリヴァンを探しにきたなんて嘘に決まってる！

「あら、それはわかってます。でも、ここには何か、ベンの手がかりがあるような気がするの。ちょっとこのあたりを見てもいいでしょ」アンゴリアン先生は黒髪を耳のうしろにかきあげると、部屋の中にずんずん入りこもうとしました。ソフィーが前に立ちはだかったので、アンゴリアン先生は頼みこむような表情で、爪先立ちで作業台の方へ横歩きしました。「まあ、妙な物ねえ！」は、瓶《びん》や壺を見ての、そして「妙な小さい町ねえ！」は窓の外を見たときの感想でした。

「ここは〈がやがや町〉」ソフィーは教えると、アンゴリアン先生が入口の扉の方へ戻るように、追いたてました。

「で、あの階段の上は？」アンゴリアン先生は半開きの扉から見えている階段をさします。

「ハウルの部屋です」ソフィーはぴしゃりと答え、なおも相手をあとずさりさせます。

「では、こっちの扉はどこに通じてますの？」

「花屋です」なんてせんさく好きなんだろ！

アンゴリアン先生はもう、椅子にでも座りこまないかぎり、扉から出ていくしかなくなっていました。先生は心もち眉をひそめ、これは何かしら、という顔で、カルシファーを見つめていました。カルシファーも、黙ってただ見つめ返しています。おかげでソフィーは、いくらつっけんどんにしてもかまわない、という気になりました。ハウルの家では、歓迎されるのはカルシファーのことがわかる人だけなのです。

けれどもアンゴリアン先生はさっと椅子をよけ、すみに立てかけてあったハウルのギターに目をとめると息をのんでつかみあげ、わが物顔で胸にかかえ、ぐるりとむきなおると、低い声で問いつめました。「いったい、どこでこれを手に入れたの？　ベンはこんなギターを持ってた！　ベンのかもしれない」

「冬に買ったとハウルは言ってました」ソフィーは答え、アンゴリアン先生を部屋のすみから扉の外へさっさと追いだそうと、つめ寄ります。

「ベンの身に何か起こったんだわ！」アンゴリアン先生の声がうわずっています。「ベンはけっしてギターを手放さなかったもの。ベンはどこなの？　死んだはずがない。死んでたら、きっとあたくしにはわかったはずだもの」

ソフィーは、魔法使いサリマンが魔女の手に落ちたことをアンゴリアン先生に教えるべきかと迷いながら、頭蓋骨をきょろきょろ目で探しました。アンゴリアン先生の鼻先で頭蓋骨を振りまわし、これがサリヴァンのだと、おどしてやろうかと思ったのです。けれども頭蓋骨は流しの、あまったシダや百合を入れたバケツのうしろにあって、ここからは見えませんでした。もし流しへとりにいくと、アンゴリアン先生がまたずうずうしくあちこちのぞく恐れがあるし、そんなこと言うのもちょっとあんまりかもしれません。

「このギターをいただいてって、よろしい？」アンゴリアン先生はかすれた声でたずねました。ギターをしっかりつかんでいます。「ベンの思い出の品として」

ソフィーはアンゴリアン先生の声の震えが気に入りませんでした。「だめ。なんでそんなにこだわるんだい。サリヴァンのだという証拠もないのに」ソフィーはアンゴリアン先生に近寄り、ギターの首の部分をつかみました。先生は苦悩をたたえた大きな瞳でソフィーを見つめ返します。ソフィーはひっぱり、先生はしがみつく。ギターが恐ろしく調子はずれの音をたてました。ソフィーは先生の腕からなんとかギターをもぎとりました。

「とんでもない人だね。よその家に入りこんで、そこのギターを持ちだす権利なんて、あんたにはないだろ。サリヴァンさんはここにいないと言ったでしょ。とっととウェールズへお帰り。そら」そしてこちらをむいたアンゴリアン先生をギターでぐいぐいと押していき、ひらいた扉の外に押しだしました。

アンゴリアン先生は空白の中へ押しもどされ、体が半分消えています。「ひどい人ね！」声にはとがめる響きがありました。

「そのとおり！」ソフィーは扉をぴしゃりとたたきつけ、アンゴリアン先生が戻ってこられないように、ダイヤルをオレンジ色に合わせると、ギターをいつものすみに乱暴に置きました。弦がボーンと鳴りました。ソフィーはカルシファーにあたりちらしました。「ハウルにあの女が来たって話したら、承知しないからね！　ハウルに会いにきたに決まってる。ほかは全部嘘っぱちさ。魔法使いサリマンは何年も前にこっちへ移住したんだ。きっと、あの気味悪い震え声から逃げたかったんだろうよ」

カルシファーはくすくす笑いました。「あれほどすばやくこの城から追いだされたやつは見たことないね」

そう言われてソフィーは、乱暴だったかしらとうしろめたくなってきました。結局、自分だって似たり寄ったりのやり方で城に入りこんだのですし、さっきのアンゴリアンの倍くらいかぎまわりもしました。ソフィーはワアーッと大声を出すと、どすどす足をふみ鳴らして浴室に入り、鏡に映ったしわだらけの顔を眺めました。ラベルに『皮膚』と書かれた包みをとりあげましたが、また下に置きました。若くぴちぴちしていたときでも、自分がアンゴリアンより器量がよかったとは思えません。ワアーッとどなり、「もういや！」とわめいてみます。ばたばた浴室を出ると、流しからシダと百合をとりだし、水をたらしながら店に運び、栄養剤のまじないの入ったバケツにつっこみ、乱暴でどすの利《き》いたしわがれ声で命じました。「ラッパズイセンにおなり。季節はずれのラッパズイセンになっちまえ、おばけども！」

犬人間が裏庭の戸から毛むくじゃらの顔をのぞかせましたが、ソフィーの気分を見てとると、あわてて逃げていきました。一分後、大きなパイをみやげに陽気に帰ってきたマイケルも、ソフィーににらみつけられたとたん、ハウルさんに準備しておくように言われた呪文があったんだ、と言って物置へ逃げるように入っていきました。

「ワアーッ！」ソフィーはうしろからわめいたあと、またバケツの上にかがみこみ、「ラッパズイセンになれ！　なっちまえ！」としゃがれ声で言いました。けれども自分でもばかなことをしているとわかっていたので、いくらどなっても、気分はちっともよくなりませんでした。

十九章　ソフィーのかんしゃく

その日の夕方、ハウルが店の扉から、口笛を吹きながらのんびり帰ってきました。マンダラゲの一件から立ちなおったようです。ウェールズへ外出していたのではないとわかっても、ソフィーの機嫌は直らず、荒々しくにらみつけました。

「どうかお慈悲を！」とハウル。「石に変えられるかと思ったよ！　どしたの？」

ソフィーはうなりました。「今着ているのはどっちの服？」

ハウルは自分の黒い衣装を見おろしました。「それって大切なことかい？」

「そうよ！」ソフィーがかみつきます。「今は喪中だというせりふはなし。さあ、本当はどっち？」

ハウルは肩をすくめ、自分でもわからないようすで袖の片方を持ちあげ、困ったように見つめました。肩から袖の上の方は、だんだん色が薄くなりはじめ、やがて茶色になり、次に灰色に変わります。一方、長い袖の下の方はどんどんまっ黒になっていきます。とうとう片方の袖の上の方だけが青と銀色で、下の方はタールに浸したように黒くなりました。「こっちの服だ」と言うと、もとどおり袖が黒に戻ります。

ソフィーはどういうわけか、ますます腹が立ち、ふてくされました。

「ソフィーったら！」ハウルは今にも笑いだしそうな声で言いました。

そのとき犬人間が裏庭の戸を押しあけ、よたよた入ってきました。ソフィーがハウルと話をしていると、すぐ邪魔するのです。

ハウルは犬をじっと見て、邪魔が入ったことを歓迎するように言いました。「これはオールド・イングリッシュ・シープドッグじゃないか。犬が二匹になったとすると、えさ代がたいへんだろうな」

「犬は一匹だけ」ソフィーは不機嫌に答えました。「呪いをかけられていて、いろんな種類に変わるの」

「そうなの？」ハウルは足早に犬に近寄りました。ソフィーのそばを離れる口実ができて明らかにうれしそうです。しかし、犬人間の方はハウルに近づかれるのはことわる、というように、あとずさりしました。ハウルはさっととびかかり、犬が戸口へたどりつく前に毛を両手でぐいとわしづかみにし、ひざをつくと、もじゃもじゃの毛の合間から、犬の目をのぞきこみました。

「なんてこった。ソフィー、ぼくに黙っていたのはどういうわけ？　こいつは人間じゃないか！　ひどいありさまだ」ハウルは犬をつかんだまま、片ひざ立ちでぐるりと向きを変えました。ソフィーはそのガラス玉のような瞳を見て、ハウルが今や本気で怒っていることに気づきました。かまうもんですか、こっちだってかなり怒ってるんだから。

「魔法使いなんだから自分で気づいて当然でしょ」ソフィーはにらみ返しました。ハウルに緑のねばねばをお見舞いされたって、へいちゃらです。「犬があんたに言うなって言ったんだから……」

頭にきているハウルはろくすっぽ耳をかさず、ぱっと立ちあがると、タイルの床の上で犬を引きずりました。「ああ、気づいてただろうよ、ほかに心配事をかかえてなきゃね。さあ、カルシファーに会わせなくちゃ」犬は四つ足をふんばって抵抗しました。ハウルも負けじと足をふんばってひっぱりましたが、足をすべらし、「マイケル！」とわめきました。

マイケルがすっとんできたところを見ると、声によほどせっぱつまった響きがあったのでしょう。

「おまえもこの犬の正体が人間だと知ってたんだな？」ハウルはマイケルに手伝わせて、いやがる大犬の図体《ずうたい》を階段に引きずりあげながら、問いつめました。

「え、本当ですか？」マイケルは心底驚いたようすでした。

「じゃあおまえは無罪で、悪いのはソフィーだけだ」ハウルは犬をなんとか物置にひっぱりこみ、中をとおりぬけさせました。「こういうことはみんな、ソフィーのしわざに決まってる！　だけど、カルシファー、おまえは知ってたんだ」二人がかりでようやく犬を暖炉の前にひっぱってくると、ハウルが問いただしました。

カルシファーは煙突を背に、そっくり返るほどあとずさりしました。「だってあんた、何も聞かなかったぜ」

「聞かないと教えないってわけかい？　いいさ、ぼくが気づいて当然だったんだ！　だけど、おまえにゃがっかりしたよ、カルシファー。あの魔女のところの悪魔にくらべりゃ、おまえなんか恥ずかしくなるほど楽な暮しをしてるんだぜ。お返しにこっちが要求しているのは、ぼくが知る必要のある情報だけなのに。これで二度目だな、裏切られたのは。さあ、こいつが今すぐもとの姿に戻れるよう、手伝ってくれ！」

カルシファーはめずらしく弱気な薄ぼけた青色になって、「いいよ」と、ふてくされたように答えました。

犬人間は逃げだそうとしましたが、ハウルは自分の肩を犬の胸の下に入れ、ぐいと押しあげます。犬が否応《いやおう》なしにうしろ足で立ちあがると、ハウルとマイケルが支えました。

「どこのばかが、こんなことしたんだろ？」ハウルの息づかいが荒くなります。「これも荒地《あれち》の魔女の呪いみたいだ、ちがうかい？」

「うん。呪いが何重にもかかってるよ」と、カルシファー。

「とにかく犬になる呪いだけでも解いてやろう」と、ハウル。

カルシファーはふくれあがり、燃えさかる濃い青の炎になりました。物置の戸の陰に身をひそめていたソフィーにも、犬の姿が薄まり、人の姿があらわれるのが見えました。また犬に戻り、それからぼんやりした人の姿になり、だんだんはっきりしてきました。気がつくとハウルとマイケルは、しわくちゃの茶色の服を着た赤毛の男性の腕を、片方ずつつかんでいました。ソフィーはその男を見ても、前に会ったことがあるとは思えませんでした。心配そうな表情はしていますが、特徴というものがまったくない顔なのです。

「さあ、おたくはどこの誰？」ハウルがたずねました。

男性は両手を持ちあげ、おそるおそる顔を触ってみました。「よく……わかんない」

カルシファーが口をはさみました。「いちばん最近の名前はパーシヴァルだったよ」

男性は、カルシファーがよけいなことを言ったという顔つきになって、答えました。

「そうだっけ？」

「それなら、とりあえずパーシヴァルとしておこう」ハウルは言うと、もと犬を方向転換させせました。「さあ、ここに座って楽にしなさい。そして思いだせることを話して。ぼくの見たところ、しばらく魔女につかまっていたみたいだね」

「うん」パーシヴァルはもう一度顔をなでながら答えました。「頭をとられちゃった。そうだ……なんか、棚の上にいて、自分の体を見ていたな」

マイケルはあっけにとられて言いました。「じゃあ死んだってことですよ！」

「必ずしもそうじゃないさ」と、ハウル。「おまえはまだその手の呪いは、やったことがないけどね。ぼくなら、ちゃんとしたやり方をしさえすれば、おまえの体の好きなところをとりだしても、おまえを生かしておくことができる」ハウルはもと犬を見て顔をしかめました。「でも、魔女はこちらさんにすっかり部品を返してやってないみたいだなあ」

そのときカルシファーが口をはさみました。ハウルのためにちゃんと仕事をしているところを見せようと、やっきになっているのです。「足りないもんがあるね。それに、ほかの人の部品もまじっているよ」

パーシヴァルはさっきより、もっととりみだしています。

「あまりおどかすなよ、カルシファー。今だってじゅうぶんひどい気分だろうから。ところで、どうして魔女に頭をはずされたのか、心あたりはある？」ハウルがパーシヴァルに聞きます。

「ううん。何も覚えてない」

ソフィーは、そんなはずない、と聞こえよがしに鼻を鳴らしました。

そのときマイケルがとびきりいいことを思いつきました。パーシヴァルに顔を寄せると、こう聞いたのです。「今までにジャスティンとか、殿下とか呼ばれたことは？」

ソフィーはまた鼻を鳴らしました。そんなの、答えを聞くまでもなく、ばかばかしいじゃないの。

「ううん。魔女はギャストンって呼んでたけど、ほんとの名前、知らない」

「マイケル、うるさくするんじゃない」と、ハウル。「ソフィーにこれ以上機嫌を悪くされたらたまらないよ。今みたいに不機嫌だと、ソフィーのことだ、動く城を墜落させるかもしれない」

そう言うところを見ると、ハウルはもう腹を立てていないようでした。でもソフィーの方はさっきよりもっと腹を立てていたのです。足をふみ鳴らして店に戻ると、どすどす音をたてながら、店をしめて片づけました。ラッパズイセンになれ、と言ったバケツの百合とシダを見ると、どうもうまくいかなかったようです。バケツの中味は毒々しい臭いのする液体になり、それを吸いこんだ花は、茶色になってたれさがっています。こんなひどい臭いはかいだことがありません。

「うへぇ、ちくしょう！」ソフィーは叫びました。

「今度はいったい何？」店をのぞいたハウルが、バケツの上に身をかがめ、臭いをかぎました。「えらく効きそうな除草剤を作ったね。〈折《お》れ谷《だに》〉のお屋敷の車寄せにはえてる雑草でためしたら、どう?」

「そうする。なんでもいいからやっつけたい気分なんだ!」ソフィーはがさごそ音をたて、ジョウロを探しだすと、ジョウロと臭《くさ》いバケツを持ち、足音も高く城へ戻り、ダイヤルをオレンジ色にしてから扉を乱暴にあけると、お屋敷の車寄せに足を下ろしました。パーシヴァルは赤ん坊のガラガラのかわりに渡されていたギターでひどい音を出していましたが、心配そうに顔を上げました。

「ソフィーといっしょに行って」ハウルがパーシヴァルに声をかけました。「あそこまで不機嫌だと、木という木を根こそぎにしそうだから、見はってくれよ」

そこでパーシヴァルはギターを下に置き、ソフィーの手からバケツを優しくとりあげました。どすどす足をふみ鳴らしてソフィーが外へ出てみると、谷は夏の夕暮らしく金色に染まっていました。引越してこのかたみんな忙しく、このお屋敷をろくに見る暇もありませんでした。こうして改めて見ると、考えていた以上に立派なお屋敷です。雑草だらけのテラスのはじには彫像が一列に並び、石段の下は車寄せになっています。パーシヴァルをせかそうとして、うしろをふり返ると、屋敷の大きさがいやでも目に入ってきます。屋根のふちにも彫像が並び、その下にはずらっと窓がついています。

しかし、屋敷が長らくほったらかしだったことははっきりしていました。そこかしこの壁がはがれ落ち、窓には緑色の苔《こけ》がはえています。窓ガラスはほとんど壊れ、本来なら両脇に折りたたまれているはずのよろい戸はだらりとぶらさがり、ペンキが変色し、ふくれあがっているのがわかります。

「フン！　ハウルなら、ここの見てくれをもう少しよくできそうなものなのにさ！　ウェールズをほっつき歩くので忙しいんだ。パーシヴァル、つっ立ってるんじゃない。ジョウロにバケツの中味を少し移して、ついておいで」

パーシヴァルはおとなしく言うことをききました。いじめがいのないやつね。もしかしたらハウルはそれを承知で、パーシヴァルにおともを命じたのかしら。ソフィーはまた鼻を鳴らすと、怒りの矛先《ほこさき》を雑草にむけました。ラッパズイセンを作りそこねてできたこの液体は、成分がなんであれ、非常に強力でした。車寄せにはえていた雑草は、液をちょっとかけただけでみるみる枯れました。車寄せの脇の雑草も同様です。しばらくするうちに、ソフィーの怒りも多少治まってきました。夕暮には気分をおだやかにする力があります。さわやかな風が遠くの丘から吹いてきて、車寄せの両側の灌木《かんぼく》がゆったりとゆれています。

ソフィーは除草剤をまきながら車寄せを四分の一ほど進みました。「あんた、さっきはあれしか言わなかったけど、本当はもっと覚えているんだろう?」ジョウロにもう一度除草剤を注いでもらいながら、ソフィーは問いつめました。「魔女があんたに

「呪いをかけた本当の理由はなんなの？　どうしてあのときあんたを帽子店まで連れてきたわけ？」

「魔女はハウルのことをさぐっていたんです」

「ハウル？　だって、あんた、ハウルと知りあいじゃなかったでしょ？」

「ええ。でも、ぼく、魔女がハウルにかけようとしていた呪《のろ》いに役立つことを、何か知ってたらしいんです。ぼくには、それがなんだか、見当もつきませんが。ぼくはレティーのことを一所懸命考えて、できるだけ魔女に心の中を読まれないようにしました。なにしろ、レティーのことが頭から離れなくて。でも、どうやって知りあったのかは覚えていないし、あとになって〈上折れ谷《かみおれだに》〉に行ったら、今までぼくとは会ったこともないって、レティーにも言われました。

でもぼくはなぜか、はじめからレティーのことをいろいろ知っていました。だから魔女がぼくの心を読んで、レティーのことを聞いたとき、適当に嘘をまぜて、〈がやがや町〉で帽子屋をやっていると答えたんです。そしたら魔女は、やっかいをかけたぼくとレティーをこらしめるって、店に行ったんです。

するとあなたがいて、魔女はあなたがレティーだと思いこんで、呪いをかけた。ぼくはおびえました、だって、レティーに姉さんがいて、まだ帽子屋にいるとは知らなかったんですから。店へ行ったあとで、魔女はぼくの知っていたことをつきとめたようです。ぼく、魔女の助けになってしまったのがうしろめたくて。なんといっても呪いは悪いことですからね」

ソフィーはジョウロをつかむと、雑草にたっぷりかけました。この雑草が魔女だったらよかったのに。「そのすぐあとであんたを犬に変えちまったわけ？」

「ええ、町を出たとたん。馬車の戸をあけてこう言ったんです。『さあ、走ってお行き。必要なときは呼ぶから』だからぼくは走りだしました。呪いみたいな物に追いかけられている感じがしましたから。だけどどこかの農場に着いたとたん、呪いに追いつかれましてね。そこの連中はぼくが犬に変身するところを見たもんで、ぼくを狼《おおかみ》人間だと思いこみ、殺そうとしたんです。ぼくはかみついて逃げだしたんですが、あの棒にはまいりました。生垣をとおりぬけようとしたら、ひっかかっちゃって」

ソフィーは除草剤をまきながら、車寄せの出口にさしかかりました。でも話はしっかり聞いていました。「それからフェアファックスさんのところへ行ったのね」

「ええ。レティーに会いたかったものですから。二人とも、とても優しくしてくれましたよ、どっちとも初対面だってむこうでは言うんですがね。そこへ魔法使いのハウルがしょっちゅう来てはレティーをくどいていたんです。レティーはそれがいやで、あいつをやっかいばらいしたいから、かみついてちょうだい、ってぼくに頼んだんです。ところが、ハウルがあなたのことを口にしてからは、風向きが変わって……」

ソフィーはあやうく自分の靴に除草剤をかけそうになりました。除草剤のかかった砂利から煙が出ているところを見ると、足にかからなくて助かったようです。「今、なんて言ったの？」

「ハウルが『ぼくの知っているソフィーという人は、きみとちょっと似ているなあ』と言ったんです。レティーはとっさに『姉さんよ』と答えてしまいました。それからですよ、レティーがひどく心配しだしたのは。だってハウルが姉さんのことばかり聞くもんですから。レティーは口をすべらしたことを後悔してました。あなたがあそこにいらした日は、レティーはあなたと知りあったいきさつを聞きだそうとして、ハウルに優しくしていたんです。

ハウルがあなたはおばあさんだと言い、フェアファックスさんもあなたが年寄りだったと言ったもんで、レティーは大泣きに泣いて、こう言いました。『ソフィー姉さんの身に何かひどいことが起こったんだわ。最悪なのは姉さんが、自分はハウルの毒牙《どくが》にかからないと思いこんじゃうだろうってことよ。姉さんは優しすぎるから、ハウルには心臓がないって見抜けないに決まってる！』レティーがあまり動転していたんで、ぼくはなんとか人間の姿に戻って、『ぼくが行って、ソフィーさんを見ててあげるから』って約束したんですよ」

ソフィーがジョウロを大きく振りまわしたので、ちょうど輪の形に煙が上がりました。「レティーのおせっかい！　とっても思いやりがあるし、それがあの子のいいところなんだけど。こっちだってあの子のことはずっと心配していたのよ。だけど、番犬なんていらないからね！」

「いえ、いりますよ。というか、必要だったんですね。あいにく、来るのが遅すぎて、あなたはハウルに……」

ソフィーはぱっとふりむき、いっしょに除草剤がとびちりました。パーシヴァルは草むらにとびこみ、命からがら木の陰に走りこみました。そのうしろでは長い帯状に草が茶色く枯れていきます。

「みんな呪ってやる！」ソフィーは叫びました。「あんたたちときたら。もううんざり！」ソフィーは煙の立つジョウロを車寄せのまん中にほうりだし、石造りの門にむかって雑草の上を大股で歩きはじめました。「遅すぎただって！　ばかげたことを！　ハウルは心臓がないってだけじゃなく、どうしようもないやつなんだから。だいたい、あたしなんて、おばあさんなんだからね」

でも考えてみると、あたし、どこかおかしいみたい。城が引越してから、ううん、もしかするともっと前から。そうだ、あんなふうに妹たちと顔を合わせるのを避けていたのも、そのせいなのね。

「だいたい、あたしが王様にしゃべったことは、みんな本当なんだからさ！」ソフィーは歩きつづけます。この二本の足で、たとえ七リーグだって歩いていって、戻らないからね。ええい、やってやろうじゃないの。あのお気の毒なペンステモンさんには、ハウルが悪人にならないようにひと働きしてほしいと頼まれたけど、かまうもんですか。長女はいつだって失敗するんだから。そうそう、ペンステモンさんだって、あたしのことをハウルの歳とった母親だと思っていたじゃない。でも、ほんとにそう思ってたのかしら？　それとも見抜かれていたのかしら？

ソフィーは落ち着かなくなりました。服に縫いこまれたまじないを見つけるほど鋭かった夫人なら、魔女の呪いのように強力な魔法なんて簡単に見抜けたはずだ、と気づいたからです。

「いまいましい、灰色と真紅の服め！　あたしもあのまじないの犠牲者の一人だなんて、冗談じゃない、ぜったい認めないからね！」困るのは、青と銀色の服でも同じような効きめがあったらしい、ということです。ソフィーはさらに数歩大きく足をふみだしました。「とにかく、ハウルはあたしが好きじゃないし！」ソフィーはほっとして言いました。

おかげで元気づき、ひと晩じゅう歩きとおせそうな気がしました。ところがそのとき、覚えのある不吉な音が聞こえてきました。遠くから、コツンコツンと。ソフィーは低く沈んでゆく太陽の下、じっと目をこらしました。と、どうでしょう。石造りの門の先の曲がりくねった道を、横に腕を広げ、ぴょんぴょんとんでくる影が見えるではありませんか。

ソフィーはスカートのすそを持ちあげ、くるりとむきを変えて今来た道を引き返しはじめました。足もとで埃《ほこり》と砂利がもうもうと巻きあがります。パーシヴァルは車寄せにぽつんと立っていました。かたわらにバケツとジョウロが落ちています。ソフィーはパーシヴァルの腕をぐいとつかみ、そばの木陰にひっぱりこみました。

「どうかしたんですか?」

「しっ! また、あのいまいましいかかし」ソフィーはあえぎ、まぶたをとじました。「あたしたちはここにいない。だから見つからない。行け。さっさと行っちまえ」

「いったいぜんたい……?」と、パーシヴァル。

「黙って。ここじゃない。こっちじゃないんだ」ソフィーは死にもの狂いでつぶやきました。片目をあけてみると、かかしは門のあたりまで来て立ち止まり、自信なさそうにゆれています。「そうそう。あたしたちはここにいない。さっさとあっちへ行くの。今までの二倍、三倍も速く、十倍も速く。行け!」

かかしはためらいながらも向きを変え、とびはねながら道を引き返しはじめました。数歩とんだあとは、一度にとぶ幅が大きく、そして速くなりました。ちょうどソフィーが念じたとおりに。ソフィーはまだ息をひそめたまま、かかしがすっかり見えなくなるまで、パーシヴァルの袖をしっかりつかんでいました。

「あれがどうかしたんですか？　なんであれが嫌いなんです？」パーシヴァルが聞きました。

ソフィーは身震いしました。かかしが屋敷の前の道をうろついている以上、すぐに出ていく気にはなれません。ジョウロを拾い、とぼとぼと屋敷に戻ろうとしたとき、何か動く物が目にとまりました。屋敷を見あげてみると、長い白いカーテンがテラスのあけはなたれたフランス窓からはためいていたのです。テラスの彫像もきれいにまっ白になっていますし、窓にはガラスとカーテンがそろっています。よろい戸は窓の両側にきちんとたたみこまれ、ペンキで白く塗りなおしてあります。屋敷の正面のしっくい壁はきれいなクリーム色で、緑色の苔《こけ》もふくれあがったペンキも見あたりません。正面の扉は黒のペンキの上に金色の渦巻模様という豪華版でした。扉の中央には口にノッカーをくわえた金メッキのライオンがついています。

「なにさ！」

ソフィーはあけはなたれた窓から入りこみ、お屋敷の中を探検したいという誘惑にかられました。でもそんなことをすればハウルの思うつぼでしょう。そこで正面玄関に戻り、金色の把手をつかんで勢いよくあけたのです。

作業台にむかっていたハウルとマイケルが、あわててまじないを片づけました。なるほどまじないの一部は屋敷をきれいにするための物だったのでしょう。けれども残りは盗み聞き用だったに決まっています。ソフィーがずかずか入っていくと、二人ともうしろめたそうにふりむいたからです。カルシファーもさっとまきの下にとびこみました。

「マイケル、ぼくのうしろに隠れろ」とハウル。

「立ち聞きしたね！　こそこそのぞいて！」とソフィー。

「何が気に入らないんだい？」とハウル。「よろい戸も黒と金色にしてあげようか？」

「この、恥知らず……」怒りのあまり、言葉が続けられません。「あんたが聞いたのはそれだけじゃないでしょうが！　この……あんた……いったい、いつから知ってたの……あたしが……？」

「呪いをかけられているってこと？　そうだなあ……」

「ぼくが話したんです」マイケルが心配そうにハウルのうしろから顔をのぞかせて言いました。「ぼくのレティーから……」

「あんたがだって！」ソフィーは金切り声をあげました。

「もう一人のレティーも、ぽろっと秘密をもらしたよ」ハウルがすばやく口をはさみました。「あんたも今、そいつから聞いただろ。それに、あの日はフェアファックスさんもいろいろとヒントになることを話してくれたし。なんだか、みんながいっせいに教えてくれたみたいだったな。カルシファーだって。もっともこっちが聞いたからなんだけど。

でもさ、あんた本気で思ってたわけ？　この商売をしているぼくに、そんなこともわからないって。強力な魔法を見たら、気づくに決まってるだろうが。あんたが気づかないうちに、何度か呪いを解こうとしてみたんだ。ところがどうやってもうまくいかない。ペンステモン先生のところへ連れていったのも、先生ならどうにかできるかと思ったからさ。でも、だめだったみたいだ。そこでぼくとしては、あんたが好きで変装していると思うしかなかった」

「変装だって！」ソフィーはおうむ返しに叫びました。

ハウルは笑いました。「だってそうだろう。あんた、自分の力も使ってるんだよ。見た目をあれこれ変えたりして、あんたたちはなんて変わった一族だろう！　あんたも本当はレティーっていうんじゃないの？」

なんてことを。ソフィーの堪忍袋《かんにんぶくろ》の緒《お》が切れかけたちょうどそのとき、パーシヴァルが心配そうな顔で、除草剤が半分残ったバケツを運んできました。ソフィーは持っていたジョウロをほうりだし、バケツを奪うと、中味をハウル目がけて浴びせました。ハウルはさっと身をかわし、マイケルもうまくよけましたが、除草剤がかかった床一面からは緑色の炎が上がり、天井にまで届きました。バケツががちゃんと流しにぶつかると、流しに残っていた花がいっせいに枯れました。

「ヒュー。すげえ、強力だぜ」カルシファーがまきの下から声をあげました。

ハウルは煙を立てている茶色くなった花の残骸のあいだから頭蓋骨をそっととりあげ、袖の片方でふいてやりました。「もちろん強力に決まってる。ソフィーはいいかげんなことは何ひとつしない性格さ」ハウルがふくにつれて頭蓋骨はまっ白になり、ハウルが使った袖の方は、青と銀色のまだらに変わりました。ハウルは頭蓋骨を作業台にのせると、うらめしそうに袖を見つめました。

ソフィーはいっそ今すぐ出ていってやろうかとまた半分本気で思いました。でも、屋敷の前の道にはかかしがいます。そこで椅子にどかどか歩いていき、腰を下ろして、ふてくされることにしました。もう誰とも口をきくもんですか！

「ソフィー」ハウルが声をかけました。「ぼくもできるかぎりのことはしたんだよ。気づいてたかい？　最近、あんたの節々《ふしぶし》も痛まなくなっていただろう？　それとも痛い方が楽しかったとか？」ソフィーは返事をしません。ハウルはあきらめたらしく、今度はパーシヴァルにむかって話しかけました。「あんたがまるきりばかじゃないとわかってうれしいよ。心配してたんだ」

「たいしたことは覚えてないんですよ」パーシヴァルは答えたものの、まぬけのふりをするのはやめたらしく、ギターをとりあげて弦を合わせると、すぐ、いい音で弾きはじめました。

「わが悲しみ、露見《ろけん》せり」ハウルがあわれっぽく言いました。「ウェールズ人はたいてい音楽の才能があるのに、ぼくはさっぱりなんだ。あんた、さっきソフィーに話したのが全部かい、それとも魔女が何をさぐってたか、本当は知ってるのかい？」

「ウェールズについて知りたがっていました」

「だろうと思った。まあいいさ」ハウルはまじめな顔で言いました。

浴室へ入ったハウルは、それから二時間こもっていました。そのあいだ、パーシヴァルは何か考えながら、ゆっくりとギターを弾きつづけていました。なんだか自分に弾き方を教えているようです。マイケルは床の上をはいまわり、まだ煙の出ている絨毯を移動させ、除草剤をふきとっていました。ソフィーは椅子に座り、だんまりを続けました。カルシファーは炎を上げてソフィーのようすをのぞきこんでは、またまきの下にもぐるというのをくり返していました。

ようやく浴室から出てきたとき、ハウルの服はつやつやした黒に、髪の毛はつやつやした白っぽい金髪になっていました。もうもうたる湯気にはリンドウの香りがします。

「帰りは遅くなるかもしれないよ、マイケル。真夜中すぎたら夏至《げし》だ。魔女は何かしかけてくるだろう。守りをかためて。そして、ぼくの教えたことを忘れないように、頼んだよ」

「わかりました」マイケルは、煙の出ている絨毯の残骸を流しにほうりこみました。ハウルはパーシヴァルにむかっては、「あんたの身に起こったことはもうわかってる。直すのはたいへんな仕事になりそうだ。でも、明日戻ったらやってみよう」と言いました。それからハウルは戸口で、把手に手をかけたまま立ち止まり、「ソフィー、まだぼくと口をきく気にならない？」とみじめそうにたずねました。

でもソフィーには、ハウルが必要とあらば、天国にいても不幸せそうに見せかけられるやつだとわかっていました。さっきだってパーシヴァルから話を聞きだすために、あたしを利用したくせに。「ならないね！」ソフィーはうなりました。

ハウルはため息をつき、外出しました。見るとダイヤルは黒をさしています。ほら、やっぱり！　明日が夏至だって、かまうもんですか。こうなったら出ていくまでだわ！

二十章　夏至祭《げしまつり》の再会

夏至の夜明けを迎え、ほぼ同時にハウルが扉からそうぞうしく帰ってきました。あまりのやかましさに、自分のねぐらにいたソフィーははね起きました。ハウルのすぐうしろを魔女が追いかけてきたにちがいないと思ったのです。

「みんな、おいらが好きなくせに、いつだっておいらを仲間はずれ」ハウルががなっているのは、カルシファーの作った『フライパンの歌』だとわかったので、ソフィーはまた横になりました。

ハウルの方は椅子につまずき、低い腰かけを部屋のはじまでけとばし、二階へ上がろうとして、物置に入ったり裏庭へ出たりしました。しばらくまごついたあと、ようやく階段を見つけましたが、今度はいちばん下の段をふみそこねてうつぶせに倒れたので、城全体がゆれました。

「どうしたのさ?」ソフィーは階段の下から顔をつきだしてたずねました。

「ラグビー・クラブの同窓会だよ」ハウルは聞きとりにくい声でもったいぶって答え

ました。「ぼくが母校のラグビー・チームのすばらしいウィングだったのを、知らなかったのかい、え、おせっかい夫人？」

「そんなありさまで？　すばらしいとこなんか全然ないよ」とソフィー。

「ぼくは不思議なもんを見るたちで、目に見えぬもんも見えるんだ。ベッドに行くのを、邪魔したのはあんただ。ぼくは過去の歳月の居場所も知ってるし、悪魔のひづめを割《さ》いたやつもわかってる」

「早く寝ろよ、まぬけ」カルシファーが眠そうに言いました。「あんた、酔っぱらってら」

「誰、ぼくのこと？　言っとくけどね、ぼくはしーらふそのもんさ」ハウルは立ちあがると、勢いよく二階へ進みましたが、壁に触っているところを見ると、そうでもしないと壁に逃げられると思いこんでいるようです。もっとも寝室の扉には逃げられたようでした。「今日が呪いが完結する日だなんて、嘘っぱち」壁にぶちあたったハウルは言いました。「あの詩によると、輝けるぼくの不正直さが、ぼくを救うんだぜ」

ハウルはさらに何度も壁にぶつかった末、とうとう寝室の扉を見つけ、すさまじい音とともに部屋へなだれこみました。今度は床に倒れたまま「ベッドが逃げた」と文句をつけているのが聞こえました。

「まったく、なんてどうしようもないやつ！」こうなったら、今すぐ城を出ようとソフィーは決心しました。

あいにく、ハウルがやかましかったのでマイケルが目をさまし、同じ部屋の床で寝ていたパーシヴァルも起きだしてきました。階段を降りてきたマイケルは、せっかく目がさめたんだから、まだ涼しい今のうちに夏至祭の花輪にする花を集めにいきましょう、とソフィーに声をかけました。

ソフィーは、最後にもう一度花畑に行くのも悪くないわ、と思いました。外には暖かな乳白色のもやが出ていて、かぐわしい匂いが漂い、花の色がぼやけて見えました。ソフィーは杖で足もとのぬかるんだ地面を確かめながら歩きまわりました。何千羽もの小鳥たちがさえずる声に耳を傾けていると、城を出ていくのが惜しくなります。露に濡れて繻子《しゅす》のように光る百合をなで、紫の花のぎざぎざした花びらに指先をはわせました。その長い雄しべには花粉がついています。霧をかきわけてついてくる黒い城をふり返ったソフィーは、ため息をつきました。

「ずいぶん、ここいらに手を入れたもんですね」パーシヴァルはマイケルが発明した浮かぶ桶にひとかかえのハイビスカスを入れながら言いました。

「手を入れたって、誰がです？」マイケルが聞きます。

「ハウルですよ。はじめ、このへんはただのやぶでした。そのやぶすら、とても小さくて枯れかけてました」

「前にここへ来たことがあるんですか？」マイケルは興奮してたずねました。パーシヴァルが本当はジャスティン王子かもしれない、という説をちっともあきらめていなかったのです。

「ここへは魔女と来たのだと思います」パーシヴァルは自信なげに答えました。

みんなで桶に二杯、花を集めました。ソフィーは二杯目の花をかかえて城へ戻ったとき、マイケルがダイヤルを数回ぐるぐるまわしたのに気づきました。たぶん魔女を城に入れないまじないか何かでしょう。

そのあとは夏至祭用の花輪作りをしましたが、ずいぶん時間がかかりました。ソフィーはマイケルとパーシヴァルにまかせるつもりだったのですが、マイケルはパーシヴァルに質問してさぐりを入れることに熱中していますし、パーシヴァルはすごく不器用なのです。

ソフィーにはマイケルが興奮する気持ちもわかりました。パーシヴァルには何かが起こるのを待ちわびているような、妙な雰囲気があるのです。今もいくぶん魔女に支配されたままなのかもしれません。ソフィーは花輪をほとんど一人で作りながら、思いました。きのうまではときどき、ここにとどまってハウルが魔女と戦うのに手を貸そうかしらと思ってたけど、やっぱりやめた。ハウルなら手をひと振りすればあっというまに花輪を作れるのに、さっきからいびきをかいて眠っているだけ。しかもいびきのうるさいこと、店にまで聞こえるじゃない。

花輪を作るのにあまり手間どったため、完成しないうちに開店の時間が来てしまいました。ソフィーたちは、マイケルが持ってきた蜂蜜を塗ったパンを、押し寄せてきた朝いちばんの客の応対をしながら食べました。

夏至の日は祭日でした。あいにく〈がやがや町〉では、曇ってひえびえとした日でしたが、町の半数ほどの人間が晴着を着て、お祭の花や花輪を買いに店へやってきました。通りは人でにぎわっています。店に押し寄せる客があまりに多いため、ソフィーがようやく店を抜けだしたのは、もう昼でした。

ソフィーは階段を上がって物置をとおりぬけました。こんなに売上が上がったら、マイケルがためている暖炉の石の下の貯金は十倍にふくらんでしまうかも……。ソフィーはこっそり食料を包み、自分の古着をひとまとめにしながら、そんなことを考えていました。

「おいらとしゃべりにきたのかい?」カルシファーが声をかけてきました。

「ちょっと待って」ソフィーは荷物を背中に隠したまま部屋を横ぎり、暖炉に近づきました。契約を破ってくれる約束はどうなるのさ、と騒がれたくなかったのです。

ソフィーが椅子の背にひっかけてあった杖をとろうと、手を伸ばしたときでした。誰かが扉をノックしました。ソフィーは手を伸ばしたままその場に凍りつき、たずねるようにカルシファーを見ました。

「〈折れ谷《おれだに》〉の屋敷の扉だ。血肉を備えてて、無害だよ」とカルシファー。

ふたたびノックがありました。いつだって出ていこうとすると、こうなんだから！

ソフィーはダイヤルをオレンジ色に合わせ、扉をあけました。

影像のむこうの車寄せに、一台の馬車が停まっていました。玄関にとても背の高い従僕が立っていて、その幅の広い肩ごしにかなり大きな馬が二頭見えました。ノックをしたのはこの従僕でしょう。

「サシェーヴェラル・スミス夫人が新しい居住者の方へご挨拶に参上」従僕が口上《こうじょう》を述べました。

まあ、困った！　ハウルがペンキを塗りかえ、カーテンを新しくしたりしたせいだわ。「ただいま留守……」とソフィーは言いかけましたが、スミス夫人は従僕を押しのけ、入ってきてしまいました。

「セオボールド、馬車で待ってなさい」夫人はソフィーのかたわらをさっそうととおりすぎながら従僕に命じると、日傘を折りたたみました。

なんとそれは、義理の母のファニーでした。とてもはぶりがよさそうです。クリーム色の絹のドレスを着て、つばが広く薔薇《ばら》の花を飾ったクリーム色の絹の帽子をかぶっています。それを見て、ソフィーは飾りをつけながらその帽子に話しかけた言葉を思いだしました。「お金持ちと結婚できますよ！」ファニーのようすから見て、そのとおりになったことは明らかでした。

ファニーはあたりを見まわして叫びました。「あらまあ！　おかしいわね。ここは召使の部屋じゃないの！」

「その……ええ……わたしたちはまだ正式に引越したわけではなくて、奥様」答えながら、ファニーはどんな顔をするだろうかとソフィーは思っていました。もし物置のむこうにあの帽子屋があると知ったら？

ファニーはぐるりとむきなおり、ソフィーを見たとたん、息をのみ大声をあげました。「ソフィー！　まあ、なんてこと、いったいどうしたの？　九十歳ぐらいに見えるじゃないの。病気でもしたの？」そして、ソフィーがびっくりしたことには、ファニーは帽子も日傘も、お上品なものごしも何もかもほうりだし、ソフィーを抱きしめて泣きだしたのです。

「ああ、あんたの身に何が起きたのか、ずっと心配してた！　マーサのところは訪ねていったし、レティーにも連絡したのよ。でも二人とも知らないって。ばかな娘たち。あの二人は場所を交換したのね、知っていた？　でもあんたがどうなったか知っている人はいなかった。今も懸賞をかけてあるのよ。それなのに、あんたはこんなとこで召使として働かされていたのね。丘の上でわたしや夫のスミスといっしょにぜいたくに暮すこともできたのに」

　気がつくと、ソフィーも泣いていました。あわてて家出用の荷物を床にほうりだすと、ファニーに椅子をすすめ、自分も低い腰かけをひっぱってきてファニーの隣に座り、手を握りました。今では二人とも泣きながら笑いだしていました。再会できてとてもうれしかったのです。

「長い話になるけど」ソフィーは、ファニーに六たびも何があったのかを聞かれたあとで言いました。「鏡を見てこんなふうになっているのを見たとき、あんまりショックが大きかったので、あてもなく、家を出ちゃったの……」

「働きすぎだったのね。ああ、わたしのせいよ！」ファニーはすまなそうに言いました。

「そうでもないの。心配しないで。魔法使いのハウルがあたしを置いてくれて……」

「魔法使いのハウル！」ファニーは大声を出しました。「あの悪い悪いやつ！　あいつがこんな目にあわせたの？　どこなの、ハウルは？　やっつけてやる！」

　ファニーは日傘をつかむと今にもハウルをなぐりつけそうな勢いなので、ソフィーはあわてて押さえつけました。もしファニーに傘でつかれて目をさましたりしたら、ハウルがどう反応するか、考えたくもありません。

「ちがうのよ。ハウルは親切にしてくれた」と言ったとたん、ソフィーは自分の言ったことは本当だと気づきました。いささか変わっているとはいえ、ハウルは親切でした。いえ、ソフィーがあれほどハウルをうるさがらせてきたことを考えると、とてもよくしてくれたと言えます。

「でも噂だと、女の人を生きたまま食べるというじゃないの！」ファニーはなおも立ちあがろうとしました。

ソフィーはまたファニーの振りまわす日傘を押さえつけました。「そうじゃないの。ねえ、聞いて。あいつはちっとも悪くないの！」これには暖炉からシュウシュウと疑問の声があがりました。さっきからカルシファーがおもしろそうに二人を見ていたのです。

「悪いやつじゃないわよ！」ソフィーは、ファニーだけでなくカルシファーにも言いました。「あたしがここに来てからずっと、一度もハウルが悪い魔法を使うのを見たことがないもの！」それも、また本当のことでした。

「では、あんたを信じることにしましょう」ファニーは、ほっと息を吐くとこう続けました。「だけど、もしハウルが改心したのなら、きっとそれはあんたのおかげよ。あんたはそういうコツを心得てるものね、ソフィー。あたしには手に負えなくても、あんたならマーサのかんしゃくをなだめられた。あたしはよく言ってたでしょ、ソフィーのおかげでレティーのわがままも半分になるって。だけどソフィー、自分の居所《どころ》ぐらい連絡してくれなくちゃ」

確かにファニーの言うとおりだわ。連絡すればよかった。マーサのファニーへの偏見をうのみにしたのがいけなかったのよ。ファニーのことをもう少し信じてもよかったのに。ああ恥ずかしい。

一方ファニーは、ソフィーに新しい夫サシェーヴェラル・スミス氏のことを話したくてうずうずしていました。その胸のときめく話とは、ソフィーがいなくなったまさにその週にスミス氏に出会って、その週が終る前には結婚していたということでした。

ソフィーはその話を聞きながら、義理の母を観察していました。年寄りになってみると、今までとはちがった目で相手を見ることができます。ファニーはまだ若くてきれいな女性でした。だからソフィーと同じように、帽子屋なんて退屈だと思っていたのでした。けれどもファニーは店にしばりつけられ、その中でせいいっぱい努力はしていたのです。店のことでも、三人の娘のことでも。そこへハッター氏の急死です。そのとき、きっとファニーは急に怖くなったのでしょう。今のソフィーのようになることが。つまり、ただ歳をとり、なんのとりえもなくなることが。

「店をゆずるあんたも、いなくなっちゃったでしょう、だから店を売ってもいいかなと思ったの」ファニーが説明しているとき、物置でかたかたという足音がしました。

「来客があったので、店はしめました。ねえ、誰が来たと思います？」とマイケルが言いました。なんとマーサの手を握っています。

マーサは前より少しやせ、もっときれいになっていました。どこから見てもマーサに見えます。マーサはマイケルの手を放すと、ソフィーに駆け寄って叫びました。

「ソフィー姉さん、どうしてうちあけてくれなかったのよ！」マーサはソフィーにしがみつき、それからファニーにもしがみつきました。ファニーの悪口を言ったことなどなかったような態度です。

お客はこれで終りではありませんでした。お次はレティーとフェアファックス夫人が物置をとおってやってきたのです。二人で、ふたつきのバスケットの把手を持っていました。そのあとから入ってきたのは、ソフィーが今まで見たことがないほどうれしそうなパーシヴァルでした。

「あたくしたち、明るくなるとすぐに乗合馬車で来ましたのよ」フェアファックス夫人が言いました。「それから、おみやげに……あら、まあ！　ファニーじゃないの！」

夫人はバスケットの把手から手を放すと、走り寄ってファニーを抱きしめました。レティーもバスケットの把手を放し、ソフィーに駆け寄りました。

抱きあったり、歓声をあげたり、声をはりあげたりとにぎやかだったので、ハウルが起きださないのは奇跡でした。この喧騒《けんそう》の中でもハウルのいびきが聞こえてきます。出ていくのは今日の夕方にしよう。ソフィーはみんなに会えたのがうれしくて、今すぐ出かける気にはなれませんでした。

レティーはパーシヴァルをとても好いているようでした。マイケルが作業台にバスケットをのせ、コールドチキン、ワイン、蜂蜜入りプディングをとりだしているあいだも、レティーはパーシヴァルの腕をとり、思いだしたことをひととおり話させようとしています。なんだか、パーシヴァルはわたしのものよ、と言わんばかりで、あまりいい感じではありません。でもパーシヴァルはいっこうに気にするようすはありません。ソフィーの目から見てもレティーは愛らしく、パーシヴァルの気持ちもよくわかります。

「この人、あたしたちのとこへ来てから、人間に戻ったかと思うと、そのたびにちがう犬に変わったの。そして人間に戻ると、あたしを知っていると言いはるのよ」レティーはソフィーに説明しました。「あたしは前に一度も会ったことないってわかってた。でも、そんなのどうでもいいじゃない」レティーがパーシヴァルの肩をたたくようすを見ていると、まだ犬だと思っているみたいです。

「でも、あんた、ジャスティン殿下には会ったことがあるんでしょう?」ソフィーが聞きました。

「ええ、そう」レティーは無造作に答えました。「殿下は緑色の軍服で変装していた。でも、見間違えっこないわよ。一見、とても愛想がよくて礼儀正しい人だったわ。あたしが調合してあげたまじないでサリマンを探してもうまくいかず、怒ってたときでさえ。あたしは調合を二度もやりなおしたのよ。だって、何度やっても、魔法使いのサリマンは〈上折れ谷《かみおだに》〉と〈がやがや町〉のあいだにいるって出るんだもの。すると殿下はそんなことはありえないって言うの。

しかもあたしがまじないを調合しているあいだじゅう、殿下はあたしの邪魔してばかり。『かわいいお嬢さん』って、なんともいやな感じで呼ぶの。そしてあたしがどこの何者で、家族はどこにいるかとか、歳はいくつかとかって。あたし、なんてずうずうしいんだろって思った。いいこと、姉さん。あれなら魔法使いのハウルの方がまだまし！　ね、どんな人だか少しはわかるでしょ！」

このころにはみんながあちこち歩きまわり、チキンを食べたり、ワインを飲んだりしていました。カルシファーは恥ずかしがっているのか、緑色のちらちらする光に縮んでいたので、誰も気づいていないようです。ソフィーはレティーにひきあわせたかったので、顔を出すようにカルシファーを誘いました。

「これって本当に悪魔なの？　じゃあハウルの命を握っているのね？」レティーは緑色にまたたく光を見おろしながら、信じられないというように言いました。

ソフィーが顔を上げて、本当に悪魔よ、と返事をしようとしたとたん、戸口に立っているアンゴリアン先生が目にとびこんできました。アンゴリアン先生はおずおずと自信なげに言いました。「あら、ごめんあそばせ。間《ま》の悪いときに来たみたいですわね。ちょっとハウエルに話があったんですけど」

　ソフィーはどうしたものか迷いながら、立ちあがりました。前に追い返したことを恥ずかしく思っていたのです。あれはハウルが求愛している相手だと思ってやきもちをやいたせいでした。だからといって今、アンゴリアン先生に好意を持っているわけでもないのですが。

　ソフィーが迷っていると、マイケルが片をつけました。輝くような微笑を浮かべてアンゴリアン先生を迎え、こう挨拶したのです。「ハウルは今、眠っております。お待ちになるあいだ、ワインでもいかがですか？」

「まあ、ご親切に」口ではそう言ったものの、先生はうれしそうではありませんでした。ワインをことわり、チキンをかじりながら、いらいらと歩きまわっています。

　室内にいるのは互いに顔見知り同士で、先生一人がよそ者でした。ファニーは役に立ちません。フェアファックス夫人とひっきりなしにしゃべっていて、その合間にときどき先生に「なんて変わったお洋服でしょう！」と言うだけです。マーサも同じです。マイケルがアンゴリアン先生に挨拶しながら見とれたのに気づいたマーサは、マイケルが自分とソフィーとしか話せないように気をつけていました。そしてレティーはアンゴリアン先生をまったく無視し、パーシヴァルと二人で階段に腰を下ろしていました。

アンゴリアン先生はふいに、もうたくさんだと思ったようです。ソフィーは先生が出口の扉をあけようとしているのを見つけ、うしろめたくなって、急いで近寄りました。わざわざここに来るなんて、先生もハウルのことをよほど好きなのにちがいありません。

「まだお帰りにならないで。ハウルを起こしてきますから」ソフィーはとりなしました。

「いいえ、そんなことをしてはいけませんわ」アンゴリアン先生は神経質そうにほほえみながら言いました。「今日は一日あいていますから、喜んで待ちます。ただ、ちょっとお庭でも拝見しようかと思ったんです。ここはちょっと息苦しくて。へんな緑色の炎が燃えていますし」

それはアンゴリアン先生を目の前から追い払う、すばらしい解決方法に思えました。追い返したことにはなりませんし。ソフィーは丁重に先生のために扉をあけてやりました。でも、どういうわけか、ダイヤルが紫色にまわってしまいました。もしかすると、ハウルがマイケルにきちんと守らせている城の防衛のまじないのせいでしょうか。外は荒地《あれち》の花畑で、もやの中で太陽が輝き、赤と紫の花がひと群れ、風にゆれていました。

「なんて立派なシャクナゲでしょう！　ぜひ拝見したいわ」アンゴリアン先生はひどく震えるしゃがれ声で叫ぶと、湿原へ勢いよくとびおりました。

「南東の方には行かないでくださいね」ソフィーが声をかけました。

城は大まわりにゆっくり移動していました。アンゴリアン先生は白い花のあいだに美しい顔をうずめて言いました。「遠くへは行きませんから」

「おやまあ！」ソフィーのうしろへ来たファニーが声をあげました。「うちの馬車はどうなったのかしら？」

ソフィーは懸命に説明しました。けれどもファニーがあまり心配するので、扉のダイヤルをオレンジ色に戻し、どんよりした天気のお屋敷の車寄せを見せてやりました。車寄せでは従僕と御者とが馬車の屋根に並んで腰を下ろし、冷たいソーセージを食べながらトランプをしていました。それを見てファニーもようやく、馬車が謎の失踪をとげたわけではないと納得したようです。ソフィーはなおも城のしくみを説明しようとしましたが、実は自分でも、どうしてひとつの扉がいくつもの場所につながっているのか、さっぱりわかっていませんでした。

と、そのとき、カルシファーがまきから大きく伸びあがり、どなりました。

「ハウル！　ハウエル・ジェンキンス、魔女があんたの姉さんの一家をめっけたよ！」カルシファーの大声とともに、煙突じゅうに青い炎が広がります。

頭上でハウルがとびおきたのか、どさっという音がしました。寝室の扉が勢いよくあき、本人がころがるように降りてきました。レティーとパーシヴァルは手荒く押しのけられました。ファニーはハウルを見てキャッと小さく悲鳴をあげました。ハウルの頭は干草のようにぼさぼさだし、目のまわりは赤くなっています。

「いちばん手薄なところに目をつけられた、ちくしょう！」ハウルは黒い袖をたなびかせながら部屋を矢のように横ぎりました。「恐れてたことになった！　カルシファー、ありがと！」ハウルはファニーも押しのけると、勢いよく扉をあけました。

ハウルが扉をばたんとしめていったのは聞こえましたが、ソフィーはかまわずよたよたと階段を上がりました。せんさく好きだと自分でも思うのですが、何が起こるのか見ずにいられません。ハウルの寝室に足をふみ入れたとき、みんながあとから階段を上がってくる足音が聞こえました。

「なんて汚らしい部屋！」ファニーが声をあげました。

ソフィーは窓の外をのぞきました。あのきれいな庭には霧雨が降っていました。ブランコから水滴がしたたり落ちています。魔女の赤い髪の毛が、たてがみのように霧でふくらんでいます。長身で堂々とした魔女は、赤いドレスを着てブランコの柱にもたれかかり、何度も手招きしています。それにつれて、ハウルの姪《めい》のマリが、いやそうに足を引きずりながら、濡れた芝生の上を魔女の方へ近寄っていきます。足が意志に反して動く、そんな感じです。そのうしろから、甥《おい》のニールがもっといやそうに魔女をにらみつけながら、引き寄せられていきます。二人のうしろにはハウルの姉のミーガンがいました。ミーガンは腕を振り、口をあけたりとじたりしています。魔女にがみがみ文句を言っているのでしょう。でも、ミーガンもまた、ひっぱられています。

　そのとき、ハウルが芝生の上にとびだしてきました。服を変えるどころか、魔法を使う時間すら惜しみ、ただまっしぐらに魔女に襲いかかっていきました。魔女は手を伸ばしてマリをつかまえようとしましたが、マリはまだ魔女の手の届くところまで来ていませんでした。ハウルが先にマリのところへたどりつき、うしろへつきとばすと、魔女にむかって突進しました。

　炎のように赤いドレスをひらめかせながら、魔女が走りだします。まるで犬に追われた猫のように、芝生を横ぎり、手入れのいい柵をとびこえました。ハウルは、追跡中の犬のように、距離をつめていきます。魔女が柵を越えると、赤い姿がぼやけました。ハウルも袖をたなびかせ、黒くぼやけます。そのあとは、柵が邪魔になって見えなくなりました。

「魔女がつかまるといいのに。女の子は泣いてたじゃないの」と、マーサ。

　芝生ではミーガンがマリを抱きしめ、二人の子どもを連れて家に入ろうとしていました。ハウルと魔女がどうなったのか、見当もつきません。レティー、パーシヴァル、マーサ、マイケルの四人は階下へ降りていきましたが、ファニーとフェアファックス夫人の二人は、ハウルの寝室のあまりの汚さにあぜんとして、足に根がはえてしまいました。

「あのクモをごらんになって！」フェアファックス夫人が指さします。

「それに、カーテンは埃《ほこり》だらけ！」とファニー。「アナベル、あそこの通路にほうきがあったわよ」

「とってきましょう。ファニー、あなたのドレスをピンでとめてあげるわ。そしたらいっしょに掃除しましょう。こんなありさまの部屋には、とても耐えられなくってよ！」

おやまあ、かわいそうなハウル！　あのクモたちがお気に入りなのに、ねえ！　ソフィーは階段をうろうろしながら、フェアファックス夫人とファニーのもくろみをくじく方法を考えていました。

そのとき階下からマイケルが声をかけてきました。「ソフィー、お屋敷を見てまわろうと思ってるんです。いっしょにどうです？」

二人の掃除をやめさせるには、まさにうってつけの口実でした。ソフィーがファニーに声をかけ、急いで階段を降りると、レティーとパーシヴァルはもう扉をあけようとしていました。レティーはさっきソフィーがファニーに扉のしくみを説明したとき、聞いていなかったし、パーシヴァルにもしくみがわかっていないことは明らかでした。二人が間違って、ダイヤルを紫色にして扉をあけたのに気づいて、ソフィーが駆けつけようとするあいだ、扉があけっぱなしになりました。

突然花畑を背に、かかしが戸口にぬうっと姿をあらわしました。

「しめて！」ソフィーは金切り声をあげました。どうしてこうなったのか、理由ははっきりしています。きのう、十倍速く行けとかかしに命じたことで、かかしが動く城に来るのを助けてしまったのです。〈折れ谷〉のお屋敷から荒地の城にむかったかかしは、今や扉から中へ入ろうとしていました。

でも、こちらの出口にはアンゴリアン先生がいたはずです。もしかすると、気絶して草むらでひっくり返っているのでしょうか。「だめ、やっぱりしめないで！」ソフィーは弱々しく言いなおしました。

誰一人、ソフィーの言うことなど聞いていません。レティーはファニーのドレスと同じような黄色っぽい顔色になって、マーサにしがみついています。パーシヴァルはつっ立ったままかかしを見つめているし、マイケルは頭蓋骨をつかまえようとしていました。頭蓋骨ときたら、あまりはげしく歯をがたがた鳴らしているので、ワインの瓶《びん》を道連れにして今にも作業台から落ちそうです。それに頭蓋骨のせいで、ギターもおかしくなっているようです。長く、うなるように鳴りだしたからです。なああーい。

んがあああい！　なあああーい。んがあああい！

カルシファーがまた煙突の中に炎を吹きあげて教えました。「その骨がしゃべってるんだ！『害はない』って言ってる。本当のことだと思うな。入れてほしくて、あんたの許しを待ってるぜ」

確かにかかしはじっと立っていました。以前のように、無理やり入ろうとはしていません。カルシファーも、信用がおけるやつだと思ったのでしょう、城をまわしてかかしを振り落とそうとするのをやめています。ソフィーはカブの顔とぼろの服を見ました。そうね、怖いというほどでもないわ。一度は仲間だと思った相手なんだし。ひょっとするとあたしは、城を離れない口実にかかしを利用していたのかもしれない。本当は城を出たくなかったんだわ。もっとも、今となってはどっちにしろ、出ていくしかないけど。だってハウルはアンゴリアン先生が好きなんだから。

「どうぞ、お入りください」ソフィーは少しかすれた声で言いました。

「はあいん」とギターが鳴ります。かかしは力強く横にひとっとびすると、中に入ってきました。一本足のまま ぐるりと体を回転させ、何かを探しているようです。かかしといっしょに部屋に流れこんだ花の香りは、かかしの放つ埃臭さと、腐ったカブの臭いにかき消されてしまいました。

マイケルに押さえつけられていた頭蓋骨が、また歯を鳴らしはじめました。かかしは頭蓋骨を見つけると、うれしそうにそちらへ倒れこみました。マイケルはとっさに頭蓋骨を救おうと手を出しかけましたが、急いで脇にとびのきました。かかしが作業台にぶつかったとき、ちりちりするほど強い魔法が働き、頭蓋骨がかかしのカブの頭の中にとびこんで、ぴたりと収まってしまったのです。

カブの中に、なんとなくいかつい誰かの面影《おもかげ》が浮かんできました。ただやっかいなことに、その顔はかかしの頭のうしろ側にありました。かかしは木の腕で宙をかき、不安定にぴょんととび、すばやく体をまわして、いかついカブの顔を正面にむけ、横にぴんと伸ばしていた腕をゆっくり脇に下ろしました。

「これで話ができる」かかしはふにゃふにゃした声を出しました。

「わたし、気絶しそう」ファニーが階段の上から言いました。

「何言ってるのよ」と言ったのは、ファニーのうしろにいたフェアファックス夫人。「これは魔法で動いてる、ゴーレムって物よ。誰かが送りだした作り物で、言われたとおりにするだけのこと。害はないの」

レティーもまた、今にも気絶しそうでした。でも本当に気絶したのはパーシヴァルでした。床に音もなく倒れ、まるで眠っているように体を丸めてしまいました。レティーはおびえていたにもかかわらず、パーシヴァルのそばに駆け寄ろうとしました。そのとき、かかしがまたぴょんととび、レティーはあわててうしろへ下がりました。

かかしはパーシヴァルの前に立ちふさがりました。

「この人は、わたしが探しによこされた部品のひとつです」棒をぐるりと回転させ、ソフィーとむかいあったかかしは、ふにゃふにゃした声で言いました。「あなたには感謝します。わたしの頭蓋骨ははるか遠くに持ちさられ、わたしは追いつく前に力つきていました。おそらくあの生垣にずっと、じっとしているしかなかったでしょう、あなたがとおりかかり、わたしに話しかけて、命を吹きこんでくれていなければ」かかしは次にフェアファックス夫人とレティーにむきなおりました。「お二人にも、感謝します。犬人間をここへよこしてくださって」

「誰があんたをよこしたの？　あんたは何をするわけ？」ソフィーが聞きました。

かかしはぐらぐらとゆれました。「まだ見つからない部品があって……」みんなは息をこらしてかかしの言葉を待ちかまえていました。たいていの者は震えていて口がきけなかったのですが。かかしは何か考えながら、あちらこちらへゆれています。

「パーシヴァルはあんたのどこの部分なの？」ソフィーは聞きました。

「自分で探させとけよ」カルシファーが言いました。「説明なんてできないよ。だって……」カルシファーは急に言葉をとぎらせると縮みはじめ、緑色の炎がほとんど見えなくなりました。マイケルとソフィーはぎくりとして目を見かわしました。

いきなり、どこからともなく声がしました。拡声器を使ったようなこもった声で、箱の中からでもしゃべっているような声ですが、魔女の声であることに間違いはありません。

「マイケル・フィッシャー、あんたの主人のハウルに伝えなさい。あいつがほれてるリリー・アンゴリアンという女は、わたしがつかまえて荒地にあるわたしの城にとじこめたって。伝えるのよ、ハウルが来ないかぎり、女は渡さないって。わかったかい、マイケル・フィッシャー？」

かかしはぐるりとむきを変えると、ひらいた扉からとんで出ていきました。

「ああ、どうしよう」マイケルが叫びました。「かかしを止めなきゃ！　魔女はこの城の守りを破るために、あいつをよこしたにちがいありません！」

二十一章　ハウルの心臓

みんなはかかしのあとを追いましたが、ソフィーだけはちがう方向へ走りました。杖をつかむと、物置をとおって店へむかったのです。

「あたしのせいだ！」ソフィーはつぶやきました。「物事をだめにする天才なんだもの。アンゴリアンを引き止めておくんだった。もうちょっと親切にしてあげればよかった、かわいそうに。ハウルはほかのことじゃずいぶん寛大かもしれないけれど、これだけはきっと、おいそれとは許してくれないだろうね！」

ソフィーは店の窓に飾ってあった七《しち》リーグ靴《ぐつ》をひっぱりおろし、中に入っていたハイビスカスや薔薇《ばら》を水もろとも床にぶちまけ、店の扉をあけ、濡れた七リーグ靴を混雑した舗道へ引きずりだしました。

「ごめんなさいよ」ソフィーは身をかがめ、いろいろな靴や長い袖に声をかけました。太陽を見て方角を確かめようとしましたが、灰色の雲に隠れていて見つかりません。

「そうね。南東はこっちか。ごめんなさい、ごめんなさいよ」ソフィーは祭に浮かれている人たちをよけて七リーグ靴を置きました。正しい方角にむけて靴を直すと、足を入れ、歩きはじめました。

ぴゅっ、ぴゅっ。ぴゅっ、ぴゅっ。ぴゅっ、ぴゅっ。両足だと片足のときよりも速く、まわりの景色がかすみ、息も切れます。大股に二歩進むあいだに、いろいろな物がちらりと見えては消えてゆきます。〈折《お》れ谷《だに》〉のはずれにある屋敷は木々のあいだでぴかぴか輝き、戸口にファニーの馬車があります。谷の中腹にはえているのはワラビでしょう。緑の谷へ流れこむ小川。同じ川が次には、幅の広い谷をとおっています。さらに行くと谷は、はじが見えないほど幅が広がり、遠方は青くかすみます。ずっと遠くに見える塔らしき物のかたまりがキングズベリーでしょう。

山に近くなると平野がせばまり、斜面に入りました。あまりけわしくて、杖があったのにうっかり前によろめいたら、次には深い峡谷のへりに立っていました。はるか下に木のてっぺんが見え、峡谷には青いかすみがかかっています。さっさと次の一歩をふみださないと、このまま崖下へ墜落しそうでした。

次にソフィーはよろよろと黄色い砂地に降りました。杖を砂の中にさしこみ、あたりを用心深く見まわします。右の肩ごしにふり返ると、数マイルうしろには白いもやが立ちこめ、山脈がほとんど隠れています。今越えてきたのはあの山でしょう。もやの下の方には黒ずんだ緑色の帯が見えます。ああ、そうか。これほど遠いとさすがに動く城は見えないけど、あのもやの下に花畑があるのね。注意して次の一歩を下ろしました。ぴゅっ。

そのとたん、ぞっとするような暑さの中にとびこみました。黄土色の砂が四方に広がって、ぎらぎら光り、岩があちこちにつきだしています。かろうじてところどころに灰色の草がわびしげにはえています。前方の高い岩山が、地平線からもくもくと湧きだした雲のように見えます。

「もしこれが荒地《あれち》なら……」つぶやくあいだにもう、汗が顔のしわを伝ってきます。「こんなところに住まなきゃいけないとは、魔女も気の毒に」

ソフィーは次の一歩をとびます。風が起こったのに、ちっとも涼しくなりません。岩山ややぶはさっきと少しも変わりませんが、砂の色はもっと灰色みを増し、岩山が空につきささるように見えます。前方でまぶしくぎらつく光をじっと見つめると、岩山より高い物が何か見えたように思いました。もう一歩近寄ります。

まるで天火《てんぴ》の中みたいな暑さです。四分の一マイルほど先に、変わった形の岩山のように見える建物がつきでていました。ひどくねじれた小さな塔がいくつもあり、いちばん大きな塔がななめに空につきでているところは、なんだか骨ばった老人の指のようでした。ソフィーは七リーグ靴を脱ぎました。この暑さでは、重すぎて、持って歩く気がしません。ソフィーはその場に靴を置き、杖だけ持つと、偵察しようとこの建物に近寄っていきました。

建物は荒地の黄土色の砂岩でできているようです。はじめソフィーは何か変わった種類のアリ塚ではないかと思いました。けれども近寄るにつれ、ざらざらした黄色っぽい植木鉢のかけらを何千と積みあげた建物で、先端へ行くほど細くなっているのがわかりました。ソフィーはにやりとしました。ハウルの城の中ではよく、煙突の内部にいるような気分を味わったものですが、これはまさに煙突の先の陶製の煙出《けむだ》しを寄せ集めたものです。この砦《とりで》も、火の悪魔が作った物にちがいありません。

息を切らしながら斜面を登っていくにつれ、これは魔女の砦に間違いないとソフィーは思いました。オレンジ色の服を着た小柄な人影がふたつ、塔の下の暗がりから姿をあらわし、ソフィーの近づくのを待っていたからです。前に見かけた魔女の小姓たちです。暑く、息も切れ切れでしたが、ソフィーはていねいに挨拶しようとしました。喧嘩を売る気はないと二人にわからせたかったのです。「こんにちは」

二人はふてくされたような顔をしただけです。一人がお辞儀をすると、手を伸ばしてゆがんだ形の暗いアーチの下の通路をさし示しました。ソフィーは肩をすくめ、小姓のうしろから中へ入りました。もう一人はソフィーのうしろから入ってきました。そのとたん、入口は消えてしまいました。ソフィーはもう一度肩をすくめただけです。帰るときになったら、考えればいいわ。

ソフィーはレースの肩かけを巻きつけ、引きずっていたスカートを直すと、前に進みました。ダイヤルを黒に合わせて出かけたときと同じように、一瞬、何もない空間をとおり、その後はぼんやりした明りが見えてきました。明りはそこいらじゅうで燃えている、黄緑色の炎でした。ちかちかしていますが、熱もなく、ほとんど明るさもないうえ、じっと見つめようとすると、常に視野の脇に寄ってしまうのです。魔法ってこういうもんよね。ソフィーはまた肩をすくめ、小姓のあとをどんどん奥へ歩いていきました。両側のごつごつした柱も、建物のほかのところと同様、煙突用の煙出しでできていました。

小姓についていくと、ようやく砦の中央の広間に出ました。それともこの広間も、柱のあいだの単なるすきまにすぎないのでしょうか。このころにはソフィーは、何がなんだかわからなくなっていました。砦はとほうもなく巨大に見えますが、ハウルの城と同じように、見かけだけなのかもしれません。

広間では魔女がソフィーを待ちかまえていました。どうして魔女とわかったのか、うまく説明できないのですが、このときも見るなりわかりました。ほかの誰かということはありえません。魔女はとても背が高く、やせていて、髪の毛は今度は金髪、骨ばった肩のうしろで太いおさげにしてありました。衣装は白。ソフィーが杖を振りかざしながらずかずかと近寄っていくと、魔女はあとずさりしました。

「あたくしをおどそうたって、そうはいかない！」魔女は年寄りのような弱々しい声を出しました。

「それなら、アンゴリアン先生を引きわたしなさい。そしたらすぐに退散するから」と、ソフィー。

魔女はさらにうしろへ下がりながら、両手で合図しました。すると二人の小姓がオレンジ色のかたまりに変身し、とびあがったかと思うと、ソフィーに襲いかかりました。

「うへっ！　おどき！」ソフィーは杖で二人をたたきながら叫びました。オレンジ色のかたまりは杖をひょいとよけ、身をかわし、またもやソフィーのうしろにまわります。二人をだしぬいたつもりだったのに、ソフィーはいつのまにか柱のところへ追いつめられていることに気づきました。身動きしようにも、ねばねばしたオレンジ色のひもが両足首を柱にしばりつけていて、髪の毛もひっぱられて痛いのです。

「これなら緑のねばねばの方がまだまし！」とソフィー。「まさかこれ、本物の人間じゃないでしょうね」

「魔法の物質」と魔女が答えます。

「離して！」

「だめだね」魔女はそっぽをむき、もうソフィーには興味がなくなったようすです。

ソフィーは、いつものことながらまたもや自分がへまをしたらしいと考えていました。ねばねばした物質はどんどん弾力を増してきます。動こうとすると、陶製の柱にぴしゃっとたたきつけられるのです。「アンゴリアンさんはどこ?」

「おまえには見つからない。ハウルが来るまで待つんだね」と魔女。

「来ないわよ。あたしよか、りこうだもの。おまけにあんたの呪いは全部実現してはいないし」

「実現するさ」魔女はかすかにほほえみながら言いました。「あんたがあたくしたちにだまされ、ひっかかってここへ来た以上。ハウルだって今度ばかりは正直になるしかないのさ」

魔女がもうもうと上がる炎にむかって合図すると、二本の柱のあいだから玉座のような物がごろごろころがってきて、魔女の前で止まりました。そこには緑色の軍服を着て、ぴかぴかの長靴をはいた男性が座っていました。ソフィーははじめ男性がうつむいて眠っているせいで、頭が見えないのかと思いました。けれども魔女の合図で男性がまっすぐに座りなおすと、肩の上に頭がないことがはっきりしました。これこそジャスティン王子の体にちがいありません。

「もしあたしがファニーだったら、気絶しそうだとわめいてやるわね。さあ今すぐ、頭を戻してやりなさい！　あまりにかわいそうじゃないの！」

「頭ならふたつとも、何カ月も前に始末したわよ。魔法使いサリマンの頭蓋骨は、あいつのギターといっしょに売ったし、ジャスティン王子の頭は残りの部品といっしょにどこかをうろついている。ここにあるのは、ジャスティンとサリマンのあたくしの好きな部品の寄せ集め。あとはハウルの頭をのっけるだけ、それで完全な人間になる。ハウルの頭を手に入れたら、こいつを新しいインガリー国王にすえて、このあたくしが女王として統治するの」

「あんた、頭がおかしいよ。そんなふうに人間をつぎはぎするなんて、間違ってる。それに、ハウルの頭があんたの望みどおりになるとはとうてい思えないけど。どうにかしてすりぬけるに決まってる」

「あたくしたちの言いなりになるはず」魔女はずるそうにいわくありげなほほえみを浮かべました。「あいつの火の悪魔を支配すればね」

ソフィーは自分が本当はひどくおびえていることに気づきました。今やひどいへまをしてしまったことがわかります。ここへ来てはいけなかったのです。それでも「アンゴリアンさんはどこさ？」と杖を振りまわして聞きました。

魔女はソフィーの杖をいやがり、あとずさりしました。

「あたくしは疲れた。あんたたちときたら、寄ってたかってあたくしの計画をだいなしにしてばかり。まず魔法使いのサリマンをねらったのに、荒地にやってこようとしなかった。だからヴァレリア王女を殺すと脅迫して、国王がサリマンに荒地へ行けと命令するように仕向けた。ようやく荒地へ来たと思ったら、サリマンのやつめ、のんきにやぶなんか育てはじめて、ぐずぐずした。サリマンをつかまえたあとだって、国王は何カ月も、ジャスティン王子がサリマンのあとを追いかけることを許可しなかった。ようやく追いはじめたと思ったら、あのまぬけ王子、どういうわけか、北の方へ行ってしまった。だからここへ呼び寄せるためにあたくしはあらゆる手を使ったもんだ。

ハウルときたら、もっとやっかいだった。一度は逃げだしたし。だからハウルを引き寄せるために、呪いをかけなければならなかった。そして、その呪いに必要な情報を集めようとしている最中に、あんたがサリマンの残りにちょっかいを出したんだ。そのためもっと面倒になった。今ようやくあんたをここへ連れこんだと思ったら、あんたはあんたで杖を振りまわして、あたくしに逆らうんだからね。あたくしは今まで懸命に努力したの、あんたにあれこれ言われる覚えはないね」魔女はそっぽをむくと、煙の中へふらりと歩いていってしまいました。

ソフィーはぼんやりした炎のあいだを動いていく背の高い姿を見送りました。あの魔女め、ようやく年寄りらしくなってきたじゃないの。でも完全にいかれている。自由になって、どうにかしてアンゴリアンを救いださなくては！

ソフィーはオレンジ色の物質が魔女と同じように自分の杖をいやがっていたことを思いだし、杖を背中に伸ばし、ねばねばした物質が柱に巻きついている場所にむけて前後に杖を動かし、「あたしを自由にしなさい！」と命じました。髪の毛がひっぱられて痛みましたが、ひもがわりのオレンジ色の物質は逃げようとしています。ソフィーはもっと強く杖でたたきました。

頭と肩が自由になったとき、にぶい爆発音が鳴り響きました。青白い炎がゆれ、ソフィーのうしろの柱がぐらぐらしました。それから、千個もの茶碗が階段を落ちていくような衝突音が聞こえ、砦《とりで》の壁の一部が吹きとびました。細長いぎざぎざの穴から光がまぶしくさしこみ、ぽかりとあいた穴から何者かがとびこんできました。ソフィーは夢中でふり返りました。ハウルだったらと願ったのですが、黒い影には足が一本だけ！　あの、かかしです。

魔女は怒ってワオーウとわめくと、金髪のおさげ髪をなびかせ、骨ばった腕を伸ばしてかかしにつかみかかりました。かかしの方も魔女にとびかかります。はげしくぶつかる音がし、魔法の雲が二人を包みました。ハウルと魔女が戦ったときにポートヘイヴンで見た雲に似ています。雲はあちこちにぶつかり、そのたびに埃《ほこり》が舞いあがり、悲鳴とうなり声が響きました。ソフィーの髪が魔法を感じてちりちりします。

魔法の雲がわずか数ヤード先の、陶製の柱のあいだでゆれています。壁の裂け目はソフィーの近くにありました。思ったとおり、砦は実際にはそれほど大きくなかったのです。まぶしい太陽の白い光の前を魔法の雲が横ぎるたびに中が透け、やせた二人が中央でとっくみあっているのがよくわかりました。ソフィーはじっと見ながらも、杖を持つ手は背中で振りまわしていました。

足以外が全部自由になったとき、雲にもう一度光線があたり、中から金切り声があがりました。またもや誰かが壁の裂け目からとびこんできたのです。黒い袖をひらめかせている輪郭がはっきり見えました。

ハウルです。腕組をして、戦いを見まもっています。二人の戦いをほうっておくのかと思ったとき、ハウルの腕が上がり、長い袖がひらめきました。魔女とかかしの金切り声とうなり声をついて、ハウルが奇妙な長い言葉を叫ぶのが聞こえ、それといっしょに雷がごろごろと鳴りました。

かかしと魔女はふらふらし、陶製の柱のあいだにガチャーンガチャーンという音が響き、えんえんとこだましました。音がするたびに魔法の雲は小さく細くちぎれ、渦巻きながら消えていきます。ごく淡いもやだけが残ったとき、背が高いおさげの人物がよろめきはじめました。魔女は体を折り曲げ、薄れて白くなっていきました。

最後にもやがすっかり晴れると、魔女はかたんという音とともに床に倒れました。そのかすかなこだまがようやく静まると、ハウルとかかしは、ひと山の骨を前に黙ってむきあっていました。

よくやった！　と、ソフィーは思いました。ようやく両足のねばねばを払って自由になったソフィーは、玉座に座っている首のない人物に近づきました。さっきから気になってしかたなかったのです。

「いいや、わが友。魔女の心臓はここにはない」ハウルが、一本足ではねまわり、骨をひっかきまわしているかかしに話しかけました。「持っているのはきっと火の悪魔だよ。悪魔のやつがずいぶん前からこの魔女をあやつっていたのだと思う。悲しいことだ、本当に。あんたが探しているもうひとつの物はこっちにあると思うけど」ハウルが玉座にむかって歩いてくると、かかしも脇をとびはねながら、ついてきました。

ソフィーが肩かけをはずし、首なしのジャスティン王子の肩に品よくかけてやっていると、「あんたらしいね、まったく！」と、ハウルが言いました。「骨折ってたどりついてみれば、あんたときたら、のんきに片づけしてるってわけかい！」

ソフィーはハウルを見あげました。壁から射している光線は容赦なく、ハウルがひげもそらず、髪の手入れもしていないという事実を照らしだしています。両目のふちはまだ赤いし、黒い袖にはあちこちかぎ裂《ざ》きがあります。かかしと似たり寄ったりのひどい格好です。ああ、どうしよう！　ハウルは身なりにかまわないぐらい、アンゴリアンを愛しているにちがいありません。

「ここへ来たのはアンゴリアンさんを探したかったから」ソフィーは言いました。
「それなのにぼくときたら、あんたの家族を城に呼んでおけば、あんたも出てったりしないと思ってたんだからなあ！」ハウルはうんざりしたように言いました。「だけど……」

そのときかかしがソフィーの前にとびだし、どろっとした声で言いました。「わたしをハウル殿の城へ行かせたのは魔法使いサリマンです。わたしはサリマンに命じられ、花畑を小鳥から守っていました。サリマンは魔女につかまったとき、できるかぎりの魔法をわたしにかけ、助けにくるようにと命じたのです。ところが魔女がすぐにサリマンの体をばらばらにしてしまったので、ひとつひとつ追いかけるのはたいそう難しい仕事でした。あなたがとおりかかってわたしに話しかけ、命を吹きこんでくださらなければ、わたしはやりとげることはできなかったと思います」

かかしは、ここに来てやっと、「誰があんたをよこしたの」というソフィーの問いに答えたのでした。

「ジャスティン王子がサリマン捜索の呪文を使ったとき、さし示していたのは、あんただったのね？　でもどうして？」

「呪文が示したのはわたし、もしくはサリマンの頭蓋骨です」かかしが答えました。

「だってどっちもサリマンの最上の部分ですから」

「では、パーシヴァルというのは魔法使いと王子の残りでできているのね？」レティーは気に入らないかもしれないわね……

かかしはでこぼこのカブの頭でうなずきました。「パーシヴァルがわたしに言ったのです。魔女と魔女の火の悪魔は今うまくいっていないから、魔女だけならわたしでも勝てるだろうと。以前の十倍速く走れるようにしてくださって、感謝します」

ハウルは手を振ってかかしの言葉をさえぎりました。「その首なしの体を城まで運んでおいで。なんとかしてあげるから。ソフィーとぼくは、火の悪魔が城の防衛を破る前に、戻らないと」ハウルはソフィーの骨ばった手首をつかみました。「さあ。あの七リーグ靴はどこだい？」

ソフィーはしりごみしました。「でも、アンゴリアン先生がまだ……！」

「まだわからないの？」ハウルはソフィーをひっぱりながら言いました。「アンゴリアンってのが、火の悪魔なんだよ。もし城の中へ入りこまれたら、カルシファーはおしまいだし、そうなればぼくもおしまいなんだ！」

ソフィーは両手で口をおおいました。「へまをやらかすってことはわかってた！あの人はもう、二度も城に来たわ。でも今日はすぐ出ていったけど」

「なんてことだ！」ハウルはうめきました。「で、何かに触ったかい？」

「ギターに」

「じゃあ、今もその中にひそんでいるな。おいで！」ハウルはソフィーを壊れた壁の方へひっぱっていきながら、「気をつけてついてこい」と、かかしに呼びかけました。「ぼくが風を起こすから、飛ばされないように。あんたの靴を探してる暇はない」ぎざぎざの壁の穴をのりこえ、暑い陽射しの中に下りながら、ハウルはソフィーに言いました。「走って、とにかく走って。さもないとあんたを飛ばせないから」

ソフィーは杖にすがって、よろめきながらもどうにか走りだしました。ときおり石につまずきます。ハウルはソフィーをひっぱりながらいっしょに走っています。風が舞いあがり、最初はヒュウヒュウ、まもなくとどろくような音を立てて、砂まじりの熱風となり、渦を巻いて吹きあがる灰色の砂が、魔女の砦にぴゅーっとぶつかります。もう走っているとは言えません。二人はぴょんぴょんとびながら、地面すれすれに前へすべっているのです。小石だらけの地面が足もとをさっとすぎていきます。埃と砂がまわりで吹きあれ、頭上高く、うしろへ流れていきます。やかましいし、不快でしたが、荒地からはどんどん遠ざかります。

「カルシファーが悪いんじゃないの！」ソフィーが大声を出します。「あたしがカルシファーに、アンゴリアンが来たことを黙っていろと言ったの」

「どっちにしろ黙ってたさ」ハウルがどなり返します。「あいつは仲間の悪魔の告げ口なんかしないだろう。あいつはいつだってぼくの泣きどころさ」

「あんたの泣きどころって、ウェールズじゃなかったの？」

「ちがう！　あっちはわざと残しておいたんだ」ハウルがわめきます。「もし魔女があそこで何かしようとすれば、こっちだって腹が立つから魔女に歯むかえるって、わかってたからね。わざとすきを見せていたのさ。わかるかい？　王子を見つける唯一の方法は、魔女にかけられた呪いを利用して、こっちから魔女に近づくことだったんだよ」

「それじゃあ、王子を助けようとしてたのね？」ソフィーは思わず叫びました。「だのに、魔女から逃げだすふりしたのはどうして？　魔女をだますため？」

「とんでもない！」ハウルが大声で言います。「ぼくはおくびょう者なんだ。こんな恐ろしいことがやれる唯一の方法は、そんなことはしないと、自分をだますことなのさ！」

おや、まあ！　ハウルが正直になっている！　ソフィーは思いながら、つむじ風のように飛んでいく砂を見送りました。それに、今、吹いているのは風でしょ？　あの呪いの最後の部分、『正直者の風……』が、本当になっちゃった！

熱い砂がはげしくぶつかってくるし、ハウルに痛いほど強く手を握られています。

「止まるな！」ハウルが吠えます。「さもないと、かえって怪我する！」

ソフィーはあえいで足を動かします。山並がくっきり見えますし、その下の、花が咲いている茂みも緑の帯に見えます。黄色い砂が行く手につむじ風を起こしていますが、山がじょじょに近づき、緑の帯がぐんぐん迫ってきて、生垣の高さになったのが見えました。

「ぼくの味方ときたら、そろいもそろって弱いやつばかり！」ハウルが叫びました。「サリマンは生きているものとあてにしていたのに。ところがサリマンの中で残ってたのは、あのパーシヴァルとかいう残り物だけ。ぼくはあんまり怖くなったもんで、ウェールズへ行って酔っぱらわずにいられなかった。そしたら、今度はあんたがおびきだされて、まんまと魔女につかまるんだもんなあ！」

「しようがないだろ、長女だもの！」ソフィーは金切り声になりました。「失敗することになってんのさ」

「くだらない！　あんたはただ、考えが足りないんだよ」と言った拍子にハウルの速度が少しゆるみました。埃が舞いあがり、二人をもうもうと包んでいます。茂みがごく近くにあるとわかったのは、埃まじりの風が葉っぱをざわつかせる音が聞こえたからです。二人は派手に茂みにつっこみました。まだかなりの速度だったため、ハウルが急に方向転換すると、ひっぱられたソフィーは大きく飛ぶように、池の上を横ぎりました。

「それに、あんた、人がよすぎた」ハウルは水面をぴたぴた走り、睡蓮《すいれん》の葉の上に砂をぱらぱら落としながら、つけ加えました。「あんたがやきもちやいて、あの悪魔を近づけないものとあてにしていたんだけど」

二人はもやの立っている池の岸に着くと、速度を落としました。緑の小道沿いの茂みが、二人がとおるにつれはげしくゆれ、首を振ります。二人がとおりすぎたあとは風が起こり、小鳥たちは宙に投げだされ、花びらが舞いあがりました。城はゆっくりと小道を下ってくるところで、煙突の煙が風でたなびいています。ハウルは速度を落として城の扉にぶつかり、ひらいた扉からソフィーごと中にころがりこみました。

「マイケル！」ハウルが叫びます。

「あのかかしを入れたのはぼくじゃありません！」マイケルがうしろめたそうに言いました。

何もかもふだんどおりに見えました。ソフィーは自分がいなかった時間がごくわずかだったことを知って、意外な気がしました。誰かが階段の下からソフィーの寝台をひっぱりだしたらしく、いまだに意識のないパーシヴァルがそこに寝かされています。レティー、マーサ、マイケルがそのまわりに集まっていました。二階からはフェアファックス夫人とファニーの声が聞こえ、おまけにシュッシュッとか、どたんばたんといった不吉な音がするところを見ると、ハウルのクモたちはさぞ、つらい目にあっているにちがいありません。

ハウルはソフィーの手を放し、ギターのところへ突進しました。ハウルが手を触れる前に、ギターは突然ジャーンと鳴ったかと思うと、弦が切れ、胴がこっぱみじんになり、ハウルの上に降りそそぎました。ハウルは片袖で顔を守り、あとずさりました。と、アンゴリアンが暖炉のそばに、ほほえみながら立っていました。ハウルの言うとおり、ずっとギターの中に隠れて、この瞬間を待っていたにちがいありません。

「あんたの魔女は死んだよ」ハウルが教えましたが、アンゴリアンはまったく動じません。

「それはまた気の毒に！　これでようやく、少しましな人間を新しく手に入れられるよ。呪いが全部実現したからには、おまえの心臓はわたしの物だ」アンゴリアンは炉格子の下に手を伸ばし、カルシファーをつかみだしました。カルシファーはアンゴリアンの握りこぶしのてっぺんから、ゆらゆらとおびえた顔を出しています。「誰も動くな」アンゴリアンは警告するように言いました。

みんな凍りつきました。ことにハウルはぴくりともしません。

「助けて！」カルシファーが弱々しく言いました。

「誰にも助けられないさ」とアンゴリアン。「おまえはあたしが新しい人間を飼い慣らすのを助けるんだから。さあ、見せてやろう。ちょいときつく握ればいいのさ」アンゴリアンがカルシファーをつかんでいるこぶしにぎゅっと力を入れたので、関節の色が薄い黄色になりました。

ハウルとカルシファーが同時に叫び声をあげました。カルシファーは苦痛のあまりあちこちに伸びあがり、ハウルは青ざめ、まるで木が倒れるように床へくずれました。パーシヴァルと同じように意識を失い、息をしていないように見えました。

アンゴリアンはびっくりして、ハウルをじっと見つめました。「芝居だろう」

「ちがうぜ」カルシファーは身もだえして、螺旋形《らせんけい》にねじれました。「ハウルの心臓はとても柔らかいんだ。放せよ！」

ソフィーはゆっくりと優しく杖を持ちあげました。今度ばかりは行動に移る前に、一瞬きちんと考えました。それから「杖よ」とつぶやきました。「アンゴリアンをたたけ。ほかの者は傷つけるんじゃない」それから杖を振りあげ、ぎゅっと握りしめているアンゴリアンのこぶしを、力いっぱい殴ったのです。

アンゴリアンは湿気《しっけ》たまきを火にくべたときのような悲鳴をあげ、カルシファーをとり落としました。かわいそうにカルシファーはなすすべもなく床にころがり、恐怖のあまりしわがれ声をあげ、横向きにぼうぼうと燃えています。アンゴリアンは足を持ちあげ、カルシファーをふみつけようとしました。

ソフィーは杖をほうりだし、カルシファーを助けようと突進しました。でも、杖は勝手にアンゴリアンを何度も何度もたたいているではありませんか。そうよ、うまいぐあいだわ。杖に話しかけて、命を吹きこんだのね。ペンステモンさんが魔法の杖だと言ってた！

アンゴリアンはシュウシュウ声をあげ、よろめきました。ソフィーはカルシファーを抱いて立ち、杖がアンゴリアンをたたきのめし、火の悪魔の熱で杖から煙が上がるのを見つめました。一方、カルシファーはちっとも熱くありません。衝撃を受けたせいで白っぽい青になっています。ソフィーは黒いかたまり状のハウルの心臓が、自分の指のあいだで弱々しく鼓動を打つのを感じました。

そうです、今抱いているのがハウルの心臓にちがいありません。契約の代償として、カルシファーを生かしておくために、渡していたのです。カルシファーをかわいそうに思ったからでしょうが、まったく、なんてばかげたことをしたのでしょう！

そのときファニーとフェアファックス夫人がほうきを持ったまま、急いで二階から下りてきました。二人の姿を見て、アンゴリアンは形勢不利と思ったにちがいありません。扉から逃げようとしました。そのあいだもソフィーの杖がつきまとい、殴りつづけています。

「あいつを止めて！」ソフィーは叫びました。「ここから逃がすな！　出口をみんな固めて！」

誰もが急いで言われたとおりにしました。フェアファックス夫人はほうきをかかげたまま、物置に陣取り、ファニーは階段に立ちます。レティーはとびあがると、裏庭へ通じる扉を守ります。マーサは浴室への扉です。マイケルは城の出口に駆けていきました。ところがそのとたんパーシヴァルもまたベッドからとびおきると、出口に駆けつけたのです。顔はまっ青で、両目をとじたままでしたが、マイケルより早く扉にたどりつき、何かにあやつられるようにあけてしまったのです。

カルシファーが何もできずにいたため、城は止まっていました。アンゴリアンは外のもやの中の茂みが動いていないのを見てとり、ものすごい勢いで扉を目ざしました。ところがたどりつく前に、かかしが戸口をふさぎました。かかしは、ソフィーの肩かけをはおった王子を肩にかついだまま、ぬうっと立ちはだかり、棒の腕を横に広げて、とおせんぼをしました。アンゴリアンはあとずさりしました。

アンゴリアンをたたいていた杖は燃えだしています。鉄の石づきが赤くなって、もうあまり持ちこたえられそうにありません。アンゴリアンは杖がいやなあまり、マイケルをつかまえ、盾にして杖を防ごうとしました。アンゴリアン以外は傷つけないように命じられていた杖は、炎を上げたまま、空中にとどまりました。マーサが駆けつけ、マイケルをかばいます。杖は、マーサも避けなければなりません。結局ソフィーはまたも失敗したようです。

ぐずぐずしている時間はありません。

「カルシファー」ソフィーは呼びかけました。「あんたとハウルの契約を破らなきゃいけないの。ハウルの心臓をとりだしたら、あんた、死んじゃう?」

「あんた以外のやつがやったらね」カルシファーがしゃがれ声で答えました。「だからあんたに頼んだんじゃないか。あんたなら、話しかければ物に命を吹きこめるとわかったからね。かかしや頭蓋骨の元気なこと、ごらんよ。おいらにもそうしとくれ」

「それなら、あんたが千年も長生きしますように!」ソフィーは言うと同時に、心の中でも強く念じました。話しかけるだけでは不安だったからです。ずっとそれが気がかりでした。それからカルシファーをつかむと、ゆっくりと黒いかたまりをつかみだしにかかりました。花の茎から枯れたつぼみを摘みとるような手つきです。カルシファーはくるっと回転すると、ソフィーの肩のあたりに青い涙のような形になってぶらさがりました。

「ああ、軽くなったぜ!」カルシファーはしだいに、何が起きたのかわかってきたようでした。「おいら、自由だ!」カルシファーは煙突につっこんだと思うと、姿を消しました。「おいら、自由だ!」カルシファーが上空で叫んでいるのが、かすかに聞こえました。きっと帽子店の煙突のてっぺんから外へ出たのでしょう。

ソフィーはどす黒いかたまりを持ったままハウルにむきなおりました。急いではいたものの、心配でもありました。ちゃんとやらなければいけないのに、やり方がわからないのです。「さあ、やるわよ」と自分に言い聞かせ、ハウルのかたわらにひざをつくと、胸のやや左に寄った位置に黒いかたまりをそっとのせました。いつもやっかい事が起きたときに、心臓がどきどきする場所です。それから黒いかたまりを押し、「入れ」と命じました。「入って、働け！」

ソフィーがどんどん押しこむと、心臓はじょじょに体内に入ってゆき、それとともに鼓動が強くなってきました。ソフィーは扉の近くで起きている火事のこともとっくみあいのことも無視して、同じような力で圧力をかけつづけました。顔の前に赤い髪の毛の束が落ちてきて、邪魔になってしかたありませんが、気にしてはいられません。ソフィーは押しつづけました。

心臓はようやくすっかり体内に入りました。心臓が消えたとたん、ハウルが身動きしました。大きなうめき声をあげ、うつぶせになったのです。「ひどい気分。こりゃ、二日酔いだ！」

「いいえ、床に頭をぶつけたの」ソフィーが教えました。

ハウルははうようにして、よつんばいになりました。

「こうしちゃいられない。まぬけなソフィーを助けなきゃ」

「ここにいるわ！」ソフィーはハウルの肩をゆさぶりました。「でも、アンゴリアンもまだいるの！　さあ起きて、なんとかして。早く！」

ソフィーの杖は今やすっかり炎に包まれていました。マーサの髪が焦げかかっています。アンゴリアンはかかしも燃えるだろうと気づいたらしく、空中を漂っている杖を戸口へおびき寄せようとしています。またた、また考えが足りなかったんだ！ハウルはひと目で状況を見てとると、あわてて立ちあがり、片手を前に伸ばして何か呪文を唱えたのです。その瞬間雷鳴が起こったので、なんと言ったのかはわかりませんでした。天井からしっくいが落ち、あらゆる物が振動し、杖は消えうせ、ハウルは何か小さくて硬い黒い物を手に、うしろへ下がりました。まきの燃え残りと言われればそう思ったかもしれません。ただ形が、ソフィーがハウルの胸に押しこんだ物と同じでした。アンゴリアンは湿った火のような泣き声をあげ、お願い、と言うように両腕をさしだしました。

「そうは問屋がおろさない」とハウル。「あんたの命運はつきた。こいつのようすだと、あんたは心臓も新しくするつもりだったらしい。ぼくの心臓をとって、カルシファーを殺そうと思ってたんだろ？」ハウルは両手で黒いかたまりをはさむと、両の手のひらをぐいと押しあわせました。魔女の古ぼけた心臓がぼろぼろとくずれ、黒い砂や煤《すす》が出たと思うと、消えてなくなりました。ハウルがからの両手をひらいたときには、戸口のアンゴリアンもいなくなっていました。

ほかにも変化がありました。アンゴリアンがいなくなった瞬間、かかしの姿も消えました。よく見ていたなら、二人の長身の男性が戸口にあらわれ、にっこりほほえみかわしているのが見えたはずです。ごつい顔の男性の髪は赤毛です。緑色の軍服の男性はややぼんやりした顔立ちで、軍服の肩からはレースの肩かけがたれさがっていました。けれども、ちょうどそのときハウルが、ソフィーの方をむいてこう言ったのです。「灰色はちっとも似合わないよ。はじめて会ったときにそう思った」

「カルシファーが出ていっちゃった」ソフィーは言いました。「あたし、契約を破らなきゃならなかったの」

ハウルは少し悲しそうな顔をしましたが、こう言いました。「ぼくもカルシファーも、そうしてほしかったのさ。どっちも、この先魔女とアンゴリアンのようになりたくはなかった。それはそうと、ソフィー、あんたは赤毛なんだね」

「これはあかがね色よ」ソフィーは答えて、思いました。見たところハウルはたいして変わってないわね。心臓が戻ったからには変わるかと思っていたのに。せいぜい目の色が少し濃くなって、ガラス玉というよりは普通の目らしくなっただけね。「誰かさんとちがって、この髪は生まれつきなの」

「どうして生まれつきなんてことをみんながありがたがるのか、わからないね」と、ハウル。これでソフィーにも、ハウルの性格がちっとも変わっていないことがよくわかりました。

もし、ソフィーがハウルに気をとられていなかったら、ジャスティン王子と魔法使いサリマンが握手をし、うれしそうに互いの背中をぽんとたたきあうところが見えたでしょう。

「わたしは兄上のところへ戻った方がよさそうだ」と殿下が言い、ファニーに近寄り、深々とお辞儀をしました。ここではファニーがいちばんえらそうだと判断したのです。

「お見受けしたところ、この屋敷の女主人殿ではありませぬか？」

「いいえ、そうではございません」ファニーはほうきを背中に隠しながら言いました。

「この家の女主人はソフィーです」

「というか、近々そうなると申しあげるべきかしら」フェアファックス夫人が、にこやかな笑みを浮かべてつけ加えました。

そのとき、ハウルはソフィーにこう言っていました。「ずっと考えてたんだ。あんたはひょっとしたら、あの五月祭の日に出会ったかわいらしい娘さんじゃないかって。あのときはどうしてあんなにびくびくしてたんだい？」

もし、ソフィーがハウルに気をとられていなかったら、魔法使いサリマンがレティーに近寄るところも見えたことでしょう。本来の自分をとりもどしたサリマンが、レティーに負けず劣らず強い意志の持ち主なのは明らかでした。レティーはサリマンがぬーっと前に立ちはだかると、落ち着かない顔になりました。

「あなたのことを覚えていたのは殿下の方で、わたしではなかったわけですね」と、サリマン。

「そのとおりです。すべて勘ちがいでしたわね」レティーはいさぎよく答えました。

「いや、勘ちがいばかりではありません！」サリマンは反対しました。「いかがでしょう、わたしの弟子になる気はありませんか？」

これを聞いてレティーはまっ赤になり、どう返事していいかわからないようすでした。

レティーが自分で決めればいいわと、ソフィーは思いました。ソフィーだって自分のことで手いっぱいです。ハウルがこう言ったのです。

「ぼくたちって、これからいっしょに末永く幸せに暮すべきなんじゃない？」

ハウルが本気で言っていることは、ソフィーにもよくわかっていました。いっしょに暮すとなれば、何事もなく幸せに暮すおとぎ話とは大ちがい、もっと波乱に満ちた暮しになることでしょう。でも、やってみる覚悟はできています。

「それって、ぞくぞくするような暮しだろうね」ハウルがつけ加えました。

「あんたはわたしをこき使うんでしょ」とソフィー。

「そうしたらぼくの服という服を切りきざんで、思い知らせておくれ」とハウル。

もしソフィーにしろハウルにしろ、お互いにばかり気をとられていなかったら、ジャスティン王子と魔法使いサリマンとフェアファックス夫人の三人がハウルに何か話したがっていると気づいたかもしれません。ファニーとマーサとレティーがソフィーの袖をぎゅっとつかみ、マイケルがハウルの上着をひっぱって注意を引こうとしていることにも。でも、二人とも、ほかのことは眼中になかったのです。

「あんなにみごとに呪文をお使いになる方はなかなかいませんわよ」フェアファックス夫人がハウルに言いました。「あたくしにはあの敵をどうしていいか、見当もつきませんでしたわ。あたくしはよく言うんですが……」

「ソフィー姉さん」と、レティー。「あのね、どう思う……」

「ハウル殿」と魔法使いサリマン。「たびたびあなたにかみつこうとしたこと、おわび申しあげます。わたくしとて、犬になどなっていなければ、同郷の者に歯をむこうなどと夢にも思わないのですが」

「ソフィー、こちらの紳士はジャスティン殿下のようよ」とファニー。

「ハウル殿」とジャスティン王子。「魔女から救っていただいたことに、お礼申しあげます」

「ソフィー姉さん」と、マーサ。「姉さんの呪いが解けてる！　聞こえてる？」

けれどもそのどれにも耳も貸さず、ソフィーとハウルは手に手をとりあい、にこにこしていました。誰にも邪魔なんかさせません。

「話はあと、あと」と、ハウル。「ぼくは報酬目あてで魔女と戦ったまでです」

「嘘ばっかし！」と、ソフィー。

「ハウルさん！」マイケルが声をはりあげました。「カルシファーが帰ってきましたよ！」

その言葉だけはさすがに、ハウルの耳に届きました。ソフィーも同様です。二人は暖炉を見ました。確かに、おなじみの青い顔がまきのあいだでゆらゆらしています。

「戻らなくてもよかったんだよ」と、ハウルが言いました。

「おいら、戻りたかったんだ。今じゃ自由に行ったり来たりできるんだから」と、カルシファーが答えました。「それにね、〈がやがや町〉は今、雨が降っているんだもん」

日本の読者のみなさんへ

『魔法使いハウルと火の悪魔』の本が、生まれるまでのことをお話ししましょう。

あるときわたしは、学校に招かれて、生徒たちと話をしました。そのとき、一人の少年がわたしに、「動く城の話を書いてください」と言いました。わたしはそういう話を思いついたことがなかったので、すばらしいアイディアだと思いました。そこで、「本ができたらあなたの名前を載せましょうね」と約束したのです。

みなさんにもおわかりだと思いますが、あいにく、アイディアだけでは本を書くことはできません。作者は本の中の人物について、よく知らなければならないのです。あっというまに何年かたちました。それから、魔法使いハウルがわたしの頭の中にあらわれ、「ぼくが動く城の持ち主だよ」と言ったのです。わたしはすぐにハウルの本を書きはじめました。本当に楽しい仕事でした。書きながらあんまり笑ったために、椅子からころげ落ちそうになったこともあるほどです。

本ができあがると、わたしは少年の名前を書きとめておいた紙を探しましたが、紙は見つからなくなっていました。でもみなさんには、この本のアイディアをその少年にもらったことを、知っておいていただきたいと思います。

ダイアナ・ウィン・ジョーンズ

解説

荻原規子《おぎわらのりこ》

『魔法使いハウルと火の悪魔』(Howl's Moving Castle 1986) は、私がもっとも愛するファンタジーの一つです。

著者ダイアナ・ウィン・ジョーンズは、英国を代表するファンタジー作家。一九三四年生まれの彼女は、オックスフォード大学在学中、J・R・R・トールキンの講義を受けた経験をもつ人物です。

とはいえ、ジョーンズのファンタジーには、トールキン教授の作品とはひと味もふた味も違う個性があります。作品の発表を始めたのが一九七〇年と遅い人でもあり、とびっきりはじけた、ジョーンズ流としか言いようのない作風の持ち主なのです。

日本でもブームになり、一般に知れわたったファンタジーの双璧といえば、映画化で人々が瞠目《どうもく》したJ・R・R・トールキン『指輪物語』と、ファンタジー旋風を巻きおこしたJ・K・ローリング「ハリー・ポッター」シリーズでしょう。そして、この二作品を生み出す土壌をもつ英国――いわばファンタジーのおひざもと――で喜ばれ、高く評価されるのが、ダイアナ・ウィン・ジョーンズの作品といえるかもしれません。

　彼女の作品には、まだファンタジーのおもしろさを知らなかった人々がいっせいに飛びついた「ハリー・ポッター」シリーズほど、万人向けに平均化したところがありません。かといって、『指輪物語』ほど、一部の人にしか読破できないしかつめらしさを有しているわけでもありません。

「ハリー・ポッター」をファンタジー初心者向けの良質な作品と見て、『指輪物語』を到達点が知りたい人の最上級作品と見るならば、ダイアナ・ウィン・ジョーンズの作品は、ファンタジーの紋切り型を打ち破るところから始まるのです。


　さて、『魔法使いハウルと火の悪魔』は、「七リーグ靴や姿隠しのマントが本当にある」国、インガリーで始まります。

　一足歩くだけではるか遠方へ行ける魔法の靴や、それを着ると姿が見えなくなる魔法のマントは、昔話によく使われるアイテムです。そういうものの出てくる話をどこかで見聞きしたことを、ぼんやりとでも思い出せることを、はやくも読者は要求されます……こういう知識をぎゅっとふまえて、さらにその上へ駆け上がるのがジョーンズの作品なのです。

インガリー国の帽子屋には三人の娘がおり、物語の主人公ソフィーはその長女でした。彼女は「わたしは長女だから、何をしても成功しない」とあきらめています。それというのも、魔法の品があたり前にある国であるため、昔話のセオリーが一般通念のように生きているのです。

三人きょうだいの兄二人は探求に失敗し、末っ子が初めて成功する話は、『金の鳥』『せむしの仔馬』などが典型で、上二人の姉が意地悪で、心やさしい末娘が幸せをつかむ話は、『シンデレラ』『美女と野獣』などが典型です。その類話は東西にいくつもあります。しかし、通念だからといって、そのとおりにならないことはじきにわかるのですが、定型をもつ昔話のストーリーを逆手にとり、運だめしに失敗すると思いこむ長女を主人公にするところに、ジョーンズの面目躍如《めんもくやくじょ》たるものがあります。

長女のソフィーがこれほど引っこみ思案だというのに、二人の妹はパワフルです。継母に言われるままに帽子屋に残り、こき使われるのはソフィーばかり。（しかし、この継母が昔話の定型かどうかというところも、のちの読みどころです。）やがて、そんなソフィーにもとうとう人生の転機がおとずれますが、とんでもない形でした。

ある日、帽子屋を訪れた「荒地の魔女」にいわれのない敵意を向けられたソフィーは、一瞬にして九十歳かという老婆になっていたのでした。

褐色のやせしなびた顔、少なくなった白髪、黄色い涙目……

鏡で姿を確認したソフィーは、ショック状態ながらも自分に言いきかせます。「だいじょうぶよ、おばあちゃん。とても元気そうだもの。こっちの方がよっぽど似合うわ」

そして、この変身に人々が動転する前にと、家を出る決心をするのでした。

物語のヒロインがそうそうに老婆になってしまい、活躍のほとんどを老婆として行うというところが、この話のとびきりのユニークさの一つです。

ソフィーは家を出てから、人々に恐れられる魔法使いハウルの城――いくつもの塔から煙を吐き、空中を移動する魔法の城――に行きあい、そこへ強引に住みこむことにします。それというのも、魔法使いハウルの悪名は若い娘の魂をとったり心臓を食うというもので、老婆になったソフィーには怖くなかったからでした。

今は四十歳の男でも「お若いの」に見えてしまうソフィーが、引っこみ思案を忘れ、ずうずうしく遠慮のない、おせっかいで歯に衣《きぬ》着せないばあさんになってしまうところが、なんともいえず痛快です。たのまれもしない掃除にせいを出して、不潔だった城の中をせっせときれいにしていくところなど、爽快感さえあります。

見方を変えれば、このことは、昔話やたいていの作り話でははっきりとキャラクター分けされてしまう老婆と乙女が、じつは連続したものだという主張をしているようにも思えます。老婆の中にも過去の乙女が含まれていて、乙女の中にも未来の老婆と同じものがあり、一人の人間として連続しているのは当然のことなのだけど、たいていの人は見ていないという。

継母の言うなりに仕事づけになり、外出もためらい、灰色の服を着て灰色の肩掛けをして、街角でおしゃれな男の子に声をかけられると怯《おび》えすくんでいたソフィーでした。だからこそ、変わり果てた老婆になってもとことん打ちのめされずにすんだのですが、若い娘という枠をはずされて初めて、ソフィーの内側にある強さや美質が表に出てきたともいえます。

ところがソフィー、ずうずうしいばあさんとして住みついたにもかかわらず、いつしか恋をしているのでした――なんと、魔法の城の主ハウルに。

この物語には、意外性のない登場人物は一人として出てきませんが、わけてもハウルは意外性に満ちています。だいいち、この悪の魔法使いと名高い男は、街角でソフィーに声をかけた、おしゃれで感じのいい若者と同一人物でした。

浴室で二時間かけて身だしなみを整え、袖の大きな派手の衣装をまとい、弾けもしないギターをかかえ、とっかえひっかえ恋人を追いかける若者、ハウル。ソフィーの妹にまでちょっかいを出して彼女の怒りを買いますが、うぬぼれが傷つくと限りなく落ちこみ、その表現のしかたがまた限りなくユニークです。

ただし、魔法の腕前はほんもので、「火の悪魔」と契約をかわしており、動く城の暖炉にそれを閉じこめて力を自分のものとしています。火の悪魔カルシファーは青い炎の顔をもち、しゃべることができ、城へ来たソフィーに、ハウルとの契約をといて自分を自由にしてくれたら、荒地の魔女の呪いをといてやるともちかけます。

悪魔と契約をかわす――このモチーフも古典に数あるもので、悪魔に代償をさしだすかわりに強大な力を得た人間は、やがて身を滅ぼして悲惨な最期をむかえるものです。それをするからには、ハウルはやはり悪い魔法使いであり、カルシファーも油断のならない悪魔のはずですが、それを承知しながら、ソフィーはひかれていく気持ちを抑えられません。

ハウルには、その後明らかになる出身地などにとんでもない意外性があるのですが、カルシファーにも同じくらい意外性のある秘密があります。そして、この二者は手をたずさえて読者の前に現れ、手をたずさえて、一筋縄《ひとすじなわ》ではいかないキャラクターの魅力にひきこんでいきます。

私は、火の悪魔カルシファーの魅力とユニークさが、この物語の大部分をささえているような気がするのですが。みずから悪魔と名のるし、意地悪であまのじゃくな性格も見せつけるし、牙のある炎の顔には怖いものがあるカルシファーなのに、作品中で一番生き生きとして、かわいらしいといってもいいほどです。そしてカルシファーに対するハウルの態度が、ハウルのよさにもつながっていきます。

まだ本編を読んでいないかたは、ラストのラストになれば、なぜ私がカルシファーのファンかがわかってもらえると思います。そこへたどり着くまでのはらはらどきどきを、どうぞ楽しんでください。

ダイアナ・ウィン・ジョーンズ作品の特徴は、セオリーを知り尽くした上でのもう一《ひと》ひねりひねったストーリー展開、及び、もう一ひねりひねった人物像にあるといえるでしょう。それは、たしかな人間の観察眼に裏打ちされていることが条件ですが、おのずとこの「一ひねり」は、ユーモアを生むのと同じ素地にある、ある種底意地の悪いものの見方、甘さのない人生観につながります。

彼女は、ユーモアと不可分な意地悪さを隠そうとしない作家です。その上で、定型や常識におさまらない、とんでもなくパワーにあふれる登場人物（たいていは子どもか若年層）を、無上の喜びを感じながら描き出しているようです。振幅の激しいハウルも、いわばその中の一人でしょう。

一歩まちがえると、悪の権化になるかもしれない。けれども、人間存在がもっているおかしみや手のつけようのない性癖を抱え、そして、どうしようもない性癖を裏返しに見た同じものが、愛すべき点や人物の魅力となる――そんな、一個人への洞察力を山ほどもっているからこそ、描かれるキャラクターたちです。

痛快なストーリーや飛び回る登場人物をあくまで楽しみながら、どこかで忘れずに意地悪なところに、老練なイギリス本国で愛されている理由があるように思えてなりません。

日本における作品の紹介は、最初の一冊が一九八四年とかなり早かったにもかかわらず、その後の出版がなかなか進まず、読めずにあきらめていた読者が多かったものでした。私ももちろんその一人です。それが、近年ではつぎつぎと邦訳されて、喜ばしいことこの上もありません。

『魔法使いハウルと火の悪魔』をおもしろいと感じたかたは、ぜひとも他の作品を手にとってください。「ハウルの動く城」シリーズの第二巻、『アブダラと空飛ぶ絨毯』がありますし、完結編となる『チャーメインと魔法の家』も近々刊行の予定とのことです。「大魔法使いクレストマンシー」シリーズは本領発揮の快作です。(『魔女と暮らせば』『トニーノの歌う魔法』『魔法使いはだれだ』『クリストファーの魔法の旅』『魔法がいっぱい』『魔法の館にやとわれて』『キャットと魔法の卵』いずれも徳間書店)

その他、「ダークホルム二部作」(『ダークホルムの闇の君』『グリフィンの年』東京創元社)も、私のイチ押し作品です。

しかし、作家ダイアナ・ウィン・ジョーンズは、二〇一一年三月に七十六歳で亡くなりました。たいそう惜しまれる逝去でした。

私にとって、今でもジョーンズは指標となるファンタジークリエイターです。三人の子どもを育ててから作家活動を始めたという、経歴は私とずいぶん異なりますが、だからこそ、女性の持つ可能性を力強く信じさせてくれます。宮崎駿監督作品のアニメーション映画『ハウルの動く城』が公開された当時、彼女は読売新聞のインタビューに応えてこう語っていました。

――ファンタジーを書きたい人へのアドバイスを。

ジョーンズ　大切なことが二つあります。一つは、リアリティー。ファンタジーは、いつも現実に起こっていることがベースになければなりません。もう一つは、自分が面白いと思わないような物語を書いてはいけないということ。だって、自分が面白いと思わないものをどうして他の人が面白いと思えるの?

（二〇〇四年十月五日　読売新聞）

これほどに、私が常日ごろ感じていることはないとさえ思えるのでした。

（作家）

この作品は１９９７年5月徳間書店より刊行された
単行本に、若干の語句の修正を加えたものです。

徳間文庫

ハウルの動く城 1

魔《ま》法《ほう》使《つか》いハウルと火《ひ》の悪魔《あくま》

2013年3月15日 初刷
2025年6月5日 17刷

著者 ダイアナ・ウィン・ジョーンズ
訳者 西《にし》村《むら》醇《じゅん》子《こ》
発行者 小宮英行
発行所 株式会社徳間書店
東京都品川区上大崎三−一−一 〒141−8202
目黒セントラルスクエア
電話 編集〇三(五四〇三)四三四九
販売〇四九(二九三)五五二一
振替 〇〇一四〇−〇−四四三九二
印刷 製本 株式会社広済堂ネクスト

ISBN978-4-19-893673-0 (乱丁、落丁本はお取りかえいたします)